Clásicos castellanos
nueva serie

Para Charles Faulhaber,
con la amistad de
Maxim. Kerkhof
Berkeley, 3/19/'87

Director de la colección
Víctor García de la Concha
Universidad de Salamanca

Marqués de Santillana

COMEDIETA
DE PONÇA

Edición crítica de Maxim P. A. Kerkhof

Espasa-Calpe
Madrid

Cubierta: *El mes de junio,* de los hermanos de Limbourg
Del libro «Muy Ricas Horas del Duque de Berry»
Chantilly. Museo Condé

© Espasa-Calpe, S. A., Madrid, 1987

Depósito legal: M. 1.692-1987
ISBN. 84-239-3844-1

Impreso en España
Printed in Spain

Talleres gráficos de la Editorial Espasa-Calpe, S. A.
Carretera de Irún, km. 12,200. 28049 Madrid

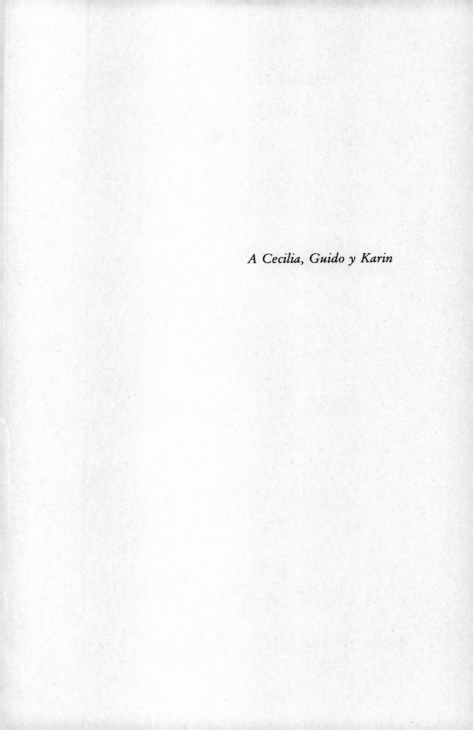

A Cecilia, Guido y Karin

INTRODUCCIÓN

VIDA Y OBRA DEL MARQUÉS DE SANTILLANA

ÍÑIGO LÓPEZ DE MENDOZA

Don Íñigo nació el 19 de agosto de 1398 en Carrión de los Condes, segundo de los hijos del Almirante de Castilla don Diego Hurtado de Mendoza, señor de Hita y de Buytrago, y de doña Leonor de la Vega, rica hembra de las Asturias de Santillana [1]. Cuando apenas tenía seis años de edad, perdió a su padre (1404) y, como su hermano mayor don García había muerto un año antes, he-

---

[1] Para la biografía de don Íñigo López de Mendoza, consúltense la *Crónica de don Juan Segundo* (en *B. A. E.*, LXVIII); la *Vida del Marqués de Santillana*, que sirve de introducción a la edición de las obras del marqués hecha por José Amador de los Ríos *(Obras de don Íñigo López de Mendoza, Marqués de Santillana*, Madrid, 1852, págs. IX-CLVII), ed. moderna de Augusto Cortina (Colección Austral, 693), Madrid, Espasa-Calpe, 1947; M. OLIVAR, «Documents per la biografía del marquès de Santillana», en *Estudis Universitaris Catalans*, XI (1926), págs. 110-120; F. LAYNA SERRANO, *Historia de Guadalajara y sus Mendozas en los siglos XV y XVI*, I, Madrid, C. S. I. C., 1942; ROGELIO PÉREZ-BUSTAMANTE, *Íñigo López de Mendoza, Marqués de Santillana (1398-1458)*, Santillana del Mar, 1981; y LUIS RUBIO GARCÍA, *Documentos sobre el Marqués de Santillana*, Murcia, Departamento de Filología Románica, Universidad de Murcia, 1983. Resúmenes de la vida del marqués se encuentran, p. ej., en MARIO SCHIFF, *La bibliotèque du Marquis de Santillane*, París, Bibliotèque de l'École des Hautes Études, 1905, págs. XXIV-LXIX, y en el prólogo que Vicente García de Diego puso a su edición *Marqués de Santillana, Canciones y decires* (Clásicos Castellanos, 18), Madrid, Espasa-Calpe, 1968, págs. VII-XXXIII.

redó las posesiones de los Mendoza. Deudos y parientes trataron de tomar posesión de partes de ese patrimonio, pero gracias a la firmeza, sagacidad y habilidad de doña Leonor, fracasaron estos planes. En 1408, doña Leonor y don Lorenzo Suárez de Figueroa, gran maestre de Santiago, concertaron en Ocaña el matrimonio de sus hijos don Íñigo y doña Catalina; en 1412, se celebraron los desposorios y en 1416 tuvieron lugar las bodas en Salamanca.

A propósito de la formación escolar de don Íñigo, observa su biógrafo y editor de sus obras, José Amador de los Ríos: «Asientan la mayor parte de los historiadores y genealogistas, al hablar del primer marqués de Santillana, que ocupó éste su niñez en el estudio de la lengua latina, retórica, erudición y filosofía, adelantándose algunos a incluir en dichos estudios la historia castellana... Mas los que de esta manera discurren, ni señalan la escuela, ni dan tampoco razón de sus maestros»[2]. Es posible que alguno de los amigos cultos de la familia, entre los que se encontraban los doctores Alonso de Salamanca y Pedro Sánchez del Castillo, y los bachilleres Alfonso Fernández de Valladolid, Pedro Alfonso de Sevilla y Mateo Sánchez, tuviera a su cuidado la educación del joven.

Íñigo López siguió aprendiendo durante toda su vida: sus obras y lo que de su biblioteca se ha conservado nos informan de un modo muy seguro sobre este proceso evolutivo. Mucho se ha discutido el problema de si don Íñigo sabía latín o no. A este respecto, es muy esclarecedora la carta que Íñigo López dirigió a su hijo don Pedro González de Mendoza, cuando éste estudiaba en Salamanca (entre 1445 y 1452). En ella leemos, entre otras cosas:

> «Algunos libros e oraçiones e reçiuido por vn pariente y amigo mío este otro día que nueuamente es venido de Italia, los quales, assí por Leonardo de Arecio como por Pedro Cándido, milanés, de aquel prín-

---

[2] JOSÉ AMADOR DE LOS RÍOS, ed. cit., pág. XIX.

cipe de los poetas, Homero, e de la historia troyana
que él compuso, a la qual *Ilíade* intituló, traduxeron
del griego a la lengua latina, creo ser primero, segundo, tercero o quarto o parte del déçimo libros. E
como quiera que por Guido de Colunna, e informado
de las relaçiones de Ditis griego y Dares phrigio, y de
otros muchos autores assaz plenaria y extensamente
ayamos notiçia de aquélla, agradable cosa será a mí ver
obra de vn tan alto varón y quasi soberano príncipe de
los poetas, mayormente de vn litigio militar o guerra
el mayor y más antiguo que se cree auer seýdo en el
mundo...

Bien sé yo agora que, según que ya otras vezes con
vos y con otros me ha acaescido, diredes que la mayor
parte o quasi toda de la dulçura o graçiosidad quedan
y retienen en sí las palabras y vocablos latinos; lo cual
como quiera que yo lo non sepa, porque no lo
aprendí... Ca difíçil cosa sería agora que, después de
assaz años e no menos trauajos, yo quisiese o me des-
pusiese a porfiar con la lengua latina, como quiera que
Tulio afirma Catón —creo Vticense— en hedad de
ochenta años aprendiesse las letras griegas... E pues no
podemos auer aquello que queremos, queramos aquello que podemos. E si careçemos de las formas,
seamos contentos de las materias...» [3].

Sin embargo, a base de estos pasajes no podemos concluir, como hizo Alfred Morel Fatio [4], que Santillana «ig-
noraba totalmente» el latín. Sin duda alguna, tenía don
Íñigo unos conocimientos muy pasivos de la lengua latina
a través de su formación, estudio y contactos intensivos
con amigos doctos. Por lo tanto, tampoco me parece
acertado decir, como hace Miguel Garci-Gómez [5], que

---

[3] Cito por la edición que Ángel Gómez Moreno inçluyó en su libro
El «Proemio» y otros escritos literarios del Marqués de Santillana, que
será publicado en *Humanitas.* El autor tuvo la amabilidad de entre-
garme una copia del manuscrito.

[4] ALFRED MOREL-FATIO, «Les deux Omero castillans», en *Romania,* XXV (1896), pág. 121 y nota 3.

[5] En el prólogo a su edición *Marqués de Santillana, Prohemios y
cartas literarias,* Madrid, Editora Nacional, 1984, pág. 17.

«sabía el suficiente latín para poder entender a César y a
Cicerón, y las selecciones de florilegio de Horacio y Virgilio, de quienes nos ha dejado bellas interpretaciones».
A mi juicio, Santillana tenía tanta dificultad con la lectura
de los autores clásicos, que prefería leerlos en traducciones. Esta interpretación encuentra apoyo en las palabras que Juan de Lucena, en su *Diálogo de vita beata*,
escrito en 1463, pone en boca de Íñigo López: «¡O me
mísero! Quando me veo defectuoso de letras latinas, de
los fijos de hombres me cuento, mas no de los hombres» [6]. No concuerdo con Miguel Garci-Gómez cuando
interpreta estas palabras como «una confesión de modes-
tia exagerada» [7]. A mi entender nos muestran a un Santillana muy disgustado por su gran impericia con la lengua
latina; y, por lo visto, se quejaba frecuentemente de ello.
      Menos dificultad tenía don Íñigo con el francés y el
italiano, como se lee en la introducción que puso Antón
Zorita a su traducción del *Arbre des batailles*, de Honoré
Bonnet: «... Era aqueste libro en lengua gálica o françesa
escripto, la qual non enbargante que a vos muy noble señor sea llana, quasi así commo materna, commo aquel
que los libros escriptos en diuerssos lenguajes commo
son toscanos, venecicos e otros muchos leedes, e por graçia de dios muy bien entendedes, enpero todos los de la
vuestra noble casa, nin aun otros muchos deste rregno
d'Esperia, por el lenguaje seer pelegrino, non lo entien-
den o a lo menos con mucho trabajo e dificultat vienen a
la inteligençia de las materias en el dicho libro trac-
tadas...» [8]. En las *Coplas de la Panadera*, Íñigo López es
retratado de la manera siguiente: «Con habla casi estran-
jera, /armado como francés» [9].
      Sin duda, el ambiente familiar despertó en el joven don

   [6]   Publicado en *Testi spagnoli del secolo XVº*. A cura di G. M. Ber-
tini, Turín, 1950, pág. 102.
   [7]   MIGUEL GARCÍ-GÓMEZ, *ed. cit.*, pág. 16, nota 5.
   [8]   *Apud* MARIO SCHIFF, *op. cit.*, pág. 377.
   [9]   Utilizo la edición de JULIO RODRÍGUEZ PUÉRTOLAS, *Poesía crítica
y satírica del siglo XV* (Clásicos Castalia, 114), Madrid, 1981, pág. 141,
vv. 249-250.

Íñigo el gusto y el amor por las bellas letras; véase lo que nos cuenta en su *Prohemio e Carta:* «... Acuérdome, señor muy magnífico, syendo yo en hedad no prouecta, mas asaz pequeño moço, en poder de mi auuela doña Mençía de Çisneros, entre otros libros, auer visto vn grand uolumen de cantigas, serranas e dezires portugueses e gallegos: de los quales, toda la mayor parte era del Rey don Donís de Portugal... Auía otras de Iohán Suares de Pauía..., e de otro, Fernand Gonçales de Senabria...» [10]. Además, no olvidemos que su abuelo Pero González de Mendoza y su padre compusieron poesía amorosa y serranillas. Sobre su abuelo, nos dice Santillana en el *Prohemio e Carta:* «fizo buenas cançiones, e entre otras: "Pero te siruo sin arte", e otra a las monjas de la Çaydía, quando el Rey don Pedro tenía el sitio contra Ualençia; comiença: "A las riberas de vn río". Vsó vna manera de dezir cantares así commo çénicos plautinos e terençianos, tan bien en estrinbotes commo en serranas» [11].

En 1412, Íñigo López de Mendoza acompañó al infante don Fernando de Antequera, cuando éste fue a tomar posesión de la corona aragonesa. Permaneció unos años en la corte de Aragón y allí conoció a don Enrique de Villena y poetas de la tradición catalano-provenzal, como Andreu Febrer, Jordi de Sant Jordi y Ausias March. Villena tuvo una influencia considerable sobre el joven don Íñigo. Mario Schiff comenta: «En effet, Enrique de Villena ouvrit au futur marquis de Santillane la voie nouvelle de l'allégorie dantesque, le renseigna sur les lois et coutumes du Consistoire de Toulouse en écrivant a son intention *El Arte de trobar,* et traduisit à sa demande la *Divine Comédie* du Florentin et *l'Énéide* de Virgil» [12]. Cuando Villena muere en 1434, Íñigo López

---

[10]   Cito a través de la edición de ÁNGEL GÓMEZ MORENO, incluida en *Las poéticas castellanas de la Edad Media.* Edición de Francisco López Estrada, Madrid, Taurus, 1984, pág. 59.

[11]   *Ed. cit.,* pág. 60.

[12]   MARIO SCHIFF, *op. cit.,* pág. XXVII.

llora la pérdida de su maestro y amigo en la *Defunsión de don Enrique de Villena*.

En una carta mandada en 1422 por Alfonso V, rey de Aragón desde 1416, aparece todavía el nombre de don Íñigo con el título de «copero mayor». Sin embargo, Santillana no pasó todo este tiempo en la corte aragonesa [13]. A partir de 1420, interviene activamente en las revueltas políticas de la Península. La nobleza castellana estaba dividida en dos banderías, al calor de las contrapuestas ambiciones de los infantes de Aragón y de don Álvaro de Luna, privado del rey don Juan II. En 1420, Santillana tomó el partido del infante don Enrique y participó en el asedio del castillo de Montalbán, donde el rey se había refugiado. Dos años después, se reconcilió con la corte. Sin embargo, arrastrado por los acontecimientos, le volvió la espalda a su señor dos veces más, en 1427 y 1440, declarándose en ambas ocasiones otra vez a favor del infante don Enrique. En 1438, luchó en la frontera de Jaén como capitán mayor, consiguiendo varias victorias sobre el enemigo. En 1445, recibió el título de «Marqués de Santillana y Conde del Real de Manzanares», en testimonio de la valiosa ayuda que le había prestado al rey en la batalla de Olmedo, librada en ese mismo año. Varias veces Santillana se volvió contra el condestable don Álvaro de Luna. En el *Doctrinal de Privados*, compuesto con ocasión de la muerte del privado, ahorcado en Valladolid en 1453, se muestra implacable enemigo de él, poniéndole en boca, de un modo bastante exagerado, una confesión de sus culpas. En una palabra, basta leer la *Crónica de D. Juan Segundo* para enterarse del importantísimo papel que don Íñigo jugó en varias ocasiones en los acontecimientos políticos del reino.

---

[13]   Cf. ROGELIO PÉREZ-BUSTAMANTE, *op. cit.*, pág. 22: «... mantenemos que su estancia aragonesa fue compatible con la presencia en sus señoríos, fundamentalmente en sus casas de Guadalajara y tal vez también en la Corte castellana, como ocurrió en el famoso *Secuestro de Tordesillas* y fuga de Montalbán, si bien entre los partidarios del infante don Enrique.»

Sin embargo, siempre supo combinar perfectamente las actividades políticas con las intelectuales y literarias, o, como decía el mismo Íñigo López en el prólogo a sus *Proverbios* (1437), «la sçiençia non embota el fierro de la lança, nin façe floxa el espada en la mano del cavallero» [14]. Sobre esta feliz combinación, escribe Durán con acierto: «Santillana intuye ya el ideal del hombre equilibrado, completo, que será el ideal renacentista encarnado, entre otros, por Garcilaso de la Vega» [15]. De modo que las numerosas empresas bélicas en que Santillana se vio envuelto no impidieron que en los momentos libres continuara leyendo, estudiando y escribiendo. Se rodeó de amigos cultos, traductores y humanistas, como Pedro Díaz de Toledo, Diego de Burgos, Antón Zorita, Alfonso Gómez de Zamora, Alonso de Cartagena y otros; los escritores Gómez Manrique y Juan de Mena eran amigos de la casa. A ruego suyo, los italianos Leonardo Bruni de Arezzo y Pier Cándido Decembri tradujeron obras del griego al latín, y su pariente Nuño de Guzmán adquirió para él en Italia obras que eran inaccesibles en España. En su palacio de Guadalajara montó el marqués una impresionante biblioteca, que fue descrita y estudiada magistralmente por Mario Schiff y Mario Penna [16].

Por lo tanto, sin exageración alguna, podemos decir que Santillana era uno de los personajes más representativos de su tiempo, tanto en la vida intelectual y literaria como también en la política. Tras la muerte de su esposa y su hijo predilecto, Pedro Lasso de la Vega (1455), el marqués se retiró a sus propiedades de Guadalajara, donde murió el 25 de marzo de 1458.

Quisiera terminar este panorama biográfico con algunos pasajes del retrato que Fernando del Pulgar hizo de don Íñigo López de Mendoza en sus *Claros varones*

---

[14]   Cito a través del ms. 2655 de la Biblioteca Universitaria de Salamanca.

[15]   En el prólogo a su edición de las *Poesías completas* del marqués de Santillana (Clásicos Castalia, 64), Madrid, 1975, pág. 14.

[16]   MARIO SCHIFF, *op. cit.*, y MARIO PENNA, *Exposición de la biblioteca de los Mendoza del Infantado en el siglo XV*, Madrid, 1958.

de Castilla [17]: «... fue ome de mediana estatura, bien pro-
porcionado en la compostura de sus miembros e fermoso
en las faciones de su rostro, de linaje noble castellano e
muy antiguo. Era ome agudo e discreto, y de tan grand
coraçón que ni las grandes cosas le alteravan ni en las pequeñas le plazía entender. En la continencia de su persona e en el resonar de su fabla mostrava ser ome generoso e magnánimo. Fablava muy bien, e nunca le oían
dezir palabra que no fuese de notar, quier para dotrina
quier para plazer. Era cortés e honrrador de todos los
que a él venían, especialmente de los omes de ciencia...
Tovo en su vida dos notables exercicios, uno en la dici-
plina militar, otro en el estudio de la ciencia. E ni las
armas le ocupavan el estudio, ni el estudio le impedía el
tiempo para platicar con los cavalleros e escuderos de su
casa; en la forma de las armas necesarias para defender, e
quáles avían de ser para ofender e cómo se avía de ferir el
enemigo, e en qué manera avían de ser ordenadas las batallas, e la disposición de los reales, e cómo se avían de
conbatir y defender las fortalezas, e las otras cosas que
requiere el exercicio de la cavallería. E en esta plática se
deleitava por la grand abituación que en ella tovo en su
mocedad...
»Fue capitán principal en muchas batallas que ovo con
christianos e con moros, donde fue vencedor y vencido.
Especialmente ovo una batalla contra los aragoneses cerca
de Araviana, otra batalla cerca del río de Torote, e estas
dos batallas fueron muy heridas e sangrientas, porque peleando e no huyendo murieron de amas partes muchos
omes e cavallos, en las cuales, porque este cavallero se falló en el campo con su gente aunque los suyos vido ser
en número mucho menor que los contrarios, pero porque
veyendo al enemigo delante reputava mayor mengua bol-
ver las espaldas sin pelear que morir o dexar el campo
peleando, cometióse a la fortuna de la batalla e peleó con

---

[17] FERNANDO DEL PULGAR, *Claros varones de Castilla*. A critical
edition with introduction and notes by Robert Brian Tate, Oxford,
Clarendon Press, 1971, págs. 19-24.

tanto vigor y esfuerço que como quier que fue herido e vencido, pero su persona ganó honrra e reputación de valiente capitán... Conoscidas por el rey don Juan las claras virtudes deste cavallero, e cómo era digno de dignidad, le dio título de marqués de Santillana e le fizo conde del Real de Mançanares, e le acrecentó su casa e patrimonio. Otrosí confiava dél su persona e algunas veces la governación de sus reinos, el qual governava con tanta prudencia que los poetas dezían por él que en corte era grand Febo por su clara governación, e en campo Aníbal por su grand esfuerço...

»Tenía grand copia de libros e dávase al estudio, especialmente de la filosofía moral e de cosas peregrinas e antiguas. Tenía siempre en su casa doctores e maestros con quien platicava en las ciencias e lecturas que estudiava... Tenía grand fama e claro renonbre en muchos reinos fuera de España, pero reputava mucho más la estimación entre los sabios que la fama entre los muchos...»

OBRA LITERARIA

Siguiendo un criterio genérico-temático, las obras de Santillana pueden ser agrupadas en la forma siguiente [18]:

Poesía

1. Lírica menor:

   Las *Serranillas* (1429-1440).
   El *Cantar que fizo el Marqués de Santillana a sus fijas loando la su fermosura* (1444-1445).
   El *Villancico que hizo el Marqués de Santillana a tres hijas suyas* (1444-1445; de atribución dudosa).
   Las *Canciones y Decires líricos* (1430-1447).
   El *Planto que fizo Pantasilea* (de atribución dudosa).

---

[18] Es ésta la clasificación que Rafael Lapesa estableció en su magistral estudio *La obra literaria del Marqués de Santillana*, Madrid, Ínsula, 1957. Algunas fechas de composición han sido reemplazadas por otras.

2. Decires narrativos:

> *Decires* narrativos menores («En mirando una ribera»; «Por un valle deleytoso»).
> La *Querella de Amor*.
> *Dezir:* «Al tienpo que demostrava».
> La *Visión*.
> El *Planto de la reina Margarida* (1430).
> La *Coronación de Mossén Jordi de Sant Jordi* (1430).
> El *Triunphete de Amor* (anterior al *Infierno* y al *Sueño*).
> El *Infierno de los enamorados* (posterior a 1428).
> El *Sueño*.
> La *Defunsión de don Enrique de Villena* (posterior a 1434).
> La *Comedieta de Ponça* (fines de 1435, principios de 1436).

3. Sonetos: el núm. II es de 1438 y el XXXII de 1455.

4. Poesía moral, política y religiosa:

> *Dezir contra los aragoneses* (1429).
> El *Favor de Hércules contra Fortuna*.
> La *Pregunta de nobles* (anterior a 1436).
> Los *Proverbios* o *Centiloquio* (1437).
> Las *Coplas al rey don Alfonso de Portugal* (1447).
> El *Bías contra Fortuna* (1448).
> Las *Coplas contra don Álvaro de Luna* (anteriores a 1453).
> El *Doctrinal de privados* (posterior a 1453).
> Los *Gozos* (anteriores a 1455).
> La *Canonización de... maestre Vicente Ferrer... e maestre Pedro de Villacreces* (1455).
> Las *Coplas de Nuestra Sra. de Guadalupe* (1455).
> La *Oración*.

5. Preguntas y respuestas.

Prosa

1. Escritos morales y políticos:

> La *Lamentación fecha... en propheçía de la segunda destruyçión de España* (primera redacción: anterior a 1438; segunda redacción: 1443-1445).
> La *Questión fecha... al muy sabio e noble perlado don Alonso de Cartagena* (1444).
> El *Prohemio al Bías contra Fortuna* (1448).

2. Escritos literarios:

El *Prohemio* a los *Proverbios* (1437).
La *Carta a doña Violante de Prades, condesa de Módica y
de Cabrera* (1443).
El *Prohemio e Carta* (1446-1449).
La *Carta del Marqués a su hijo don Pero González de
Mendoza «quando estava estudiando en Salamanca»*
(1445-1452).

Poesía [19]

Las *Serranillas*, diez en total, forman una de las
cimas de la producción poética del marqués. Dos de ellas
son poesías compuestas en colaboración con otros
poetas: la serranilla cuyo primer verso reza «Serrana, tal
casamiento» se enlaza con unos versos iniciales debidos a
Rodríguez Manrique, mientras que García de Pedraza
añadió una tercera estrofa; la que empieza por «Madrugando en Robredillo» fue desarrollada con una réplica
por Gómez Carillo de Acuña [20]. Santillana continúa una
tradición familiar, ya que tanto su abuelo, don Pedro
González de Mendoza, como su padre, don Diego Hurtado de Mendoza, habían cultivado cantares «en serranas» [21].

En las diez serranillas se narra el encuentro entre el
«yo poético» y una serrana, pastora o moza en diferentes
lugares de Castilla. Dos tradiciones confluyen en este gé-

---

[19] En este capítulo me limito a dar una breve presentación de la
obra poética del marqués. Para más información y análisis más deta-
llados, remito al estudio de Lapesa que está citado en la nota anterior; a
DAVID WILLIAM FOSTER, *The Marqués de Santillana*, Nueva York,
Twayne Publishers, 1971, y a estudios dedicados a determinadas obras
de Santillana.

[20] Estas composiciones figuran en el ms. 2653 de la Biblioteca Universitaria de Salamanca, el así llamado *Cancionero de Palacio*, editado
por FRANCISCA VENDRELL DE MILLÁS, Barcelona, C. S. I. C., 1945.

[21] Cf. el *Prohemio e Carta*, ed. cit., pág. 60. De don Diego se con-
serva una serranilla en el *Cancionero de Palacio*, fol. 7r (véase la nota
anterior).

nero: la popular española de los cantarcillos de una serrana salteadora, guía u hospedadora de un caminante [22],
y la de la *pastourelle* franco-provenzal, en que se describe
el encuentro entre un caballero y una pastora en un paisaje primaveral, el diálogo entre los dos, el requerimiento
de amores de aquél y el rechazo o la aceptación de
ella [23]. Además, existía la práctica en la corte de componer cantares de serrana después de un viaje o como puro
entretenimiento [24].

Rafael Lapesa ha establecido la cronología de los diez
poemitas relacionándolos con viajes que don Íñigo hizo y
campañas militares en que participó [25]. Con respecto a
las ocho serranillas individuales del marqués, el orden
cronológico coincide con la disposición que tienen en los
únicos manuscritos en que han sobrevivido, el manuscrito 2.655 de la Biblioteca Universitaria de Salamanca y
el 3.677 de la Biblioteca Nacional de Madrid. En su fino
análisis de las poesías en cuestión, Lapesa ha mostrado
también que la «sucesión de unos y otros poemas está sa-
biamente calculada, con equilibrada alternancia de los
distintos subgéneros, formas métricas y tipos de desen-
lace» [26]:

---

[22] Cf. RAMÓN MENÉNDEZ PIDAL, «La primitiva poesía lírica española», 1919, recopilado en *Estudios literarios*, 8.ª ed. (Col. Austral, 28),
Madrid, Espasa-Calpe, 1957, págs. 227-228.

[23] Véase PIERRE LE GENTIL, *La poésie lyrique espagnole et portu-
gaise à la fin du Moyen Age*, I, Rennes, 1949, págs. 522-527.

[24] Cf. MIGUEL ÁNGEL PÉREZ PRIEGO, en la introducción a su edición de las *Poesías completas*, I, del marqués de Santillana, Madrid, Al-
hambra, 1983, pág. 18.

[25] RAFAEL LAPESA, «"Las Serranillas" del Marqués de Santillana»,
en *El comentario de textos, 4. La poesía medieval*, Madrid, Castalia,
1983, págs. 250-251.

[26] *Ibídem*, págs. 271-272.

Subgénero	Forma métrica	El orden en los mss. y fecha	Primer verso	Tipo de desenlace
tradicional	v. octosílabo	I (1429) II (1429)	«Serranillas de Moncayo» «En toda la Sumontana»	aceptación rechazo
pastorela	v. hexasílabo	III (1429-30) IV (1430)	«Después que nascí» «Moçuela de Bores»	suspensión admirativa aceptación
tradicional	v. octosílabo	V (1435-36) VI (1436-39)	«Por todos estos pinares» «Entre Torres y Canena»	rechazo
pastorela recapitulación	v. hexasílabo v. octosílabo	VII (1436-39) VIII (1440)	«Moça tan fermosa" «De Vytoria me partía»	suspensión admirativa

Con excepción del núm. V, que tiene la forma del villancico, todas las demás siguen la disposición de la *mu-
waššaha* o de las *dansas* provenzales, o sea, cada estrofa
tiene una vuelta de tres o cuatro versos que repite las
rimas de la cabeza.

El clima estético de las serranillas del marqués es totalmente diferente al de los primeros ejemplos del género en
la literatura española, las «cánticas de serrana», de Juan
Ruiz [27]. En manos de don Íñigo el género experimentó
un proceso de estilización y refinamiento. La protagonista —serrana, pastora o moza—, ya no es fea y forzuda
como en las «cánticas» juanruicianas, sino hermosa, o es
tan idealizada que casi se iguala a la «Señora» del «yo
poético»: «... que tan loçana, / aprés la Señora mía, / non
vi dona nin serrana» (núm. VIII) [28].

También son bellas las heroínas de las serranillas, en
donde Santillana continúa el tema de la serrana «salteadora» y agresiva: en el núm. I es «más clara que sal'en
mayo / ell alua, nin su luzero»; la del núm. II es «gentil»; y en el núm. V el narrador dice de ella: «Non vi serrana más bella / que Menga de Mançanares». El paisaje
áspero de las «cánticas» es substituido por un ambiente
idílico o un vergel tradicional: «riberas d'una fontana»
(II); una «vegüela» (III); un paisaje con «ruyseñores» y
«flores» (VII). Y el lenguaje de los protagonistas es mucho más refinado. En resumen, frente a la tosquedad de
las «cánticas de serrana» del Arcipreste, las serranillas de
Santillana exhalan una delicadeza y una refinada estilización. Además, nos ofrecen lo que Cirot llamó con tanto
acierto un «álbum» de diversas regiones castellanas [29],

---

[27] Del *Prohemio e Carta*, ed. cit., pág. 58, se infiere que Santillana
conocía la obra del Arcipreste.

[28] Utilizo la edición crítica que Rafael Lapesa estableció del ciclo de
las ocho serranillas en «"Las Serranillas"...», *art. cit.*, págs. 252-263.
Para el texto de «Serrana, tal casamiento» y «Madrugando en Robredillo», véase la edición de PÉREZ PRIEGO, *ed. cit.*, págs. 82-83.

[29] G. CIROT, «La topographie amoureuse du Marquis de Santillane», en *Bulletin Hispanique*, XXXV (1935), pág. 393.

con gran variedad de paisajes, costumbres e indumentaria
femenina regional, desde el Norte a Andalucía.

Alrededor de 1445, don Íñigo compuso dos poemas
que en cierto modo pueden relacionarse con las *Serranillas:* el *Cantar que fizo el Marqués de Santillana a sus
fijas loando la su fermosura* y el *Villancico que hizo el
Marqués a tres hijas suyas* [30]. El primero, descubierto por
Menéndez Pidal y llamado por él «Serranilla corte-
sana» [31], es una canción con vuelta en que el poeta canta
de un modo muy artificial la belleza corporal y el lujo de
las ropas de dos hijas suyas —con toda probabilidad,
doña Mencía y doña María—, presentadas bajo la imagen
de serranas «non vezadas de ganado».

El *Villancico* [32] es una deliciosa composición, de cali-
dad poética muy alta, en que el poeta adopta de nuevo
una actitud de galán frente a sus hijas en un ambiente
cortesano. En «una gentil floresta / de lindas flores e
rosas» [33], el narrador ve a tres hermosas damas, se es-

---

[30] Para la fechación, véase RAFAEL LAPESA, *La obra literaria..., op.
cit.,* pág. 63, nota 23.

[31] Véase su artículo «A propósito de "La Bibliothèque du Marquis
de Santillane" por Mario Schiff», en *Bulletin Hispanique,* X (1908),
págs. 397-411.

[32] No es propiamente un «villancico» porque se trata de octavas na-
rrativas seguidas de estribillos populares, mientras que en un villancico
el estribillo es el punto de partida de la composición. Para la tradición
de estos cantarcillos, véase MENÉNDEZ PIDAL, «La primitiva poesía...»,
art. cit., págs. 247-249. En cuanto a la atribución no hay seguridad: en
el *Espejo de enamorados* (h. 1535-1540) y en dos pliegos sueltos (del siglo XVI) figura a nombre del marqués (respectivamente, *Villancico que
hizo el Marqués de Santillana a tres hijas suyas* y *Villancico hecho por
el Marqués de Santillana a unas tres hijas suyas*), mientras que en el
Cancionero de Palacio se le atribuye a Suero de Ribera *(Otro dezir de
Suero de Ribera).* Véanse RAFAEL LAPESA, *La obra literaria..., op. cit.,*
págs. 65, nota 26, y 67-68; ANTONIO RODRÍGUEZ-MOÑINO, *Diccionario
bibliográfico de pliegos sueltos poéticos,* Madrid, 1970, núm. 1.040; y
MARGIT FRENK ALATORRE, «Santillana o Suero de Ribera», en *Nueva
Revista de Filología Hispánica,* XVI (1962), pág. 437. Un buen resumen
del problema en cuestión da Miguel Ángel Pérez Priego en su edición
de las *Poesías completas* del marqués de Santillana, *ed. cit.,* págs. 87-88.

[33] RAFAEL LAPESA publicó una edición crítica del texto en *La obra
literaria..., op. cit.,* págs. 320-326.

conde tras el ramaje y escucha el cantarcillo de amor que
cada una de ellas entona. Sin embargo, al oír que no es él
a quien buscan, sale «desconsolado» de los arbustos y
dice «este cantar antiguo»:

> «Sospirando yva la niña
> e non por mí,
> que yo bien ge lo entendí».

Las *Serranillas* pertenecen aproximadamente al mismo
período que las *Canciones* y *Decires líricos*.

Las dieciséis «cançiones» [34] que se nos han conservado
son poesías breves con vuelta. El número de estrofas varía: hay cuatro canciones de una, seis de dos y seis de
tres estrofas. También hay variedad con respecto al tipo
de verso, aunque el octosílabo predomina sobre los
demás. Las «cançiones» tratan de temas amorosos, con
excepción de las dos poesías laudatorias, la *Canción a la
princesa doña Blanca de Navarra* y la *Canción a la reina
doña Isabel de Portugal*. Estas dos composiciones son las
únicas que se pueden fechar con seguridad, respectivamente, en 1440 y 1447 [35]. Con mucha frecuencia el poeta
utiliza el recurso de la repetición de palabras-rima y/o
versos, a modo de estribillo; sirva de ejemplo la siguiente
canción:

> «Recuérdate de mi vida
> pues que viste
> mi partir e despedida
> ser tan triste.
>
> ....
>
> la respuesta non devida
> que me diste,
> por la cual mi despedida
> fue tan triste.
>
> ....

---

[34] La mejor edición es la que estableció MIGUEL ÁNGEL PÉREZ
PRIEGO en *Poesías completas, ed. cit.,* págs. 92-112.
[35] Cf. PÉREZ PRIEGO, *ed. cit.,* págs. 97 y 99.

> que de llaga non fengida
> me feriste
> assí que mi despedida
> fue tan triste.»

Otra característica de las canciones es su lenguaje relativamente sencillo.

Generalmente, se incluyen en la colección de las «cançiones» las tres «esparsas», cuyos primeros versos dicen: «El triste que se despide», «Como el Fénis vo ençendiendo» y «Por vuestra descortesía». Según Le Gentil, en este género se trata de improvisar sobre temas amorosos en «estrofas aisladas, de formas muy variadas, excepcionalmente seguidas de una "finida" o "tornada"»[36].

Los «dezires»[37], conservados en número de once[38], tienen la misma temática que las «cançiones», o sea, el amor y el loor dirigido a la dama. La cantidad de estrofas varía entre tres y doce. La forma estrófica y métrica es muy regular; casi siempre la de la octava octosilábica. Con unas pocas excepciones, carecen de estribillo. Los decires más elaborados se caracterizan por la frecuente utilización de recursos retóricos, ropaje latino y aparato mitológico. Cuando el marqués, entre 1446 y 1449, le manda a don Pedro, condestable de Portugal, un cancionero de sus obras, se distancia en el *Prohemio e Carta*, que acompaña este envío, de la mayoría de sus «deçires e cançiones», considerándolos como «cosas alegres e jocosas» que «andan e concurren con el tiempo de la nueua

---

[36] LE GENTIL, *op. cit.,* pág. 218.
[37] Edición de PÉREZ PRIEGO, *ed. cit.,* págs. 113-142.
[38] En este número están incluidos los dos que descubrí hace unos años en el ms. 80 de la Biblioteca Pública de Toledo; véase mi artículo «El ms. 80 de la Biblioteca Pública de Toledo y el ms. 1967 de la Biblioteca de Cataluña de Barcelona, dos códices poco conocidos», en *Revistas de Archivos, Bibliotecas y Museos,* LXXXII (1979), págs. 21-23. Casi simultáneamente los publicó también MIGUEL ÁNGEL PRIEGO en su estudio «Composiciones inéditas del Marqués de Santillana», en *Anuario de Estudios Filológicos,* III (1980), págs. 129-140.

hedad de iuuentud, es a saber: con el uestir, con el iustar, con el dançar e con otros tales cortesanos exerçiçios» [39].

Los *decires narrativos,* compuestos entre 1428 y 1437, son poesías alegóricas [40] y retóricas, con léxico y sintaxis latinizantes, y aparato histórico y sobre todo mitológico. Notable es también la creciente influencia de los autores clásicos, especialmente de Virgilio, Lucano y Ovidio. Sin embargo, las fuentes más importantes de la mayoría de los decires narrativos son los modelos italianos, Dante, Petrarca y Boccaccio: el *Planto de la reina Margarida* sigue de cerca los *Trionfi* de Petrarca; en la *Coronaçión de Mossén Jordi de Sant Jordi* hay influencia de Boccaccio y Dante; en el *Sueño* influyó *La Fiammetta* de Boccaccio; y el *Infierno de los enamorados,* la *Defunsión de don Enrique de Villena* y la *Comedieta de Ponça* contienen varios elementos de la *Divina Commedia* [41]. En cuanto a los casos donde la crítica creyó ver influencia francesa, Lapesa ha mostrado que, por lo general, se trata de lugares comunes y/o vagas coincidencias [42]; según este egregio santillanista, «lo francés se manifiesta, más que en imitación literaria, en gustos, modas y ambiente» [43].

Teniendo en cuenta la longitud, el contenido y el tipo de verso, los decires narrativos pueden ser clasificados de la manera siguiente:

---

[39]   *Ed. cit.,* págs. 51-52.

[40]   Con excepción de los decires narrativos menores.

[41]   En cuanto a la presencia de las obras de estos autores italianos en la biblioteca del marqués, véase MARIO SCHIFF, *La bibliotèque..., op. cit.,* págs. 271-352.

[42]   LAPESA, *La obra literaria..., op. cit.,* págs. 99, 104-105, 122-123 y 128-129.

[43]   *Ibídem,* pág. 123.

decires narrativos
menores (falta en
ellos la alegoría):
  «En mirando una ribera»
  «Por un valle deleitoso»

decires narrativos
de mayor extensión
(todos alegóricos):

  La *Querella de Amor*
  Dezir: «Al tienpo que
    demostrava»
  La *Visión*
  El *Triumphete*
  El *Infierno*
  El *Sueño*   } temas amatorios   } versos octosílabos
  El *Planto*
  La *Coronación*
  La *Defunsión*   } lamentación fúnebre
                            panegírico
  La *Comedieta*   } lamentación fúnebre   } versos dodecasílabos
                            (véase más adelante)

Dos poesías destacan entre los decires narrativos amatorios: el *Infierno de los enamorados* y el *Sueño*. En el
Infierno, el poeta sueña que se pierde «en una montaña
espessa» (estr. I, 3) [44], habitada por leones, serpientes, tigres y dragones, que son símbolos de las pasiones.
Cuando el poeta es atacado por un puerco salvaje, símbolo de la sensualidad, es salvado por Hipólito, símbolo
de la castidad. Éste le sirve de cicerone hacia «un castillo
espantoso. // El qual un fuego çercava / en torno, como
fosado» (estr. XLII, 8; estr. XLIII, 1-2), que es el «infierno de los enamorados». El narrador contempla allí los
tormentos que sufren las célebres parejas de la mitología
y de la historia, tales como Orfeo y Eurídice, Eneas y
Dido, (Paolo) y Francesca, etc. Entre ellos se encuentra
también Macías, quien, en un diálogo con el poeta, dice
los famosos versos:

> «La mayor cuita que haver
> puede ningún amador
> es membrarse del plazer
> en el tiempo del dolor; [45]
> e ya sea que el ardor
> del fuego nos atormenta,
> mayor pena nos augmenta
> esta tristeza e langor» (estr. LXII)

El poeta es llevado al «infierno» por orden de la Fortuna «... porque crea / que amar es desesperança»
(estr. XXXVIII, 7-8), y profundamente afectado por lo
que ve allí renuncia al amor. Está claro que los elementos
constructivos o el plan general para esta poesía fueron tomados del *Inferno* de la *Divina Commedia* [46]. El *In-*

---

[44]   Edición de PÉREZ PRIEGO, *ed. cit.,* págs. 225-258. La «selva os-
cura» representa alegóricamente la ignorancia y la confusión del
hombre.
[45]   Paráfrasis de «...: Nessun maggior dolore, / Che ricordarsi del
tempo felice / Nella miseria:..», en *Inferno,* V, vv. 121-123 (La *Divina
Commedia* di Dante Alighieri, col comento di Pietro Fraticelli, Firenze,
1887).
[46]   La influencia de la *Divina Commedia* sobre los poetas españoles

fierno de los enamorados es la obra del marqués que más influencia ha ejercido sobre poetas del siglo XV y posteriores, desde Juan de Andújar a Gerardo Diego [47].

El *Sueño* tiene una estructura más compleja. La Fortuna ordena que el «yo poético» sea prendido por el amor. El poeta ve en un sueño cómo el vergel donde se encuentra se transforma en un paisaje siniestro. El arpa que tañía se convierte en una serpiente que le muerde el lado izquierdo. A continuación, asiste a un debate entre el «Coraçón» y el «Seso» sobre el carácter premonitorio de los sueños. Sigue el encuentro con Tiresias, quien le dice que el único remedio contra el poderío de la Fortuna es el «libre albedrío» y le aconseja buscar la ayuda de Diana, diosa de la castidad. Diana y su compañía atacan las huestes del Amor; sin embargo, éste sale vencedor en la contienda. Por lo tanto, la tesis de la poesía es que es imposible resistir a los asaltos del amor [48].

Varias son las fuentes literarias en que bebió el marqués: *La Fiammetta* de Boccaccio, la *Farsalia* de Lucano, Valerio Máximo, *Lo Somni* de Bernat Metge, el *Roman*

---

del siglo XV fue muy superficial: se limita a la ornamentación alegórica, a la parte sentenciosa y a algunos episodios del *Inferno*. El crítico norteamericano David William Foster lo explica de la manera siguiente: «The poets' mediocre adaptation of Dante, their limited perspective, and their misunderstanding of the work reflect, not the unimportance, for them, of the Italian's great work..., but rather their congenital inability to approximate his poetic vision. Their imitations of Dante were unsuccessful, not because he was unacknowledged and ignored, but because, in the absence of creative geniuses of the highest order, the nature of the period precluded any such achievement. Spanish poets of the fifteenth century, though still deeply bound to the earlier poetry, were experimenting with new-found foreign models, but were not yet able to assimilate fully the influences and new directions which they were attempting to make their own» («The misunderstanding of Dante in the fifteenth-century Spanish poetry», en *Comparative Literature*, XVI (1964), págs. 346-347).

[47] Cf. LAPESA, *La obra literaria...*, *op. cit.*, págs. 132-133 y la nota 57.

[48] Cf. el análisis de REGULA LANGBEHN-ROHLAND, en «Problemas de texto y problemas constructivos en algunos poemas de Santillana: la *Visión*, el *Infierno de los enamorados*, el *Sueño*», en *Filología*, XVII-XVIII (1976-77), págs. 423-429.

de la Rose, el *Triumphus pudicitiae* de Petrarca, relatos medievales de la guerra de Troya, las *Metamorfosis* de Ovidio y la *General Estoria* [49].

Al escribir la *Defunsión de don Enrique de Villena* y la *Comedieta de Ponça,* Santillana se encuentra en la plenitud de sus facultades; «abandona el octosílabo, metro en que había compuesto los decires narrativos, y emplea el verso de arte mayor, más adecuado a la sonoridad grandilocuente. E intensifica la elaboración retórica, los recuerdos eruditos y el latinismo del lenguaje, tratando así de levantar su estilo», en palabras de Rafael Lapesa [50]. Otro rasgo que llama la atención es que ambas poesías tienen un esquema constructivo muy elaborado [51]. La crítica ha considerado unánimemente la *Comedieta* como la obra más ambiciosa y más lograda dentro del género de los decires narrativos alegóricos del marqués [52].

De inspiración italiana son también los *Sonetos «al itálico modo»* que Santillana empieza a componer alrededor de 1438. Es el primer intento de trasplantar el soneto italiano a la lengua española. Sobre el «soneto» escribe el marqués en la *Carta a doña Violante de Prades* (1443): «E esta arte falló primero en Ytalia Guido Cavalgante, e después usaron d'ella Checo d'Ascholi e Dante, e mucho más que todos Francisco Petrarca, poeta laureado» [53]. Algunos años después, se refiere otra vez a los sonetistas italianos en su *Proemio* (escrito entre 1446 y 1449); a Petrarca le dedica un párrafo entero, en que cuenta que este «poeta laureado» durante su estancia en la corte del rey

---

[49]   Véanse las notas en la edición de Pérez Priego, *ed. cit.*, páginas 195-224.

[50]   Rafael Lapesa, *La obra literaria...*, *op. cit.*, pág. 134.

[51]   En cuanto a la *Defunsión*, véanse Miguel Garci-Gómez, «La "nueva manera" de Santillana: estructura y sentido de la *Defunssión de don Enrique»*, en *Hispanófila*, XVI, núm. 2 (1972-73), págs. 3-26, y Joaquín Gimeno Casalduero, «La *Defunsión de don Enrique de Villena* del Marqués de Santillana: composición, propósito y significado», en *Studia Hispanica in Honorem R. Lapesa*, II, Madrid, Gredos, 1974, págs. 269-279.

[52]   Para un análisis detallado, véase más adelante.

[53]   Véase el *Apéndice A.*

Roberto de Nápoles hizo «muchas de las sus obras, asý latynas commo vulgares; e entre las otras el libro de *Rerum memorandum*, e las sus églogas e muchos sonetos, en especial aquel que fizo a la muerte d'este mismo rey, que comiença: "Rota è l'alta columpna e el verde lauro"»[54].

El modelo petrarquista no le influyó sino superficialmente[55]; don Íñigo no supo infundir a sus sonetos la intimidad y fuerte emoción que caracteriza a la mayoría de los *sonetti* del cantor de Laura. Sin embargo, a pesar de ese defecto y de otros, como la poca habilidad en el manejo del endecasílabo[56] y el frecuente encabalgamiento entre dos estrofas, en ninguno de los sonetos del marqués «deja de haber la huella del gran poeta, ya sea en el acierto general, ya en momentos felices», según la autorizada opinión de Rafael Lapesa[57].

Por lo que se refiere a los temas, podemos distinguir tres categorías:

A. Sonetos amorosos: I, III, IV, VI, VII, VIII, IX, XI, XII, XIV, XVI, XIX, XX, XXI, XXIII, XXIV, XXV, XXVI, XXVII, XXVIII, XXIX y XXXVII.

B. Sonetos histórico-políticos: II, V, X, XIII, XV, XVII, XVIII, XXX, XXXI y XXXIII.

C. Sonetos religioso-morales: XXII, (XXXI), (XXXIII), XXXIV, XXXV, XXXVI, (XXXVII), XXXVIII, XXXIX, XL, XLI y XLII[58].

Especial mención merecen los *Proverbios* o *Centilo-*

---

[54] *Ed. cit.*, pág. 55.

[55] Cf. ÁNGEL VEGUE Y GOLDONI, en el estudio preliminar de *Los sonetos «al itálico modo» de don Íñigo López de Mendoza, Marqués de Santillana*, Madrid, 1911; EVELINA VANUTELLI, «Il Marchese di Santillana e Francesco Petrarca», en *Rivista d'Italia*, XXVII (1924), págs. 138-150, y ARTURO FARINELLI, *Italia e Spagna*, I, Turín, 1929, págs. 74-78.

[56] Ver RAFAEL LAPESA, «El endecasílabo en los sonetos de Santillana», en *Romance Philology*, X (1956-57), págs. 180-185.

[57] LAPESA, *La obra literaria...*, *op. cit.*, pág. 200.

[58] Con respecto al orden de los sonetos, véase la edición de MAXIM. KERKHOF y DIRK TUIN de los *Sonetos «al itálico modo»* de Íñigo López de Mendoza, Marqués de Santillana, Madison, 1985.

quio, de 1437, escritos en versos de pie quebrado, alternando los de ocho con los de cuatro o cinco sílabas. Es una colección de graves consejos dirigidos al príncipe don Enrique para completar su educación. Observa Lapesa que «no son un conjunto desordenado de sentencias, sino expresión orgánica de un altísimo ideal humano: diseñar el modelo de un príncipe amador de sus vasallos y accesible a ellos, clemente, generoso y magnífico, a cuya fe cristiana se suman las virtudes caballerescas y la serenidad procedente de la sabiduría antigua» [59].

Fueron glosados más tarde por el capellán del marqués, Pero Díaz de Toledo, por encargo del rey don Juan II [60].

En los últimos diez años de su vida, Santillana compuso sobre todo poesías de índole moral, política y religiosa. Dos obras maestras son el *Bías contra Fortuna* (1448) y el *Doctrinal de privados* (posterior a 1453). El *Bías* fue escrito para consolar al conde de Alba, primo del marqués, cuando se encontraba encarcelado por orden de Álvaro de Luna. Según el propio don Íñigo, es una «nueua manera, assý commo remedios o meditaçión contra Fortuna» [61]. La poesía tiene la forma de un diálogo en que Fortuna le amenaza a Bías con una serie de desgracias. Éste, sin embargo, no se deja espantar porque «en sola virtud» confía (v. 23). Al fin y al cabo, Bías espera juntarse a los bienaventurados, en la morada de las almas benditas y de los virtuosos (estrofas CLXXVIII y CLXXIX). Las ideas son esencialmente senequistas, combinadas al final de la poesía con conceptos cristianos [62]. Todo esto se narra en 180 coplas de pie quebrado, en un estilo sobrio y sin excesivo ornato erudito.

---

[59] RAFAEL LAPESA, «Los *Proverbios* de Santillana: contribución al estudio de sus fuentes» [*Hispanófila*, I (1957)], en *De la Edad Media a nuestros días,* Madrid, Gredos, 1967, pág. 95.

[60] El marqués había glosado únicamente las estrofas 3, 9, 19, 26-27, 39-41, 50-51, 54, 56, 59, 64-65, 67, 70, 84, 86 y 93-94.

[61] Cito a través de mi edición, Anejo XXXIX del *Boletín de la Real Academia Española,* Madrid, 1983, pág. 64.

[62] Cf. OTIS H. GREEN, «Sobre las dos fortunas: de tejas arriba y de tejas abajo», en *Studia philologica. Homenaje ofrecido a Dámaso Alonso,* II, Madrid, Gredos, 1960-61, págs. 144-145.

El *Doctrinal de privados* fue inspirado por la caída del condestable don Álvaro de Luna, por quien Santillana sintió un odio mortal. En el *Favor de Hércules contra Fortuna* había pedido al rey que «Sin más dilaçión» ahogase «la bestia dapñosa» [63]. Cuando el privado del rey don Juan II se encuentra encarcelado, Santillana se regocija de su caída en las *Coplas contra don Álvaro de Luna,* en que le echa encima una serie de acusaciones esperando que su desaparición de la escena política (la «luna eclibssada») [64] sea el comienzo de una época de paz, justicia y prosperidad.

El *Doctrinal* fue compuesto después de la ejecución del condestable en Valladolid. En esta obra, don Álvaro toma la palabra y confiesa sus yerros y pecados, advirtiéndoles a los privados que no sigan su ejemplo y pidiendo perdón a Dios. Lapesa tipificó esta poesía de la manera siguiente: «Si en la obra de Santillana la *Comedieta* marca la cima del estilo brillante, el *Doctrinal* lo es de un tipo muy distinto de poesía, nerviosa y rápida. La tendencia iniciada en el *Bías* hacia la sobriedad formal se acentúa grandemente. Sin galas eruditas ni latinizantes, la expresión se vigoriza distendiendo antítesis, o se retuerce en laberintos de palabras y conceptos» [65].

---

[63] Edición de AMADOR DE LOS RÍOS, *ed.* cit., pág. 254.
[64] Edición de FRANCISCO R. DE UHAGÓN en *Un cancionero inédito del siglo* XV, Madrid, 1900, págs. 12-18, v. 187.
[65] LAPESA, *La obra literaria...*, *op. cit.*, pág. 232.

Jnuocacion

Oluato Joue, la mj mano guj:a
vespierta el jngenjo, abiua la mente
el rustico moto, aparta z tesiua
z torna mj lengua, te ruda eloquente
z vos las hermanaç, q cabe la fuente
te dicõ fazetes, cõtinua morada
seo todas comjgo, enesta jornada
pr ql triste caso, tenũçe z reçuente.

Los campos z mjeses, ya tescolorauan
z los tesseatos, tributos yendian
los vietos pluujosos, las nuues bgriuã
las vtes frõtes, el ayre temjan
tcrato el stilo, telos que fingian
methaforas vanas, cõ dulçe loãla
dire lo que priso, mj vltima çela
ecomjços oyan, sy bien lo õpan.

Yá salen
Al tpo al pasto, o guarida
las fieras siluestres, z humanjdad
tescansa o repsa, z la sembra ardida
libro de oloferne, la sacra çibdad
forçada tel sueño, la mj libertad
dialogo triste, z fabla llorosa
firio mjs orejas, z tan payorosa
ca solo en pensarlo, me vençe piedad.

LA «COMEDIETA DE PONÇA»

Estudio histórico-literario [66]

El 5 de agosto de 1435 se libró la batalla naval cerca de Gaeta, a la vista de la isla de Ponza, entre la flota aragonesa, capitaneada por el rey don Alfonso V, y una escuadra genovesa, al servicio del duque de Milán, bajo el mando del almirante genovés Blas de Axarate [67]. Los aragoneses fueron vencidos y el rey Alfonso y sus hermanos don Juan, rey de Navarra, y don Enrique, maestre de Santiago, fueron apresados y trasladados a Milán. El infante don Pedro consiguió escapar [68]. Recibieron los diputados de la Generalidad de Cataluña la noticia del desastre el 29 de agosto y desde allí la nueva se difundió rápidamente sobre la Península. Antes de fines de septiembre fue informado el rey don Juan II de Castilla [69].

Cuando Íñigo López de Mendoza se entera de la desgracia que le ha sobrevenido a la Casa Real de Aragón, empieza a escribir su *Comedieta de Ponça,* como leemos en la *Carta a doña Violante de Prades,* que el marqués le mandó el 4 de mayo de 1443 [70]: «... quando aquella batalla naval acaesçió çerca de Gayeta ... yo començé una obra, a la qual llamé *Comedieta de Ponça* ... La qual *Comedieta,* muy noble Señora, yo continué fasta que la

---

[66]   Las fuentes serán señaladas en las anotaciones al texto de la *Comedieta.*

[67]   Cf. la carta enviada por Blas de Axarate a la Señoría de Génova, cuya traducción al español fue publicada por A. Paz y Meliá en la *Revista de Archivos, Bibliotecas y Museos,* I (1897), págs. 517-518. Esta carta es de «Agosto año de MCCCCXXXV», y en ella leemos: «El quinto día deste mes de Agosto, la mañana trempano, nos fallamos en la mar de Faonia cerca de la flota del rey de Aragón...» (pág. 517).

[68]   Véase ELOY BENITO RUANO, «La liberación de los prisioneros de Ponza», en *Hispania (Revista Española de Historia),* XXXIV (1964), págs. 29.

[69]   *Ibídem,* págs. 34, 36 y 37.

[70]   Véase el *Apéndice A,* nota sobre la fecha de la *Carta a doña Violante de Prades.*

traxe en fin. E çertifícovos, a fe de cavallero, que fasta oy
jamás ha salido de las mis manos, non embargante que
por los mayores señores, e después por otros muchos
grandes omes, mis amigos d'este reyno, me sea estada demandada»[71]. De las líneas anteriores se desprende, primero, que el marqués empezó a escribir la Comedieta
cuando la noticia del fin desastroso del combate naval
llegó a sus oídos y, segundo, que, después de haberla terminado, nunca entregó una copia a nadie hasta 1443.

Algunos datos históricos[72] que se mencionan en el
poema nos ayudan a precisar la fecha de composición.
Sabemos que la liberación de Alfonso V, vaticinada por
la Fortuna en la Comedieta, tuvo lugar el 8 de octubre de
1435, y que los catalanes recibieron esa noticia a primeros de noviembre. Alfonso salió de Milán a finales de
noviembre. La reina madre doña Leonor murió el 16 de
diciembre de 1435. En la Comedieta cae muerta al recibir
la carta en que se le transmite la noticia de la prisión de
sus hijos. Nada se cuenta en el poema sobre los hechos
ocurridos a partir de finales de 1435: por ejemplo, la
conquista de Gaeta por el infante don Pedro el 25 de diciembre de 1435, lo que se sabe en Castilla al comienzo
del mes de enero de 1436, o la muerte de don Pedro y
doña Catalina, dos personajes que figuran en la Comedieta, respectivamente, en 1438 y 1439[73]. A base de estos
datos creemos poder afirmar que Santillana terminó de
escribir su poema muy a finales de 1435 o a principios de
1436[74].

---

[71]   El texto crítico de la «Carta» figura en el Apéndice A.
[72]   Con respecto a ellos, me baso en el artículo bien documentado
de ELOY BENITO RUANO, art. cit., págs. 42 y sigs.
[73]   Cf. la Crónica de D. Juan Segundo, B. A. E., LXVIII, págs. 548-
549 y 557b.
[74]   Según AMADOR DE LOS RÍOS, op. cit., pág. LXV, Santillana escribió
la Comedieta en 1435. En su artículo «Sobre la fecha de la Comedieta
de Ponza», en Archivum, IV (1954), pág. 84, la data RAFAEL LAPESA
«muy a principios de 1436», mientras que en su libro La obra literaria
del Marqués de Santillana (ed. cit., pág. 303, nota), incluye también
como posibilidad el fin de 1435.

Fuera de la liberación de don Alfonso y sus hermanos, la Fortuna vaticina en la *Comedieta* un futuro muy glorioso a la Casa Real de Aragón con la conquista de la Tierra Santa, Babilonia, India y Egipto:

> «Al su iugo e mando vernán sometidas
> las gentes que beven del flumen Jordán,
> d'Eufrates e Ganges, del Nilo; e serán
> vençientes sus señas e nunca vençidas» (vv. 941-944)

No se sabe si estas empresas fueron realmente proyectadas o no. Pero lo que sí se sabe es que el infante don Pedro se apoderó de Gaeta el 25 de diciembre de 1435 y que la noticia de esa victoria se conoció en Castilla a principios de enero de 1436, como ya hemos visto. El rey Alfonso, que después de su salida de Milán se había lanzado de nuevo a la aventura napolitana, se juntó a su hermano en Gaeta el 2 de febrero [75]. O sea, apenas terminada la *Comedieta de Ponça*, el poema ya había perdido actualidad. Sin duda es éste el factor determinante para explicar el hecho de que Santillana no lo hiciera correr. También es posible que, en vista de las tirantes relaciones políticas entre Castilla y Aragón, la divulgación de un panegírico de la Casa Real aragonesa, como es la *Comedieta de Ponça*, hubiera sido peligroso para el autor. Claro está que con el transcurrir de los años el poema se apartaba cada vez más de la realidad histórica.

Pero podemos preguntarnos: ¿por qué el poeta no lo actualizó en cierto momento? Según Rafael Lapesa, «no llegó a hacerlo, no sabemos si a causa de otras ocupaciones o, lo que es más verosímil, dudoso por las alternativas de la guerra napolitana y por las cambiantes conveniencias políticas, siempre inseguras en la Castilla de entonces» [76]. Cuando, en 1443, doña Violante de Prades le hace saber a don Íñigo que le han gustado algunas obras suyas, recibe otras, entre las cuales está la *Comedieta*. Y

---

[75] BENITO RUANO, *art. cit.*, pág. 60.
[76] LAPESA, «Sobre la fecha...», *art. cit.*, pág. 85.

el marqués puede estar seguro de que esta obra le interesará, dada la circunstancia de que su marido, el conde de Módica y de Cabrera, era uno de los capitanes de don Alfonso en el combate naval de Ponza.

La crítica considera unánimemente la *Comedieta de Ponça* como la obra más lograda dentro del género de los «decires narrativos» del marqués de Santillana. En ella el poeta ve en un sueño a cuatro damas, la reina madre y las tres esposas de los tres hermanos prisioneros, las cuales están lamentando la desgracia que le ha sobrevenido a la Casa Real aragonesa. El lamento va dirigido a Juan Boccaccio, el gran especialista en los «casos perversos del curso mundano» (v. 86). Tras haber exaltado las excelencias de sus hijos, la reina madre cuenta cómo tuvo un presentimiento de lo que iba a acontecer a través de malos agüeros y una visión en un sueño. Sigue la vivísima descripción de la batalla naval, que es el contenido de una carta presentada a la reina madre doña Leonor. Ella muere a consecuencia de esta noticia. Desde aquí el poeta va «comediando» (v. 666). Aparece la Fortuna con un gran cortejo de personajes bíblicos, históricos y mitológicos, y profetiza la liberación de los prisioneros y la futura gloria de la Casa Real de Aragón. Así, la tristeza se convierte en una gran alegría.

Estructura del poema

Puede representarse de este modo:

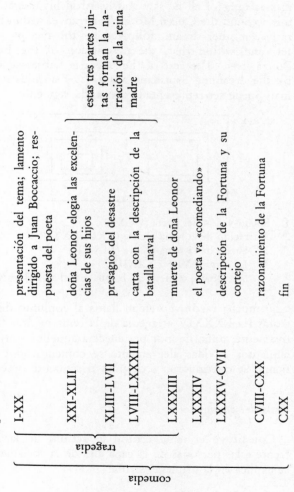

I-XX	presentación del tema; lamento dirigido a Juan Boccaccio; respuesta del poeta	
XXI-XLII	doña Leonor elogia las excelencias de sus hijos	estas tres partes juntas forman la narración de la reina madre
XLIII-LVII	presagios del desastre	
LVIII-LXXXIII	carta con la descripción de la batalla naval	
LXXXIII	muerte de doña Leonor	
LXXXIV	el poeta va «comediando»	
LXXXV-CVII	descripción de la Fortuna y su cortejo	
CVIII-CXX	razonamiento de la Fortuna	
CXX	fin	

tragedia

comedia

En su fino análisis de la *Comedieta*, A. J. Foreman hizo hincapié en el hecho de que el poema está compuesto como una serie de cajas chinas: «framing everything else, Santillana's account of all he saw and heard in his dream; within this account, the Queen Mother's narrative; within her narrative, another dream, followed by the receipt of a letter, and within that, the description of the Battle of Ponza itself. The rest of the poem is witnessed directly by the dreaming Santillana again» [77]. Esta idea de Foreman puede ser representada del modo siguiente:

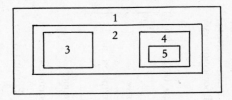

1. Sueño-visión del poeta (I-CXX)
2. Narración de la reina madre (XXI-LXXXIII):
   3. Sueño de la reina madre (LI-LVII)
   4. La carta (LVIII-LXXXIII):
      5. Descripción de la batalla naval (LXIII-LXXXIII).

Con mucha razón, Foreman llama al conjunto de las estrofas I a LXXXIV «tragedia de la reina madre» [78]. Efectivamente, doña Leonor pertenece a aquellos «cuyos nasçimientos e vidas alegremente se començaron e grande tienpo se continuaron e después tristemente cayeron» [79].

Tesis del poema

Constituye el tema central la actitud de la Fortuna frente a las personas de la capa alta de la sociedad, como se explica en la primera estrofa:

[77] A. J. FOREMAN, «The structure and content of Santillana's *Comedieta de Ponça*», en *Bulletin of Hispanic Studies*, LI (1974), pág. 110.

[78] *Ibídem*, pág. 112.

[79] Véase el *Apéndice A*.

«Mirad los inperios e casas reales,
e cómmo Fortuna es superiora:
rebuelve lo alto en baxo a desora
e faze a los ricos e pobres yguales» (vv. 5-8).

Se repite la idea en las famosas estrofas XVI-XIX, donde otra vez topamos con el contraste «aristocracia ↔ gente común» en relación con las veleidades de la Fortuna; los pobres viven felices porque no sufren los embates de la Fortuna: «Ca estos non temen los sus movimientos» (v. 125); «nin turban themores sus libres sentidos» (v. 136); «nin çierra sobr'ellos Fortuna sus llaves» (v. 144).

La representación de la Fortuna como fuerza arbitraria es la corriente en obras anteriores a la *Comedieta,* como el *Infierno de los enamorados* y la *Pregunta de nobles.* Sin embargo, en la *Comedieta* el poeta elaborará su doctrina acerca de la Fortuna siguiendo el ejemplo de Dante; la Fortuna resultará ser la delegada de Dios y ejecutora de su Providencia:

«Yo soy aquella que por mandamiento
del Dios uno e trino, qu'el grand mundo rige,
e todas las cosas estando collige,
rebuelvo las ruedas del grand firmamento» (vv. 861-864).

Pero además se recomienda una actitud estoica frente a Ella: «ca los que paçientes sostienen graveza / han de la Fortuna loable victoria, / e d'estos fizieron los sabios memoria, / a quien non sojudga dolor nin tristeza» (vv. 469-472). La actitud estoica supone enfrentarse con las adversidades de la vida «como procedentes de un poder adverso por el que se ' siente un soberano menosprecio», como escribe Juan de Dios Mendoza Negrillo en su libro sobre «Fortuna» y «Providencia» en las letras castellanas del siglo XV [80]. Queda claro que el concepto cristianizado

---

[80] JUAN DE DIOS MENDOZA NEGRILLO, S. J., *Fortuna y Providencia en la Literatura Castellana del Siglo XV,* Anejo XXVII del *Boletín de la Real Academia Española,* Madrid, 1973, pág. 77.

de la Fortuna y la actitud estoica de resistencia difícil-
mente se unen de una manera coherente.

Al mismo tiempo, es la *Comedieta* un poema patrió-
tico, que exalta la empresa común de «la gente de España» (v. 553) contra los italianos, y un panegírico de la
Casa Real aragonesa. Alfonso V y sus hermanos son
exempla universales de virtud. Aunque la Fortuna los
contrariase temporalmente para mantener el equilibrio en
el mundo (vv. 917-920), triunfarán al fin y al cabo. La vo-
luntad de Dios «harmonizes the deserving fame of these
warriors with the seemingly unjustifiable reverses in their
fortuna», según palabras de David William Foster [81].

Una comedia en «grado medio»

En la *Carta a doña Violante de Prades* trata Santillana
de los géneros literarios tragedia, sátira y comedia. Comedia «es dicha aquella cuyos comienços son trabajosos e
tristes, e después el medio e fin de sus días alegre, gozoso
e bienaventurado; e d'ésta usó Terencio Peno e Dante en
el su libro donde primeramente dize aver visto las dolores e penas ynfernales, e después el purgatorio, e alegre
e bienaventuradamente después el paraýso» [82]. Como
vemos, «comedia» no se define todavía como representación dramática de un acontecimiento. En el siglo XV, una
obra es una «comedia» si el comienzo es triste y el de-
senlace feliz; de ahí *Comedieta de Ponça,* porque cuenta
un «caso desastrado / después convertido en tanta alegría» (vv. 959-960).

Está claro que la *Divina Commedia* de Dante sirvió de
modelo [83]; el teatro de Terencio lo conocía el marqués

---

[81] DAVID WILLIAM FOSTER, *op. cit.,* pág. 27.

[82] Véase el *Apéndice A.*

[83] La *Divina Commedia* le era muy familiar al marqués (cf. MARIO
SCHIFF, *op. cit.,* págs. 271-318; del mismo autor, «La première traduction espagnole de la *Divine Comédie*», en *Homenaje a Menéndez y Pelayo en el año vigésimo de su profesorado,* I, Madrid, 1899, págs. 269-
307; y el *Prohemio e Carta, ed. cit.,* pág. 56).

solamente por referencias vagas [84]. De los comentarios de Benvenuto Rambaldi da Imola y Pietro Alighieri sobre el *magnum opus* de Dante se deduce que la «comedia» se escribe en estilo «baxo e humilde», trata las cosas vulgares y tiene un fin «dichoso» [85]. Para Juan de Mena, en su paráfrasis del tratado de Benvenuto da Imola en el «Preámbulo segundo» del *Comentario a la Coronación* (1438), la «comedia» trata de «cosas baxas y pequeñas, y por baxo y humilde estilo, y comiença en tristes principios, y fenece en alegres fines: del qual vsó Terencio» [86]. Por lo tanto, las líneas anteriores muestran con toda claridad que no se justifica el que Menéndez y Pelayo calificase de «curiosa e infantil» la clasificación que don Íñigo hizo de los géneros literarios [87]. Santillana interpretó la teoría de los tres «estilos» (grados) —alto, medio y bajo— de una manera muy específica, como se lee en su *Prohemio e Carta* [88]. Su exposición de los tres «estilos» se puede esquematizar del modo siguiente [89]:

---

[84] Cf. EDWIN WEBBER, «Plautine and Terentian "Cantares" in Fourteenth Century Spain», en *Hispanic Review*, XVIII (1950), págs. 101-102 y 107. El que Santillana en el *Prohemio e Carta (ed. cit.,* pág. 60) compara los villancicos y serranas de su abuelo Pero González de Mendoza con "çénicos plautinos e terençianos" «obedece probablemente a la definición etimológica —divulgada en las escuelas— según la cual *comedia* significaba "canto de aldea", sin entender su índole dramática» (Lapesa, *op. cit.,* pág. 49).

[85] Véase el *Apéndice A,* nota sobre la definición de los tres estilos.

[86] *Ibídem.*

[87] MARCELINO MENÉNDEZ PELAYO, *Antología de poetas líricos castellanos,* II, Santander, Aldus, 1944, pág. 127.

[88] *Ed. cit.,* pág. 56. Santillana los llama «grados».

[89] Véase también FRANCISCO LÓPEZ ESTRADA, *Introducción a la literatura medieval española,* cuarta edición renovada, Madrid, Gredos, 1979, págs. 186-187.

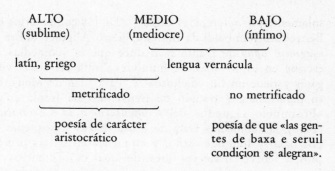

ALTO (sublime)	MEDIO (mediocre)	BAJO (ínfimo)
latín, griego	lengua vernácula	
metrificado		no metrificado
poesía de carácter aristocrático		poesía de que «las gentes de baxa e seruil condiçion se alegran».

Así que la *Comedieta* y la *Divina Comedia* pertenecen al «grado medio». Nuestro poeta utiliza el diminutivo en el título de su obra para expresar su humildad frente a la obra de Dante. La misma actitud reverente la muestra en el título de *Triunphete de Amor,* donde el uso del diminutivo prueba, como dice Rafael Lapesa, «que el autor se percató de las diferencias que hay entre su poema y el que le sirvió de modelo» [90], a saber, los *Trionfi* de Petrarca. En el *Prohemio e Carta* don Íñigo califica sus poemas modestamente de *obretas* [91].

Léxico, sintaxis y retórica

«El siglo XV es una época marcada por el sello latino», dicen Manuel Alvar y S. Mariner [92]. Los grandes poetas latinizantes de este siglo son Juan de Mena y el marqués de Santillana. Sobre el *Laberinto de Fortuna* de Juan de Mena se ha observado que el latinismo en él obedece, de un lado, al ideal estético de elevar la lengua poética a un nivel superior [93], acercándola al de las obras escritas en

---

[90] LAPESA, *op. cit.,* pág. 114.
[91] *Ed. cit.,* pág. 52.
[92] M. ALVAR y S. MARINER, *Latinismos,* en *Enciclopedia Lingüística Hispánica,* II, Madrid, C. S. I. C., 1967, pág. 39.
[93] Por ejemplo, MARÍA ROSA LIDA DE MALKIEL, *Juan de Mena, poeta del prerrenacimiento español,* México, Fondo de Cultura Económica, 1950, pág. 233.

«estilo sublime», o sea, en latín; de otro lado, al posible intento de hacer inaccesible su lectura a aquellos que no tuvieran la capacidad de saborear la poesía culta [94]. Esto vale igualmente para la *Comedieta de Ponça*. En ella hay gran abundancia de palabras cultas. Sólo en las tres primeras estrofas apuntamos: *dubitantes, infortunios, humanales, perpetuales, inperios, superiora, lúcido, mente, rústico, eloquente, denunçie, tributos, pluviosos, frondes, estilo, fingían, metháforas, loquela, última, cómicos,* etc. Según la información disponible, muchos de los cultismos que figuran en la *Comedieta* «parecen» hacer allí su entrada en la lengua literaria española [95]: *admirar, belicoso*

---

[94] Cf. A. D. DEYERMOND, *Historia de la literatura española, La Edad Media,* segunda edición, Barcelona, Editorial Ariel, 1974, pág. 332.

[95] Cf. DÁMASO ALONSO, *La lengua poética de Góngora,* Anejo de la *Revista de Filología Española,* Madrid, 1950, págs. 48-66; RAFAEL LAPESA, *op. cit.,* págs. 162 y sigs.; J. COROMINAS, *Diccionario crítico etimológico de la lengua castellana,* IV vols., Madrid, Gredos, 1955-1957; C. C. SMITH, «Los cultismos literarios del Renacimiento: pequeña adición al *Diccionario crítico etimológico* de Corominas», en *Bulletin Hispanique,* LXI (1959), págs. 236-272; MARÍA ISABEL LÓPEZ BASCUÑANA, «Cultismos, arcaísmos, elementos populares y lenguaje paremiológico en la obra del Marqués de Santillana», en *Anuario de Filología* (Barcelona), 3 (1977), págs. 279-313; *eadem,* «Santillana y el léxico español (Adiciones al diccionario de Corominas)», en *Nueva Revista de Filología Hispánica,* XXVII (1978), págs. 299-314. No incluyo *curso, fontana, furor, instrumento, magno, materia, ornar, plano, prosperidad* y *visión* (véanse los estudios citados de LÓPEZ BASCUÑANA y SMITH), porque estos vocablos se encuentran ya en el *Libro de Alexandre. Atento, efecto, esculpir, explicar, fatigar, favor, horizonte, ignorar, imperante, inflamar, insigne, intento, invocar, locución, memorar, mundano, narraçión, nocturno, obtener, oquedades, orbe, sonar, tácito, turbación, vulgar, vulgo* y *último* (cf. LÓPEZ BASCUÑANA y SMITH) están documentados en las traducciones que hizo Villena de la *Eneida* y *Divina Commedia,* ambas terminadas en 1428 (cf. JOSÉ A. PASCUAL, *La traducción de la «Divina Commedia» atribuida a d. Enrique de Aragón,* Salamanca, Universidad de Salamanca, 1974, y RAMÓN SANTIAGO LACUESTA, *La primera versión castellana de «La Eneida», de Virgilio,* Anejo XXXVIII del *Boletín de la Real Academia Española,* Madrid, 1979). *Perpetua (apud* LÓPEZ BASCUÑANA, «Santillana y el léxico español...», *art. cit.)* se documenta ya en el *Libro de la Nobleza y Lealtad.*

(1490), *celícola* (h. 1625), *colegio* (A Pal), *colegir*, *cómico*
(A Pal), *cónclave*, *correcto* (s. XVII), *cultivador*, *cultivante*
(1555), *denotar* (1600), *descrivir*, *ejercicio* (1490), *elegir*,
equino, *estilo*, *estimulación* (1567), *exhortar* (1584), *exordio* (s. XVII), *fecundo* (1591), *firmamento* (A Pal), *fronda*
(1760), *fugitiva* (1570), *furia* (1449), *futuro* (A Pal), *genealogía* (Comendador Griego, 1499), *increpar* (Aut.), *in-
fecto* (1543), *infinito*, *infortunio* (1570), *inmenso* (1499),
inocencia (Nebr.), *jerarquía* (1570), *lata*, *laureo*, *lauro*
(s. XVII), *línea* (A Pal), *loquela*, *lúcido* (1843), *maternal*, *ma-
trona* (h. 1595), *melifluo* (1555), *metáfora* (s. XVII), *milicia* (1595), *militantes*, *militar*, *monarca* (s. XVII), *observar*
(1611), *oprobrio* (1499), *paciente* (A Pal), *pompa* (A Pal),
prolijo (Nebr.), *prorrogar* (Oudin), *prosperar*
(A Pal), *puericia* (A Pal), *reportar*, *restituir* (A Pal), *retroceder* (1684), *reverente* (Oudin), *rompientes*, *rústico*, *sacro*
(s. XVI), *sanguinoso* (Lope), *secuela* (s. XVII), *servil*
(A Pal), *silvestre* (1499), *superior* (A Pal), *tácitamente*
(1568), *terrecer*, *terror* (A Pal), *tiara* (A Pal), *tigre*
(A Pal), *total* (Oudin), *venusto*, *viril* (A Pal), *volumen*
(a Pal) [96].

Sin embargo, hay que tener mucho cuidado con estos
datos: por ejemplo, de los vocablos que López Bascuñana y Smith documentan por primera vez en la *Comedieta de Ponça*, he encontrado treinta y ocho palabras en
obras anteriores (véase la nota 95). Por lo tanto, hasta
que no dispongamos de un diccionario histórico completo o de vocabularios de todas las obras medievales, no
podemos sacar conclusiones definitivas.

El empleo de un léxico y una sintaxis latinizantes [97],
unido a las frecuentes referencias a fuentes clásicas, hacen
accesibles estas obras tan sólo a un público culto. Santillana se dirige en su *Comedieta* al «lector discreto»

Las fechas y otras indicaciones que están entre paréntesis remiten a la
primera documentación que apunta Corominas.

[96] *Volumen:* Con toda probabilidad se trata de un cultismo literario
de origen dantesco. Cf. JOAQUÍN ARCE, *Literatura Italiana y Española
frente a frente*, Madrid, Espasa-Calpe, 1982, pág. 150.

[97] Véase también más adelante el párrafo dedicado al estilo.

(v. 55) que «conosçe» la sabiduría expuesta o que tiene la capacidad de enterarse de ella: «pues baste lo dicho al que los (=los signos del Zodíaco) conosçe, / e quien non, aprenda del rey Atalante» (vv. 727-728). Por lo tanto, sobrada razón tiene Pedro M. Barreda-Tomás al llamar a la *Comedieta de Ponça* un «poema de minorías» [98].

Un segundo aspecto caracterizador de la lengua poética de mediados del siglo XV es que el cultismo se codea con el arcaísmo. Sin embargo, a diferencia de su amigo Juan de Mena, que arcaizaba de intento [99], el marqués emplea en su obra una cantidad de arcaísmos muy reducida. En la *Comedieta* señalamos solamente *selva* y *vero* [100]. También llaman la atención las voces que Santillana introduce desde otras lenguas, como el italiano *(bixa, comedia, fogosa, lector, novela, parco, perverso, viso)*, el francés *(finestraje, fletes, maçonería, morlanes, pomelar)* y el catalán *(bonbardas, brega, cridada, estellado, estol, merletes)* [101].

---

[98] PEDRO M. BARREDO-TOMÁS, «Un análisis de la *Comedieta de Ponça*», en *Boletín de Filología*, XXI (1970), pág. 190.

[99] Cf. MARÍA ROSA LIDA DE MALKIEL, *op. cit.*, págs. 238-240.

[100] Cf. MARÍA ISABEL LÓPEZ BASCUÑANA, «Cultismos...», *art. cit.*, y «Arcaísmos y elementos populares en la lengua del Marqués de Santillana», en *Medioevo Romanzo*, IV (1977), págs. 404-410. Con respecto a la *Comedieta de Ponça*, Bascuñana menciona también como arcaísmos (léxicos, fonológicos y de construcción) *deessa, flama, muy mucho* y *neto;* las formas verbales de la segunda persona de plural con -d-; y el uso del artículo ante posesivo («Cultismos...», *art. cit.*, págs. 302-304). Sin embargo, todos ellos son usuales todavía en la primera mitad del siglo XV: cf. COROMINAS, *op. cit. (deessa, flama, neto);* RALPH DE GOROG Y LISA S. DE GOROG, *Concordancias del «Arcipreste de Talavera»*, Madrid, Gredos, 1978, pág. 251 *(muy mucho);* ROBERTO DE SOUZA, «Desinencias verbales correspondientes a la persona *vos/vosotros* en el *Cancionero General* (Valencia, 1511)», en *Filología*, X (1964), págs. 1-95; y RAFAEL LAPESA, «Sobre el artículo ante posesivo en castellano antiguo», en *Sprache und Geschichte. Festschrift für Harri Meier*, München, 1971, págs. 277-296.

[101] Cf. COROMINAS, *op. cit.;* J. H. TERLINGEN, *Los italianismos en español desde la formación del idioma hasta principios del siglo XVII*, Amsterdam, 1943; CARLO BATTISTI y GIOVANNI ALESSIO, *Dizionario Etimologico Italiano*, Firenze, 1954; *Enciclopedia Dantesca*, III, Roma, 1971; MARÍA ISABEL LÓPEZ BASCUÑANA, «Los italianismos en la lengua del Marqués de Santillana», en *Boletín de la Real Academia Española*,

Rafael Lapesa dice con respecto a ellas: «Si el latinismo satisfacía las apetencias cultas, el gusto por lo exótico favorecía el uso de voces foráneas» [102]. También se podría argüir que el uso del extranjerismo refleja el conocimiento de otras lenguas, y que, por lo tanto, juntamente con el latinismo, es señal de erudición.

En cuanto a los recursos retóricos, la técnica más utilizada es la *amplificación*. Se manifiesta en varias formas como la simple *enumeración* («Allí se nonbravan los Lunas e Urrea, / Yxar e Castro, Heredia, Alagón, / ...», LXXI, 1-2; LXXII; etc.), la *anáfora* («e los infortunios..., / e ved si... / e grandes poderes...», I, 2-3-4; XVI, 6-7-8; etc.), la *hendíadis* («diálogo triste e fabla llorosa», IV, 6; XXV, 4; etc.) y la *annominatio* «... oyan... oýan.», III, 8; LV, 1; etc.).

En la sintaxis, la latinización se manifiesta en el empleo de construcciones absolutas, como el ablativo absoluto, el participio presente en lugar de una oración de relativo, o el participio presente con valor de un gerundio o adjetivo:

«ca non será menos la mi narraçión,
mediantes las musas que a ellos guiaron» (vv. 407-408).

«Lo qual, preçedentes recomendaçiones,
las humiles fijas a ti recordamos» (vv. 473-474).

«Dexado el exordio, la triste materia,
o muy cara madre, conviene tocar» (vv. 481-482).

«O vos, dubitantes, creed las ystorias» (v. 1).

«e serán/vençientes sus señas e nunca vençidas»

(vv. 943-944).

LVII (1978), págs. 545-554 y las notas del texto. Los italianismos *comedia* y *viso* proceden con toda probabilidad de Dante. De ahí que pudiéramos llamarlos con Joaquín Arce «dantismos léxicos»; cf. JOAQUÍN ARCE, *op. cit.*, pág. 150.

[102] LAPESA, *op. cit.*, pág. 167.

Algunas veces los versos se presentan en forma bimembre y paralela: «despierta el ingenio, aviva la mente» (v. 10), «diálogo triste e fabla llorosa» (v. 30); o incluyen un *quiasmo:* «[con las] gruessas redes e canes ardidos» (v. 130), «[los] daños futuros e vinientes males» (v. 339). Es asimismo muy frecuente la *antítesis:* «rebuelve lo alto en baxo a desora, / e faze a los ricos e pobres iguales» (vv. 7-8), «faze e desfaze, abaxa e prospera» (v. 334). Poco frecuente, en cambio, es el *hipérbaton* [103]: «La una de perla el campo traýa» (v. 45), «... la quarta a dezir / començó...» (vv. 109-110). Así, el hipérbaton de adjetivo y sustantivo, tan frecuente en Mena, no se registra.

A diferencia también de Mena, recurre mucho el marqués de Santillana a la enumeración de más de tres términos [104]: «jamás es fallado sinon verdadero, / egual, amoroso, cauto, sofridor» (vv. 251-252).

Un recurso estilístico novedoso, de origen dantesco, es la apelación «a la concreta persona que lee, no a un auditorio que escucha, para llamar la atención sobre lo extraordinario o significativo de lo que se cuenta en ese momento. Aparece así la forma vocativa *lettor,* generalmente apoyada en un imperativo» [105]: «pues, lector discreto, sy d'esto algo sientes, / recordarte deve su genealogía» (vv. 55-56).

Métrica

Está escrito el poema en versos de arte mayor. Acerca de este tipo de verso, dice Juan del Encina en su *Arte de poesía castellana* que «se compone de doze [sílabas], o su equivalencia. Digo su equivalencia porque bien puede ser que tenga más o menos en cantidad, mas en valor es imposible para ser el pie perfecto», y que es el más

---

[103] En la obra de Juan de Mena hay abundantes casos; cf. MARÍA ROSA LIDA DE MALKIEL, *op. cit.,* págs. 206 y sigs.

[104] *Ibídem,* págs. 168-169.

[105] JOAQUÍN ARCE, *op. cit.,* pág. 154.

apropiado «para cosas graves y arduas» [106]. R. Foulché-Delbosc, que estudió el arte mayor en el *Laberinto
de Fortuna*, lo describió como un conjunto de dos hemistiquios separados por una fuerte cesura, dentro de los cuales, por lo general, existe la combinación silábico-acentual
de dos sílabas acentuadas separadas por dos inacentua-
das (´---´) [107]. Sin embargo, el filólogo francés encontró
en el *Laberinto* también hemistiquios con un solo
ictus [108]. Esta interpretación fue rechazada años más
tarde por Pierre Le Gentil, quien postula para los hemistiquios anómalos de Foulché-Delbosc un ictus secundario
que «ne sonne pas toujours avec une grande inten-
sité» [109].

En un importantísimo estudio sobre el arte mayor, el
profesor Lázaro Carreter intenta «reconstruir en sus líneas esenciales la poética del arte mayor, es decir, la con-
vención que numerosos poetas aceptaron en la segunda
mitad del siglo XV para convertir el lenguaje en obras de
pretensión artística» [110]. Tradicionalmente habían sido
explicados desplazamientos acentuales en neologismos y
nombres propios por influencias ajenas al texto como
cruce de palabras, analogía, escasez de palabras esdrú-
julas, estado vacilante del idioma, etc. [111]. Lázaro Carreter, sin embargo, los interpreta «desde dentro del texto»,
atribuyéndolos al esquema acentual fijo ´---´, que domi-
naba el verso del arte mayor. Esta poética se basa en «un
profundo distanciamiento entre la lengua del verso y el
idioma común» [112]. En la misma línea, interpreta la
mayor parte de los fenómenos retóricos y sintácticos

---

[106] Edición de JUAN CARLOS TEMPRANO, en *Boletín de la Real Academia Española*, LIII (1973), págs. 335 y 339.

[107] R. FOULCHÉ-DELBOSC, «Étude sur le *Laberinto* de Juan de
Mena», en *Revue Hispanique*, IX (1902), pág. 94.

[108] *Ibídem*, pág. 96.

[109] PIERRE LE GENTIL, *op. cit.*, II, Rennes, 1953, pág. 377.

[110] FERNANDO LÁZARO CARRETER, «La poética del arte mayor castellano», en *Studia Hispanica in Honorem Rafael Lapesa*, I, Madrid,
1972, pág. 344.

[111] Cf. MARÍA ROSA LIDA DE MALKIEL, *op. cit.*, págs. 276 y sigs.

[112] LÁZARO CARRETER, *art. cit.*, pág. 350.

como productos del «modelo del verso». Sin embargo, también en la prosa de Mena y Santillana abundan los neologismos, el retoricismo y la sintaxis latinizante, por lo que han de considerarse como vehículos para elevar a un plano más alto tanto la poesía como la prosa; es cierto, sin embargo, que, según dijo John Cummins [113], el esquema acentual invariable del arte mayor «se encuentra perfectamente servido por tales innovaciones y... proporciona al poeta un vehículo ideal en donde encuadrarlas».

Recientemente Martin Duffell analizó detenidamente los primeros 300 versos de la Comedieta, concluyendo: «...if Lázaro Carreter is correct, and *arte mayor* should be wrenched in delivery so as to conform to a triple-time verse design, then Santillana's is the worst *arte mayor* technically of all that survives. The amount of wrenching required to give the Comedieta a triple-time delivery is a gross distortion of the Castilian language and renders it almost unrecognizable». Según el estudioso inglés Santillana «attempted something revolutionary in Castilian versification: the introduction of long-line syllabic metres offering rhythmic variety» [114].

EDICIONES EXISTENTES
DE LA «COMEDIETA DE PONÇA»

Rimas inéditas de don Íñigo López de Mendoza, Marqués de Santillana, de Fernán Pérez de Guzmán, Señor de Batres, y de otros poetas del siglo XV. Edición de Eu-

---

[113] En la introducción a su edición del *Laberinto de Fortuna*, Madrid, Cátedra, 1979, pág. 43.

[114] Martin James Duffell, *The metrics of the Marqués de Santillana.* Tesis (M. Phil.) leída en la Universidad de Exeter (Inglaterra), septiembre de 1983, págs. 151-152 y 153 (sin publicar). El profesor de Deyermond llamó mi atención sobre este estudio y el autor tuvo la amabilidad de darme permiso de usarlo.

genio de Ochoa, París, Imprenta de Fain et Thunot,
1844, págs. 1-74.
Edición basada en los códices parisienses PN4, PN8,
PN10 y PN12 [115] de la Bibliothèque Nationale.
*Obras de D. Íñigo López de Mendoza, Marqués de
Santillana.* Edición de José Amador de los Ríos, Madrid,
1852, págs. 93-145.
Amador utilizó la edición hecha por Ochoa y los manuscritos MN6, MN8, MN31 y SA8.
Cancionero castellano del siglo XV, ordenado por
R. Foulché-Delbosc, tomo I, N. B. A. E. núm. 19, Madrid, 1912, págs. 460-475.
Es una compilación de textos castellanos del siglo XV
hecha a base de impresos y códices, como dice el editor
en su introducción: «Siempre que hemos podido dispo-
ner de impresos, nos hemos servido de los más feha-
cientes o, en último término, de los que nos han parecido
menos incorrectamente publicados. No obstante, en el
caso de tratarse de alguna edición despreciable, hemos
prescindido de ella, sin vacilar, utilizando exclusivamente
el códice a que debió ajustarse...» [116].
En cuanto al texto de la *Comedieta de Ponça*, el hispanista francés se sirvió de la edición de Amador, cambiando algunas veces la ortografía.
Cancionero de Roma. Edición de M. Canal Gómez,
tomo II, Florencia, Sansoni, 1935, págs. 150-184.
Reproduce el texto del manuscrito RC1. Contiene numerosos errores de transcripción [117].
Cancionero de Juan Fernández de Ixar. Estudio y edición crítica por José María Azáceta, tomo II, Madrid,
C. S. I. C., 1956, págs. 562-599.
Se trata de una reproducción del texto del manuscrito

---

[115]   Para las siglas, véase el capítulo sobre los manuscritos.
[116]   *Ed. cit.*, pág. VIII.
[117]   Errores de transcripción: v. 25: guarda (C = Canal Gómez:
guarida); v. 28: libio (C: libro); epígrafe a la estr. X: Ioan (C: Johan);
v. 91: acerbos (C: acervos): v. 106: Tiriana (C: Turiana); v. 153: vejo
(C: veio); v. 157: vejamu (C: veiamu); czo (C: cio); v. 169: conuiene
(C: convienen); v. 177: fue (C: fui); v. 221: algunos (C: alguno); etc.

MN6. La transcripción y el cuerpo de variantes son muy defectuosos [118].

La Comedieta de Ponza. Edición, prólogo y notas de José María Azáceta, Tetuán, Cremades, 1957, páginas 15-44.

La edición se basa en la de Amador de los Ríos. Cada vez que el editor se aparta de su modelo, ofrece una lectura poco convincente o completamente errada, excepción hecha de la enmienda del verso 636. Indudablemente, algunas enmiendas le fueron sugeridas por el texto de la *Comedieta* del *Cancionero de Juan Fernández de Ixar*, de cuya edición también se hizo cargo Azáceta [119].

Marqués de Santillana, Poesías completas. Edición de Manuel Durán, vol. I, Clásicos Castalia, núm. 64, Madrid, 1975, págs. 237-304.

En la *Nota Previa*, explica Durán su criterio para el establecimiento de los textos: «... partiendo de los códices y teniendo en cuenta las ediciones de Amador, García de Diego, Foulché-Delbosc (y para la *Carta-Prohemio* la de Sorrento), hemos tratado ante todo de reconstruir un texto que sea a la vez fiel y legible» [120].

Sin embargo, una comparación de los textos de los ma-

---

[118] Errores de transcripción: v. 3: trunfos (A=Azáceta: triunfos); v. 34: clamoso (A: clamorosa); v. 41: tenian (A: tenia); v. 44: nobradia (A: nonbradia); v. 56: genoalogia (A: genealogia); v. 67: Polimia (A: Polinia); v. 72: seruado (A: seruando); v. 80: biuen (A: bien); v. 88: que non se yo alguna (A: que yo non se ninguna); v. 92: grad (A: grand); etc.
Para los defectos del cuerpo de variantes, véase el aparato crítico de mi edición.

[119] Las enmiendas son las siguientes (enumero en primer lugar la versión de Azáceta y, tras barra, la de Amador): v. 72 servando / servado; v. 168 açeptado / açeptando; v. 308 de mar / del mar; v. 315 sorriesen / socorriessen; v. 340 segunt me / segunt que; v. 482 clara / chara; v. 485 fondo del mar / fondo mar; v. 517 en los unos cruçes / en unos las cruçes; v. 535 inflamado / inflmando; v. 540 en cada logar / por cada logar; v. 565 de allende / que allende; v. 631 reçeptaban / reçeptava; v. 636 *e la pleitesía* / a la pleitesía; v. 720 a çiertas señales / e çiertas señales; v. 846 las pintaron / los pintaron; v. 915 es el mundo que yo / es en el mundo que ya.

[120] *Ed. cit.*, pág. 36.

nuscritos y ediciones muestra que, con respecto a la *Co-medieta*, Durán se basó en la edición de Amador de los Ríos teniendo en cuenta el códice NH2 [121].

Íñigo López de Mendoza, marqués de Santillana, *Antología de su obra en prosa y verso*. Edición de José María Azáceta, Clásicos Plaza y Janés, núm. 36, Barcelona, 1985.

En el capítulo *Criterios de esta antología* leemos que los «textos se apoyan básicamente en la edición de Amador de los Ríos... Se han revisado algunos aspectos de las grafías, de la puntuación y de la acentuación» [122]. Sin embargo, por lo que se refiere al texto de la *Comedieta*, resulta que el editor se ha dejado guiar también por la edición de Manuel Durán, a consecuencia de lo cual esta edición es considerablemente peor que la que hizo el mismo Azáceta en 1957. A la vista de ello, cabe afirmar que de todas estas ediciones la mejor es la que hizo José Amador de los Ríos, la cual, sin embargo, no reúne las condiciones que hoy día se imponen en la edición de un texto.

Limitándome naturalmente al texto de la *Comedieta de Ponça*, hago míos los tres principales reparos que el hispanista italiano Luigi Sorrento puso a la edición de Amador del *Prohemio e Carta quel Marques de Santillana enbio al condestable de Portugal con las obras suyas: a)* «... mancanza di un saldo metodo scientifico e precisamente di una direttiva sicura e definitiva»; *b)* «Errori di citazioni in s.A. (= edición de Amador) sono frequenti»; y *c)* «... quanto all'ortografia, s.A. raggiunge il massimo dell'arbitrio» [123].

En efecto, Amador estableció su texto de la *Comedieta* sin ningún método; el aparato crítico es muy defectuoso; cometió muchísimos errores de transcripción; la mayoría

---

[121]   Cf. mi artículo-reseña de la edición de DURÁN en *Neophilologus*, LXI (1977), págs. 86-105, y la reseña de KEITH WHINNOM en *Bulletin of Hispanic Studies*, LVIII (1981), págs. 140-141.

[122]   *Ed. cit.*, pág. 32.

[123]   LUIGI SORRENTO, «Il Proemio del Marchese di Santillana», en *Revue Hispanique*, LV (1922), págs. 10, 12 y 14.

de las enmiendas hipotéticas —que casi nunca indica— no son aceptables, y la ortografía es por lo general muy arbitraria [124].

He tratado de subsanar los defectos y errores señalados con respecto a la edición de Amador de los Ríos en mi edición crítica de la *Comedieta*, de 1976 [125].

NUESTRA EDICIÓN

El presente libro es una revisión de mi edición crítica de la *Comedieta de Ponça* de 1976, la cual presenté como tesis de doctorado en la Universidad Estatal de Groninga, Holanda.

He tenido muy en cuenta la reseña de Michael Metzeltin y las observaciones de Carla De Nigris y Emilia Sorvillo hicieron sobre la tradición manuscrita de la *Come-*

---

[124] Veamos algunos ejemplos: v. 1: Amador lee *estorias*, que es la lectura de SA1, MH1, SA10, RC1, PN10 y PM1, todos códices no utilizados por Amador. *MN8* tiene *historias; MN6*, PN4, PN8, PN12 y *Ochoa istorias;* HH1 *esstorias; SA8, MN31*, NH2, BC3, ML3, TP1 y YB2 *ystorias*. (Las siglas en cursiva son los textos empleados por Amador). v. 3: *e ved...* Amador no menciona en el aparato crítico que *MN31* tiene *veed*, ni tampoco que *MN6* lee *aved* en vez de *e ved*. v. 7: Siguiendo a Ochoa, Amador opta por *revuelve. SA8*, SA6, *MN31*, MH1, SA10, *MN6*, NH2, RC1, PM1, HH1, BC3, TP1 e YB2 tienen *rebuelue; MN8* y PN12 *rebuelbe;* PN10 y ML3 *rebuelve;* PN4 y PN8 *reuulue*. v. 8: Amador da preferencia a la lección *e façe los ricos* (SA1, *MN8, MN31*, MH1, SA10, PN4, PN8, ML3, TP1 e YB2), sin que indique en el aparato que además de *MN6* también *SA8* lee *e façe a los ricos*.

De las enmiendas propuestas por Amador trato en las notas al texto crítico.

Quiero hacer constar, empero, que Amador de los Ríos realizó una labor enorme al editar simultáneamente todas las obras del marqués de Santillana.

[125] D. Íñigo López de Mendoza, marqués de Santillana, *La «Comedieta de Ponza»*. Edición crítica, introducción y notas de Maxim. P. A. M. Kerkhof, Groningen, 1976.

En esta edición fueron tomados en cuenta los mss. SA8, MN8, MN31, SA1, SA10, HH1, MH1, MN6, RC1, PN10, PN4, PN8, PN12, PM1 y NH2.

dieta [126]; además, he utilizado los materiales de los códices BC3, ML3, TP1 e YB2, de que no tenía conocimiento en 1976.

Por razones de espacio se han quitado el «Vocabulario
selectivo», el «Registro de nombres propios de persona y
de nombres de familia», la «Tabla de rimas» y el «Registro de todos los vocablos».

Al preparar esta edición me acordé de las palabras que
Hernán Núñez escribió en el prólogo a su segunda edición del *Laberinto de Fortuna* (Granada, 1505, fol. ii):
«Y por tanto yo, como sea hombre y no mejor que mis
vezinos, conosçiendo que en la glosa que compuse sobre
las trezientas del famoso poeta Juan de Mena... auía escrito algunas cosas que requerían censura y lima, acordé
agora de prevenir a los que me pudieran emendar; emen-
dándome yo a mý mismo y leýda toda esta obra, corregí
y emendé en la glosa muchas cosas, añadiendo vnas y
quitando otras segund me pareció. Y no sólo en la glosa,
mas avn en el mismo testo de las coplas se emendaron
muchos logares que estauan viciosos».

BREVE DESCRIPCIÓN DE LOS MANUSCRITOS UTILIZADOS [127]

Adopto las siglas fijadas por Brian Dutton, en cuyo
Catálogo-Índice puede consultarse (págs. 236-237) la
«Clave de Siglas» concordadas de los sistemas adoptados
por Mussafia, Aubrun, Várvaro, Azáceta, Steunou y
Knapp, y González Cuenca [128]. A la descripción de cada

---

[126] Michael Metzeltin, en *Vox Romanica,* 37 (1978), págs. 367-369.
Carla De Nigris y Emilia Sorvillo, «Note sulla tradizione manoscritta
della *Comedieta de Ponça*», en *Medioevo Romanzo,* V (1978), páginas 100-128.

[127] Para más información sobre los cancioneros descritos en este capítulo, remito a las obras mencionadas en la nota siguiente. Cf. también
KERKHOF, en la introducción a su edición de la *Comedieta de Ponza,
ed. cit.,* págs. 13-77. Con respecto a los manuscritos TP1 y BC3, véase
MAXIM. KERKHOF, «El Ms. 80...», *art. cit.,* págs. 17-58.

[128] BRIAN DUTTON (con la colaboración de Stephen Fleming, Jineen

manuscrito, añado la Biblioteca donde actualmente se encuentra; la signatura que actualmente tiene [paradero(s) y/o signatura(s) anterior(es)], y, finalmente, folios que en el manuscrito ocupa la *Comedieta de Ponça*.

BC3: cancionero de 101 folios de papel, escrito hacia 1480. Biblioteca de Catalunya, Barcelona. Sign.: 1967. (Est. 2.D. núm. 13/Est. 1.A.9/1011-IV 4.°). Fols. 52r-72r.

HH1: cancionero de 437 hojas, copiado hacia 1485. Conocido como el *Cancionero de Oñate-Castañeda*. Houghton Library, Harvard. Sign.: f.MS Span 97 (Colección privada de Edwin Binney). Fols. 82r-104r.

MH1: el *Cancionero de Gallardo o de San Román*. Se compone de 393 hojas de papel. Es fechable ha-

---

Krogstad, Francisco Santoyo Vázquez y Joaquín González Cuenca), *Catálogo-Índice de la Poesía Cancioneril del Siglo XV*, Madison, 1982. ADOLF MUSSAFIA, «Per la bibliografia dei "Cancioneros" Spagnuoli», en *Denkschriften der Kaiserlichen Akademie der Wissenschaften*, Philosophisch-Historische Classe, 47. Band, Viena, 1902, págs. 1-3. CHARLES V. AUBRUN, «Inventaire des sources pour l'étude de la poésie castillane au XVe siècle», en *Estudios dedicados a Menéndez Pidal*, IV, Madrid, 1953, págs. 297-230. ALBERTO VÀRVARO, *Premesse ad un'edizione critica delle poesie minori di Juan de Mena*, Nápoles, Liguori, 1964, páginas 11, 13-14 y 16-20. JOSÉ MARÍA AZÁCETA, en la introducción a su edición del *Cancionero de Juan Fernández de Ixar*, ed. cit. págs. XXXII-XXXV, del *Cancionero de Gallardo*, Madrid, C. S. I. C., 1962, págs. 10-14, y del *Cancionero de Juan Alfonso de Baena*, I, Madrid, C. S. I. C., 1966, págs. XCIV-XCVIII. JACQUELINE STEUNOU y LOTHAR KNAPP, *Bibliografía de los cancioneros castellanos del siglo XV y repertorio de sus géneros poéticos*, I, París, Centre National de la Recherche Scientifique, 1975; II, París, 1978. JOAQUÍN GONZÁLEZ CUENCA, «Cancioneros Manuscritos del Prerrenacimiento», en *Revista de Literatura*, XL (1978), págs. 177-215.

Habría que añadir las siglas adoptadas por Alessandra Bartolini, que son las siguientes: HH1: Va; MH1: La; MN6: I; MN8: Lb; MN31: Os; NH2: Vi; PM1: SM; PN4: A; PN8: E; PN10: G; PN12: H; RC1: R; SA1: Ld; SA8: Lc; SA10: X^b. *Vid.* «Il canzoniere castigliano di San Martino delle Scale (Palermo)», *Bolletino Centro di Studi Filologici e Lingüistici Siciliani*, Palermo, 4 (1956), págs. 164-165.

cia 1454. Biblioteca de la Real Academia de la
Historia, Madrid. Sign.: San Román, Ms. 2.
(S-9-2). Fols. 59v-80r.

ML3:   cancionero de obras del marqués de Santillana.
Tiene 146 folios y fue confeccionado hacia
1540. Fundación Lázaro Galdiano, Madrid.
Sign.: 657 (Biblioteca de A. Cánovas del Castillo). Fols. 30v-39v.

MN6:   el *Cancionero de Juan Fernández de Ixar*. Son
cinco manuscritos en uno, pertenecientes a los
siglos XV y XVI. La numeración empieza donde
el texto y va hasta el 369 inclusive. Al principio
hay 35 folios en blanco, numerados en cifras
romanas, y al final, 41 folios en blanco. El texto
de la *Comedieta,* que ocupa los folios 255r-
263r, pertenece a la parte B (folios 157r-270v),
copiada en 1469 como indica una nota en el fo-
lio 236v. Biblioteca Nacional, Madrid. Sign.:
2882 (M-275). Fols. 255r-263r.

MN8:   es el cancionero más completo de las obras del
marqués de Santillana. Consta de 225 hojas de
papel muy fino. Fue realizado a finales del siglo XV o principios del XVI. Biblioteca Nacional, Madrid. Sign.: 3677 (M-59). Fols. 58r-
79r [129].

MN31:   es un manuscrito facticio con obras reunidas en
una sola encuadernación en el siglo XVIII. Tiene
159 folios de papel grueso. El texto de la *Comedieta,* la única obra poética del códice, fue
escrito en letra del siglo XV. Biblioteca Nacional, Madrid. Sign.: 10445 (Osuna: Plut VI, número 5 / Biblioteca Nacional, Madrid: KK-46).
Fols. 71r-91r.

NH2:   conocido como el *Cancionero de Vindel.*
Consta de 312 hojas. Fue escrito hacia 1480. Bi-

---

[129]   Según la foliación original en tinta en el ángulo superior derecho. En la numeración dada por mí a lápiz en el margen derecho el
texto ocupa los folios 60r-81v.

blioteca de la Hispanic Society of America, Nueva York. Sign.: B 2280. (-). Fols. 280-308.

PM1:   un pequeño volumen de 85 folios de papel grueso, fechable hacia 1470. Biblioteca del convento benedictino San Martino delle Scale, Palermo. Sign.: II-B-11. (-). Fols. 2v-32v.

PN4:   este manuscrito consiste en dos secciones: la primera, de cinco poesías catalanas, y la segunda, de poesía y prosa en castellano. Con toda probabilidad se trata de un *cançoner* catalán interrumpido que fue trasladado a Nápoles, donde fue continuado como cancionero castellano [130]. Bibliothèque Nationale, París. Sign.: 226 (Classement de 1860). ([821] / Anc. Fonds: 7819 [Cat.| Morel-Fatio:| 590]) [131].| Fols. | 150v-175v.

PN8:   colección de poesías castellanas del siglo XV, de 232 hojas de papel. La letra es del siglo XV. Bibliothèque Nationale, París. Sign.: 230 (Classement de 1860). ([1013] / Anc. Fonds: 7825 [Cat. Morel-Fatio: 590]). Fols. 150v-175v.

PN10: manuscrito de 236 folios de papel, de letra del siglo XV [132]. Bibliothèque Nationale, París. Sign.: 233 (Classement de 1860). ([1073] / Anc. Fonds: 7824 [Cat. Morel-Fatio: 593]). Fols. 98r-127v.

PN12: colección de poesías castellanas, en letra del siglo XV. Contiene 195 folios de papel fuerte. Bibliothèque National, París. Sign.: 313 (Classement de 1860). ([1387] / Anc. Fonds: 8168 [Cat. Morel-Fatio: 593]). Fols. 98r-127v.

---

[130] Cf. R. G. BLACK, «Poetic Taste at the Aragonese Court in Naples», en *Florilegium Hispanicum, Medieval and Golden Age Studies Presented to Dorothy Clotelle Clarke*, Madison, 1983, págs. 169-170.

[131] A. MOREL-FATIO, *Catalogue des manuscrits espagnols et portugais de la Bibliothèque Nationale*, París, 1892, págs. 188-189.

[132] Los folios han sido numerados con lápiz, con excepción de los cinco primeros y los treinta últimos que están en blanco. De modo que la foliación va de 1 a 201.

RC1:   cancionero de 270 hojas de fina vitela. Fue rea-
        lizado hacia 1465. Conocido como el *Cancio-
        nero de Roma.* Biblioteca Casanatense, Roma.
        Sign.: 1098. (A.II.29). Fols. 198v-217r.

SA1:   manuscrito del siglo XV, de 181 folios de pa-
        pel [133]. Es posterior a 1474-1476, puesto que en
        ese período fray Íñigo de Mendoza compuso
        sus *Coplas... de comparaciones de las mugeres*
        (SA1, fol. 148v) [134]. Biblioteca Universitaria, Sala-
        manca. Sign.: 1865 (Colegio Mayor de Cuenca: N
        164 / Palacio: VII-Y-4/2-G.S. / [II] 596). Fols. 18v-
        38v [135].

SA8:   este precioso códice es una de las colecciones
        más importantes de las obras del marqués de
        Santillana. Contiene 256 hojas de papel y perga-
        mino; la letra es del siglo XV. No es aventurado
        decir que es el *Cancionero de sus Obras* que
        don Íñigo en los últimos años de su vida envió,
        hacia 1456, a su sobrino Gómez Manrique; o
        sea, se trata con toda probabilidad de un ma-
        nuscrito confeccionado en el *scriptorium* del
        marqués [136]. Biblioteca Universitaria, Sala-
        manca. Sign.: 2655 (Colegio Mayor de Cuenca:
        N 145 / Palacio: 1114/VII-Y-4/2-G-4/[II] 747).
        Fols. 58r-78v.

---

[133]   Este manuscrito fue confundido con el SA8; véase mi artículo
«Algunas notas acerca de los manuscritos 2655 y 1865 de la Biblioteca
Universitaria de Salamanca», en *Neophilologus*, LVII (1973), págs. 135-
143.

[134]   Cf. JULIO RODRÍGUEZ PUÉRTOLAS, en la introducción a su edición *Fray Íñigo de Mendoza, Cancionero* (Clásicos Castellanos, 163),
Madrid, Espasa-Calpe, 1968, pág. LXII.

[135]   En la foliación antigua en tinta son los folios XXVIv-XLVIv.

[136]   Sobre la importancia de copias dedicadas a alguien, escribió
PAUL OSKAR KRISTELLER: «Dedicatory copies have a great value, and
they are often quite readily discernible: they are usually written on
parchment, and more or less richly illuminated, often bearing the coat
of arms of the first owner on the title-page» («Tasks and problems of
Manuscript Research», en *Codicologica*, I, *Théories et principes*, Leiden,
1976, pág. 85).

SA10: dos cancioneros encuadernados en uno, el primero de finales del siglo XV, y el segundo de principios del XVI. Consta de 163 folios de papel grueso. La *Comedieta* es la primera obra del segundo cancionero. Biblioteca Universitaria, Salamanca. Sign.: 2763 (Colegio Mayor de Cuenca: N 353 / Palacio: VII-D-4/2-F-S/[II] 593). Fols. 95r-101v [137].

TP1: otro cancionero de obras del marqués de Santillana, realizado hacia 1470. Tiene 113 folios de papel. Biblioteca Pública, Toledo. Sign.: 80. (-). Fols. 60r-78v.

YB2: en cuanto al contenido es casi idéntico al TP1. Se compone de 327 folios y es fechable hacia 1565. Beinecke Rare Books Library, Yale. Sign.: 489. (Phillips, 8320). Fols. 57r-75r.

BO1: copia-manuscrita del siglo XIX de la *Comedieta* «sacada de un códice del siglo XVI que posee don O[bediah] Rich, cónsul de los Estados Unidos en Madrid», como se lee en la portada [138]. En mi contribución al *Homenaje a Alonso Zamora Vicente* titulada «Apostillas a textos del marqués de Santillana» (en prensa), he mostrado que BO1 es copia de YB2. Boston Public Library. Sign.: QD.16. (-). 58 págs.

---

[137] Durante la encuadernación el orden original de los folios de la segunda parte —el códice consta de dos partes diferentes— fue cambiado. Originalmente el texto de la *Comedieta de Ponça* ocupó los folios 2r-7v. (cf. mi edición, págs. 51-52).

[138] Véanse HAROLD G. JONES, «Early Spanish Manuscripts In Public Libraries, I. The Ticknor Collection of the Boston Public Library», en *La Corónica*, VI (Fall 1977, No. 1), pág. 44, y la *Bibliography of Old Spanish Texts*, 3.ª ed., Madison, 1984, núm. 58, pág. 5.ª Sólo después de haber terminado el manuscrito de mi edición obtuve un microfilm de este códice; por lo tanto, BO1 no figura en el cuerpo de variantes.

El «STEMMA CODICUM»

Por razones de espacio, no puedo elaborar aquí la genealogía de los diecinueve representantes manuscritos de
la *Comedieta*. Por lo tanto, parto del *stemma* que hice en
mi edición de 1976 de los mss. SA8, MN8, MN31, SA1,
SA10, HH1, MH1, MN6, RC1, PN10, PN4, PN8,
PN12, PM1 y NH2 [139]. En un interesante artículo intitu-
lado «Note sulla tradizione manoscritta della *Comedieta
de Ponça*» [140], Carla De Nigris y Emilia Sorvillo propu-
sieron algunas rectificaciones. Concuerdo con las dos estudiosas cuando observan que la lista de variantes que
doy en las páginas 91-92 de mi edición de 1976 no
prueba solamente el parentesco entre SA8, MN8 y
MN31, sino también el de SA1, SA10, HH1, MH1,
MN6, RC1, PN10, PN4, PN8, PN12, PM1 y NH2.
Igualmente son muy acertadas sus propuestas con respecto a los lugares que MH1 y MN6 ocupan en la tradición α, y la posible influencia de un códice de la línea
SA1 sobre la subtradición representada por PN12, PN4,
PN8, RC1 y PN10 [141].

---

[139]   *Ed. cit.*, págs. 78-135.
[140]   *Art. cit.* págs. 100-128.
[141]   *Ibídem*, págs. 108-113, 115-119 y 124.

De acuerdo con estas correcciones el *stemma* será:

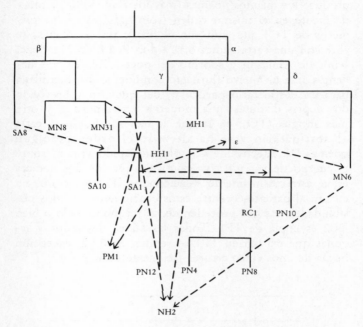

Fuera de los manuscritos que acabo de mencionar, he utilizado en esta nueva edición cuatro códices más: TP1, YB2, BC3 y ML3. En otra ocasión he mostrado que TP1 es un miembro de la subtradición representada por SA1, SA10 y HH1, y contaminado por un texto procedente de δ, y que BC3 está estrechamente relacionado con NH2 [142]. Quedan por determinar los lugares que YB2 y ML3 ocupan en el *stemma*.

YB2

En 1980, Miguel Ángel Pérez Priego escribe que este cancionero (copia de hacia 1565) «parece guardar un es-

---

[142] MAXIM. KERKHOF, «El Ms. 80...», *art. cit.*, págs. 39 y 50.

trecho parentesco con TO (= nuestro TP1), ya que reproduce los mismos poemas (más los *Proverbios*) y prác-
ticamente en el mismo orden (sólo varía el de los primeros de TO, que aquí van al final); por lo demás, se
abre con una carta dedicatoria a don Pedro de Mendoza,
señor de Almazán y sobrino del poeta. Tal vez nos ha-
llemos ante un nuevo florilegio conjuntado por Santillana
para un destinatario particular, del que han sobrevivido
dos copias distintas: una moderna y completa..., y otra
más antigua (TO), en la que se han suprimido la carta
al destinatario y se ha alterado el orden de algún
poema» [143]. Efectivamente, sólo un rápido vistazo sobre
el cuerpo de variantes ya confirma que los dos códices
están estrechísimamente relacionados. Por lo tanto, en
cuanto al parentesco entre estos cancioneros hay dos posibilidades: los dos proceden de un mismo modelo o bien
YB2 es copia de TP1. Todas las faltas, descuidos y la-
gunas que existen en TP1 se repiten en YB2, excepción
hecha de unos cinco errores fácilmente corregibles:

vv.	TP1	YB2
537	fuere	fiere
543	efeucto	efecto
561	las Lunas	los Lunas
739	arto	arco
769	Greçiea	Greçia

Lo que en TP1 quedó ilegible en la primera línea del
encabezamiento de la estrofa LXXXV a causa de la gui-
llotinación, lo dejó en blanco el copista de YB2.

También me parecen muy reveladores los casos siguientes:

---

[143] MIGUEL A. PÉREZ PRIEGO, «Composiciones inéditas...», *est. cit.*,
pág. 135, nota 22 bis.

— v. 271. Este verso reza en TP1: «este de dios solo ha hecho» [blanco] . Otra mano añade «su cuento». YB2: «este de dios solo ha hecho su cuento».

— v. 352. En vez de «venia» tiene TP1 «vinia», corregida después en «via». YB2: «via».

— v. 529. El copista de TP1 escribió primeramente «truenos baordoquines» (tradición α). Estas palabras fueron tachadas y otra mano escribió encima de ellas «y rrabadoquines» (tradición β). YB2: «y rrabadoquines».

— v. 718. En TP1 reza el primer hemistiquio «aquellos» [blanco] . La otra mano llena el blanco poniendo «ornados». YB2: «aquellos ornados».

— v. 774. La parte «del gran» (lectura correcta) fue corregida en «de ligia y». YB2: «de ligia y».

— v. 812. «Fytea» —por '(E)rytea'— se corrigió en TP1 en «hytea». YB2: «hytea».

Las dos cartas, una de Santillana y la otra de Pedro de Mendoza, con las cuales comienza YB2, no están en TP1. Pero sabemos que a TP1 le faltan unas hojas al principio [144]; en ellas pueden haber figurado perfectamente las cartas. De modo que no hay que excluir la posibilidad de que YB2 fuese copiado de TP1. En cuanto a su lugar en el *stemma*, TP1 e YB2 se relacionan de una manera u otra con HH1 como la siguiente lista de errores comunes [145] y lecturas exclusivas de HH1, TP1 e YB2 indica: vv. 3 sy las onrras onores; 44 bien se mostraua; 59 *om.* non*; 70 en sy tal*; 99 de Olida*; 208 que dubdo; 429 baxos collados*; 772 asi la enllenaron*; 788 Lanso*; 829 *om.* vi*; 838 HH1: Breuia; TP1, YB2: Brenia*; 852, y con rreuerencias; 869, fago los*.

---

[144]   KERKHOF, «El Ms. 80...», *art. cit.*, pág. 18.
[145]   Los señalo con un asterisco.

Ya dijimos antes que otra tradición influyó en TP1 e
YB2. Con toda probabilidad ha sido un texto procedente
de la rama de MN6:

— v. 400. MN6, NH2, BC3, RC1, PN10, PN4, PN8,
PN12, PM1, TP1, YB2: ni menos fingida; los demás:
nin pienso fingida.

— v. 404. MN6, TP1, YB2: defectos*; los demás: e-
ffectos.

— v. 752. MN6, TP1, YB2: ricas tierras*; SA10: rricos
arreos, PM1: ricas caras*, los demás: ricas tiaras.

Numerosas faltas en HH1, donde TP1 e YB2 tienen
lecturas correctas, impiden que éstos deriven de aquél:
vv. 9 Jossue; 48 en medio esculpido; 56 genalossia; 60
poma de nudos; 100 turbada el sentido; 134 tienen; 186
sus cantidades; 220 melifos; 232 om. el; 240 cabtas primeras; etc.

Faltas en TP1, donde HH1 ofrece lecturas correctas,
excluyen la posibilidad de que HH1 proceda de TP1:
vv. 6 om. e; 24 mecánicos [146]; 26 las fieras serpientes a
humanidad; 28 e libro; 35 om. muy; 43 om. «en» y
«armas»; 50 puertas e obrado; 61 carboncul almendro
scultada; 63 era; 77 e tanto; etc.

---

[146] Sin duda influyó otro códice en la línea de HH1, porque algunas
veces esta copia tiene una lectura correcta donde SA1, SA10 y TP1 concuerdan en un error. Cf. mi edición de 1976, ed. cit., págs. 118-119.

Por lo tanto, para γ hay dos esquemas posibles:

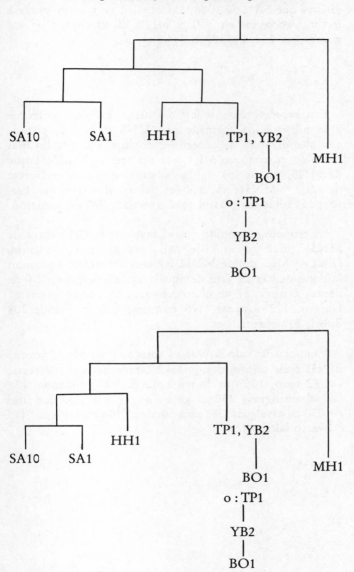

El segundo es preferible en vista de los numerosos
errores que SA1, SA10 y HH1 tienen en común frente a
lecturas correctas en TP1 y MH1; cf. el cuerpo de variantes, vv. 264, 265, 274, 296, 344, etc.

ML3

Este representante de la *Comedieta de Ponça* pertenece
a la subtradición formada por MN8 y MN31, porque
casi siempre está de acuerdo con ellos. Un estudio más
detenido enseña que ML3 está más cerca de MN31 que
de MN8; véanse los siguientes casos de faltas exclusivas
de ML3 y MN31: vv. 244 los del arbol se coronan laureo; 354 oluidaua; 431 el ayre rronpian; 770 prouenieron.

La cronología impide que el texto de la *Comedieta* de
MN31 fuese copiado de ML3 (véase antes); además,
faltas en ML3 donde MN31 lee correctamente, excluirían
la dependencia de éste de aquél: vv. 27 descanso; 54 de
neneta matista; 57 vn claro ardiente; 69 vmano geno; 81
fablavo; 122 sustenta; 175 barones; 176 fal fecho; 208
dubsi; 209 quentan; etc.

Tampoco ha sido MN31 el antecesor de ML3, porque
MN31 tiene errores donde ML3 ofrece lecturas correctas:
vv. 72 feno; 106 que la triste nuera; 113 humanos; 128
las advenideras; 230 el grand (+ YB2); 232 las lites
(+ 250 tal cavalgada; 383 saña famosa; 414 otra nuve asi; 415
¡el verso falta!; etc.

El *stemma* resultante de las líneas anteriores es el siguiente:

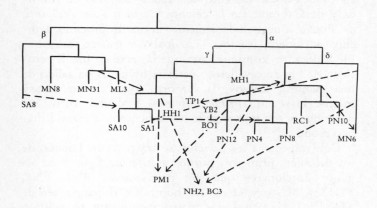

No pretendemos que este esquema dé cuenta de todos los posibles casos de contaminación. Carla De Nigris y Emilia Sorvillo opinan que α (ψ en su esquema) contiene una seria de variantes de autor: «A noi pare che ψ riporti sempre varianti tendenti a migliorare il testo [...] Le varianti non sono tanto numerose né sono sistematizzabili, in modo tale da poter pensare che i codici a nostra disposizione rappresentino due diverse redazioni dell'autore; possiamo, però, proporre l'ipotesi che i codici di ψ riportino una serie di varianti d'autore»[147]. De ahí que en su «stemma conclusivo» ψ (nuestra α) y β aparezcan como dos tradiciones independientes y no como dos ramas procedentes de un mismo punto[148]. Las dos estudiosas consideran como apoyo para su teoría el hecho de que RC1 (1462-65), PN4, PN8, PN12 (1460-70) y MN6 (posterior a 1469) son posteriores al ms. SA8 (alrededor de 1456)[149]. Sin embargo, la mayoría de las obras de Santillana contenidas en los mss. PN4, PN8, PN12 y MN6 remontan con toda probabilidad a la tradición tex-

---

[147] *Est. cit.*, págs. 120-121.
[148] *Ibídem*, pág. 125.
[149] *Ibídem*, pág. 121.

tual de un pequeño cancionero que don Íñigo mandó
en 1443 a doña Violante de Prades, condesa de Módica y de Cabrera. En la célebre *Carta a doña Violante
de Prades,* que indudablemente sirvió de proemio a dicho cancionero, leemos: «La qual *Comedieta,* muy noble Señora, yo continué fasta que la traxe en fin. E certifícovos, a fe de cavallero, que fasta oy jamás ha salido de
mis manos... Enbíovosla, Señora, con Palomar, e asý
mesmo los çiento *Provervios* míos e algunos otros *Sonetos* que agora nuevamente he començado a fazer al itálico modo» [150].

Con respecto a los *Sonetos,* se trata, según Lapesa, de
los diecisiete primeros, porque sólo éstos figuran en algunos cancioneros que son precisamente PN4, PN8,
PN12 y MN6, y el soneto núm. XVIII parece ser de
1444 [151]. Cada uno de los cuatro manuscritos en cuestión
contiene la *Comedieta de Ponça* y los *Proverbios,* y en
dos de ellos (PN12 y MN6) se encuentra la *Carta a doña
Violante de Prades* [152]. Las tres últimas obras figuran
también en RC1. La versión de la *Comedieta* del ms.
RC1 revela una serie de variantes que la junta con la tradición textual a que pertenecen PN4, PN8, PN12 y
MN6.

SA8 es con toda probabilidad el *Cancionero* que Santillana envió en los últimos años de su vida —alrededor de
1456— a su sobrino Gómez Manrique.

Este manuscrito comienza con la poesía «O fuente ma-
nante de sabiduría», en que Gómez Manrique le pide a
su tío un *Cançionero* de sus obras, seguida de la contes-
tación del marqués «Sea Caliope adalid e guía»; está ricamente ejecutado, contiene la divisa de Santillana y muestra «en frecuentes correcciones interlineales que, o hubo
de cotejarse después de escrito con un original seguro, o
corregirse por mano inteligente y conocedora de las

---

[150]   Véase el *Apéndice A.*
[151]   LAPESA, *La obra literaria...,* op. cit., págs. 179-180. En
el ms. MH1 figuran 9 sonetos, en SA8 36 y en MN8 42.
[152]   Esta *Carta* se encuentra también en PN10, PM1 y RC1.

obras en él contenidas», en palabras de José Amador de los Ríos [153]. Este SA8 forma juntamente con los cancioneros MN8 (copia de finales del siglo XV o principios del XVI), MN31 (segunda mitad del siglo XV) y ML3 (copia de hacia 1540) la tradición ß.

Por lo tanto, si tenemos que tomar en consideración la posibilidad de haber «variantes de autor», éstas no se encuentran en ψ (nuestra α), sino en β, por la sencilla razón de que los representantes de esta rama remontan a un cancionero de escritorio confeccionado por el marqués en los últimos años de su vida.

Veamos las lecturas de ψ que Carla De Nigris y Emilia Sorvillo prefieren a las de β [154]:

vv.	ψ	β
51	todo visaje	a todo visaje
115	las amazonas	a las amazonas
148	eterno la	e la eterna
154	vi demostrano asay	demostrate esser
312	de cato e del griego nos manda observar	de cato nos manda por siempre observar
490	del punico	de punico
530	e fumos	fumosas
543	en efecto	a victoria
591	d'Avalos	Avalos
652	se acuerdan	acuerdan
708	gran Magesto	Almagesto
724	e luego segundo	e luego el segundo
725	el batallante	Batallante
856	e generalmente	egualmente todas [155]

---

[153] *Ed. cit.*, pág. CLIX.

[154] *Est. cit.*, pág. 127. Se podrían añadir a esta lista:

	ψ	β
vv. 160	se lo comandate	e accio comandate
464	quiero que (te) sea	quiero que sea
529	truenos (e) bodoques, etc.	e rebabdoquines
712	(en) el ultimo	e ultimo

[155] Prefiero aquí la lección de MN8, MN31 y ML3 «e muy egualmente».

vv.	ψ	β
898	sintades	sepades
943	Nilo; e seran	Nilo seran [156]

Ahora bien, sabiendo que el marqués corrigió varias de sus poesías en los últimos años de su vida [157], no nos parece ser muy arriesgada la suposición de que algunas lecciones diferentes de β sean «variantes de autor». Sin embargo, siempre cabe en lo posible que un copista también introdujese algunos cambios en el texto.

De acuerdo con esta hipótesis, la parte superior del *stemma* será:

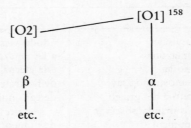

CRITERIOS SEGUIDOS EN ESTA EDICIÓN

En cuanto al establecimiento del texto crítico: el texto base será el de SA8. Como dije antes, este códice es con toda probabilidad el *Cancionero* de sus obras que don Íñigo mandó hacer en los últimos años de su vida para su sobrino Gómez Manrique, o copia del mismo. Además

[156]   La lección «Nilo; e serán» es preferible a la de β.

[157]   Cf. MIGUEL ÁNGEL PÉREZ PRIEGO, en el prólogo a su edición de las *Poesías completas*, I, del marqués de Santillana, *ed. cit.*, págs. 9-14. Véase también mi artículo «Sobre la transmisión textual de algunas obras del marqués de Santillana: doble redacción y variantes de autor», que aparecerá en *Arcadia. Estudios y textos dedicados a Francisco López Estrada*.

[158] O_1 = original 1; O_2 = original 2.

tiene SA8 la ventaja de reflejar la ortografía de la época del marqués. En este contexto conviene citar las palabras muy acertadas del filólogo inglés Greg, cuando dice: «So long as there is any chance of an edition preserving some trace, however faint, of the author's individuality, the critic will wish to follow it; and even when there is none, he will still prefer an orthography that has a period resemblance with the author's to one that reflects the linguistic habits of a later date» [159].

Me aparto de SA8 en caso de un error, y cuando en el *stemma* 1/2 β (MN8, MN31, ML3) = α, tomo la lección de MN8. Cuando 1/2 β (SA8) = α y en caso de equipolencia [β≠ α; 1/2 β (SA8) + 1/2 α (δ) ≠ 1/2 β (MN8, MN31, ML3) + 1/2 α (γ);|o 1/2 β (SA8) + 1/2 α (γ) ≠ 1/2 β (MN8, MN31, ML3) + 1/2 α (δ)] acudo lógicamente a SA8 [160].

Las enmiendas hipotéticas las he puesto entre corchetes.

Los epígrafes presentan una gran variación en la tradición manuscrita [161]; por lo tanto, es poco probable que sean del autor.

Otros criterios para el texto crítico:
— Para facilitar la lectura empleo mayúsculas, acentos y signos de puntuación según el criterio moderno.
— Separo y uno palabras, sílabas y letras según el criterio moderno.
— Utilizo el apóstrofo siempre que se han unido dos palabras con pérdida de vocal.
— Las abreviaturas de SA8 las indico en el texto crítico poniendo en *cursiva* las letras suplidas. Hago caso omiso de las tildes que acompañan a la *ch* y la *y*. El signo sobre *como* lo reproduzco con *m*, editando *commo*.

---

[159] GREG, *Editorial Problem*, págs. II-III; cito a través de F. BOWERS, *Textual and Literary Criticism*, Cambridge, University Press, 1959, pág. 130.
[160] =: la misma lectura; ≠: lecturas diferentes (equipolencia).
[161] Cf. el capítulo sobre las variantes en los epígrafes.

— El signo tironiano se transcribe como *e*.

— Interpreto la *R* y los signos ꝟ y *F* como *rr*.

— Para facilitar la lectura se ha sustituido la *u* conso-
nantal por *v* y la *v* vocálica por *u*, y se ha em-
pleado *j* en vez de *i* corta e *i* en vez de *j* donde el
uso moderno tiene respectivamente *j* e *i*.

— Con ¨ marco las diéresis.

El cuerpo de variantes

— No presto atención a variantes de tipo ortográfico,
fonético y morfológico, ni tampoco a pequeños
errores. Sin embargo, variantes regionales (*piensar,
nostro, contienta*, etc.) y pequeños errores que pueden ser interesantes para el establecimiento de la
tradición manuscrita constituyen una excepción.

— Las variantes de los epígrafes las recojo en un capítulo especial.

— No indico las abreviaturas, ni regularizo *v/u* e *i/j*.

— Transcripciones dudosas las señalo con un signo de
interrogación entre paréntesis tras la palabra en
cuestión.

— Cuando falta(n) una(s) palabra(s) empleo la abrevia-
ción *om*. (= omite u omiten).

Las anotaciones

Utilizo en ellas las siguientes abreviaturas:

Amador: Obras de D. Íñigo López de Mendoza..., ed. de
José Amador de los Ríos, *ed. cit.*

Aut: Diccionario de Autoridades, reproducción facsímile,
Madrid, 1954.

Corominas: Juan Corominas. *Diccionario crítico etimológico de la lengua castellana, op. cit.*

DEI: Dizionario Enciclopedico Italiano, XII tomos,
Roma, 1956.

*DELI: Dizionario Enciclopedico della Letteratura Ita-
liana*, Roma, 1966.

Dietari: Dietari de varies coses sucseides en el regne de Valencia y en altres parts, escrites per un capellá del Rey D. Alfonso V de Aragó, fins al any 1478. Introducció, notes i transcripció per Josep Sanchis i Sivera, Valencia, 1932.

DLE: Diccionario de la Lengua Española, 17.ª edición, Madrid: Real Academia Española, 1947.

EVI: Enciclopedia Vniversal Ilvstrada, Evropeo-Americana, Espasa-Calpe.

Ochoa: Rimas inéditas..., ed. de Eugenio de Ochoa, *ed. cit.*

De gran utilidad me han sido las obras siguientes:

BOCCACCIO, Giovanni. *De mulieribus claris,* a cura di Vittorio Zaccaria, Verona, Arnoldo Mondadori Editore, 1970.

Diccionario de la mitología clásica, de Constantino Falcón Martínez, Emilio Fernández-Galiano y Raquel López Melero, 2 vols., Madrid, Alianza, 1980.

RUANO, Eloy Benito. «La liberación de los prisioneros de Ponza», *art. cit.*

Citas tomadas del *Prohemio e Carta* proceden de la edición de Ángel Gómez Moreno *(ed. cit.);* con respecto a las referencias a «canciones», «decires» *(Infierno de los enamorados, Triunphete de Amor,* etc.), y «serranillas» de Santillana, he acudido a la edición de Miguel Ángel Pérez Priego *(ed. cit.);* para las citas de la *Defunsión de don Enrrique de Villena,* he utilizado mi propia edición (La Haya, 1977); y en cuanto a otros textos del marqués, me he servido de la edición de *Amador.*

Para las discrepancias entre mis anotaciones y las de Durán *(ed. cit.),* remito al *Apéndice C* de mi edición de la *Comedieta* de 1976 *(ed. cit.,* págs. 530-532).

La *Carta a doña Violante de Prades*

A mi entender, no se trata de un prólogo o «prohemio» [162] a la *Comedieta,* como se viene repitiendo [163],
sino de una «carta-proemio» de un pequeño cancionero
que don Íñigo mandó el 4 de mayo de 1443 a doña Violante: «Enbíovosla (= la *Comedieta*), Señora, con Palomar, e así mesmo los çiento *Provervios* míos e algunos
otros *Sonetos* que agora nuevamente he començado a fazer al itálico modo» [164]. Además, este supuesto «prólogo» a la *Comedieta de Ponça* no figura en los cinco
cancioneros individuales (ML3, MN8, SA8, TP1 e YB2).
Por lo tanto, he preferido incluirlo en el *Apéndice,* sepa-
rándolo así del texto del poema que aquí nos ocupa.

---

[162] El encabezamiento *Comiença el Prohemio* fue inventado por
Amador de los Ríos *(ed. cit.).*
[163] Por ejemplo, MARÍA ROSA LIDA DE MALKIEL, *op. cit.,* pág. 105;
RAFAEL LAPESA, *La obra literaria...*, *op. cit.,* pág. 181; EDWIN WEBBER,
«Further observations on Santillana's "Dezir Cantares"», en *Hispanic
Review,* XXX (1962), pág. 90, nota 9; DAVID WILLIAM FOSTER, *The
Marqués de Santillana, op. cit.,* pág. 21, y A. J. FOREMAN, *art. cit.,* pág.
111.
[164] Véase el *Apéndice A.*

fol. 5r de SA8

EDICIÓN CRÍTICA

COMEDIETA DE PONÇA

Comedieta: para «comedia», véanse la *Introducción* y la *Carta a doña Violante de Prades (Apéndice A).*
TERLINGEN *(Los italianismos..., op. cit.,* pág. 91) ve en *comedia* más el sufijo *-eta* «una formación análoga a los muchos diminutivos italianos: *novelletta* y *operetta* en Boccaccio». Sin embargo, en vista de la temprana documentación del sufijo *-ete, -eta* en español, no parece aventurado pensar en un origen francés, provenzal o catalán (cf. FERNANDO GONZÁLEZ OLLÉ, *Los sufijos diminutivos en castellano medieval,* Anejo LXXV de la *Revista de Filología Española,* Madrid, C. S. I. C., 1962, pág. 309). De ahí que algunos críticos, admitiendo el origen francés del diminutivo, hayan visto en *Comedieta* la presencia de dos corrientes culturales: la italiana *(comedia)* y la ultrapirenaica *(-eta)* (LAPESA, *La obra literaria..., op. cit.,* pág. 115, nota 37, y ARNOLD G. REICHENBERGER, «The Marqués de Santillana and the Classical Tradition», en *Iberoromania,* I. Jahrgang, Heft 1 (1969), pág. 14, nota 14).
El sufijo *-eta* está documentado por primera vez en 1075 ('villuleta', San Millán de la Cogolla; *apud* GONZÁLEZ OLLÉ, *op. cit.,* pág. 309) y su empleo se limita sobre todo a términos literarios y musicales. En Santillana: *Comedieta, Triunphete* y *obretas (Prohemio e Carta,* pág. 52).
Suscribimos las conclusiones de González Ollé, que son:
a) «que el sufijo ha debido de entrar por vía literaria incorporado precisamente a voces propias de dicha actividad, muchas de las cuales son, en efecto, extranjerismos en castellano medieval ('chançoneta', 'trobetes', 'versetes')».
b) «que, por tanto, adquiriría un prestigio de sufijo noble que impediría su aplicación a palabras usuales de la lengua común» *(op. cit.,* pág. 310).

I

¡O vos, dubitantes, creed las ystorias
e los infortunios de los humanales,
e ved si los triunphos, honores e glorias
4   e grandes poderes son perpetüales!

---

1   o *om.* ML3 / PN4, PN8: indubitantes / MH1, YB2: cred; PN4,
    PN8: cret
2   MN6: ynfuturos; BC3: infortunos / YB2: numales
3   SA1, SA10, comienza: ved; MN6, comienza: aved / MN31:
    veed / si *om.* SA1, MN31, NH2, BC3 / HH1, TP1, YB2: sy las
    onrras onores / honores *om.* PN4, PN8

Santillana acude al empleo de *-ete, -eta* para expresar su humildad
frente a las obras de otros autores: *Comedieta* frente a la *Divina Commedia, Triunphete* frente a los *Trionfi* de Petrarca y 'obretas mías' *(Prohemio e Carta*, pág. 52) frente al 'libro' de Casiodoro *(ibídem,* pág. 54),
a las 'obras' de Petrarca *(ibídem,* pág. 55), al 'libro' de Boccaccio *(ibídem,* pág. 55), a la 'obra' de Guido Guinicelli y Arnaldo Daniel *(ibídem,* pág. 56), etc.

1-8   Sin duda recordó Santillana aquí el decir de Gonzalo Martínez
de Medina a la muerte de Diego López de Estúñiga y Juan de Velasco
(núm. 338 del *Cancionero de Baena):*

> «Oyd la mi bos todos los potentes
> a quien aministra sus cassos Fortuna,
> *ved* los juysios atan exçelentes
> mas soberanos qu'el sol e la luna;
> *mirad* lo que fiso la alta coluna
> de los que rreynauan el tiempo pasado,
> catad la soberuia e tan alto estado
> ser conuertido en cosa ninguna».
>
> *(ed. cit.,* pág. 753).

2   *humanales:* humanos. Para el adjetivo formado con el sufijo *-al,*
véase MARÍA ROSA LIDA DE MALKIEL, *op. cit.,* pág. 268, nota 42.
Apunto en la *Comedieta: humanal(es)* (vv. 2, 283 y 859); *perpetuales*
(perpetuos, v. 4); *maternal* (materna, v. 174); *neptunal* (neptúneo, v.
262); *febal* (febeo, v. 389); *libial* (líbico, v. 509); *diurnales* (diurnos, v.
716); *deal* (divino, v. 851); *divinal* (divino, v. 857). En el *Prohemio e
Carta: poetal* (poético; pág. 52).

¡Mirad los *in*perios e casas reales
e cóm*m*o Fortuna es superïora:
rebuelve lo alto en baxo a desora

8   e faze a los ricos e pobres yguales!

Rúbrica: Comiença la Comedieta de Ponça

---

5 MN6: mira
6 e *om*. MN6, PM1, TP1, YB2
7 SA1, SA10: e rrebuelue / MN31: alto e baxo / NH2, BC3: lo
   baxo en alto a
8 PM1, comienza: fato a / a *om*. SA1, MN8, MN31, MH1, SA10,
   PN4, PN8, ML3, TP1, YB2 / NH2, BC3: los pobres richos
   yguales

---

6 *Fortuna:* Pedro Salinas escribió que «no hay poeta tan enamorado
del tema de la Fortuna como el Marqués de Santillana» (*Jorge Manrique
o tradición o originalidad,* Buenos Aires, 1947, pág. 103). El tema aparece en las siguientes obras de don Íñigo: las 'canciones y decires'
(«Quando la fortuna quiso»; «Ya del todo desfalleçe»; «Calïope se levante»), la *Pregunta de nobles,* el *Sueño,* el *Infierno de los enamorados,*
la *Comedieta de Ponça,* los *Proverbios, Bías contra Fortuna* y el *Doctrinal de privados.* Con respecto al desarrollo en la actitud del poeta
frente a la Fortuna, véase JUAN DE DIOS MENDOZA NEGRILLO, S. J.
op. cit., págs. 67-82.—*superiora:* «los adjetivos en *or,* que si antiguamente eran invariables (...), a partir del siglo XIV comenzaron a genera-
lizarse con terminación femenina, que luego se impuso como obligato-
ria, salvo a los comparativos (...), y aun éstos toman -*a* cuando se sus-
tantivan: *la superiora...*» (cf. RAMÓN MENÉNDEZ PIDAL, *Manual de gramática histórica española,* duodécima edición, Madrid, Espasa-Calpe,
1966, § 78,2, pág. 219).
7 *lo alto en baxo:* esta imagen, relacionada con la rueda de la Fortuna, era muy conocida entre los autores clásicos y medievales (cf. HO-
WARD PATCH, *The Goddess Fortuna in Mediaeval Literature,* Cambridge, Harvard University Press, 1927, págs. 68 y 151 y sigs.).
8 *faze a los ricos:* nuestro criterio propugna esta lección. Aunque el
empleo del acusativo preposicional es bastante regular en la Edad Media
(véase RUFINO JOSÉ CUERVO, *Diccionario de Construcción y Régimen
de la Lengua Castellana,* II vols., París, 1886 y 1893), no es tan fijo
como en tiempos modernos (cf. FEDERICO HANSSEN, *Gramática histórica de la lengua castellana,* París, 1966, § 692, pág. 297, y MENÉNDEZ
PIDAL, *Cantar de Mio Cid,* Primera Parte, Crítica del texto-gramática,
tercera edición, Madrid, Espasa-Calpe, 1954, § 149, 2, págs. 339-340).
En el Siglo de Oro se extiende el uso de la preposición ante el acusativo

II

¡O lúcido Jove, la mi mano guía,
despierta el ingenio, abiva la mente,
el rústico modo aparta e desvía,
e torna mi lengua, de ruda, eloquente!

12

---

9   HH1: Jossue.
10 PN4, PN8: despierta lo ingenio / HH1: abiuadamente
12 MN6: de muda eloquente

---

de persona y cosa personificada, aunque Lope de Vega escribe todavía
«no disgustemos mi abuela», «quiere doña Beatriz su primo», y Quevedo «acusaron los escribas y fariseos la mujer adúltera» *(apud* RAFAEL
LAPESA, *Historia de la lengua española,* octava edición refundida y muy
aumentada, Madrid, Gredos, 1980, § 97, 6, pág. 405).

9   *O lúcido Jove:* por su gran familiaridad con los clásicos, los
poetas medievales muy a menudo emplean el recurso literario de invocar a un dios pagano. Sobre este tema escribió Juan del Encina en su
Arte de poesía castellana: «Pues, el esordio y invención della (= de la
poesía) fue referido a sus dioses, assí como Apolo, Mercurio, y Baco, y
a las Musas, según parece por las invocaciones de los antiguos poetas de
donde nosotros las tomamos. No porque creamos como ellos ni los
tengamos por dioses invocando los, que sería grandíssimo error y ere-
gía, mas por seguir su gala y orden poética que es aver de proponer, invocar, y narrar o contar en las ficiones graves y arduas, de tal manera
que siendo fición la obra es mucha razón que no menos sea fingida y
no verdadera la invocación della» *(ed. cit.,* pág. 327). La invocación de
un dios pagano o de las Musas (ver los vv. 12-15 y 665-667) es uno de
los numerosos ejemplos de la pervivencia de la tradición clásica en las
literaturas del Occidente (cf. ERNST ROBERT CURTIUS, *Literatura Euro-
pea y Edad Media Latina,* I, México - Buenos Aires, Fondo de Cultura
Económica, 1955, cap. XIII y especialmente pág. 331).—*la mi mano
guia:* cf. el *Sueño,* estr. III, 1, 4-5: «Mares, tú seas presente, /.../ porqu'el tu favor sustente / la mi mano,...».

11   *el rústico modo:* para el tópico de la 'rusticitas' del escritor, véase
ERNST ROBERT CURTIUS, *op. cit.,* pág. 128. Cf. también la *Defunsión de
don Enrrique de Villena,* estr. III, 3-4: «que sola tu ayuda non cuido
mas creo / mi *rústica mano* podrá ministrar».

¡E vos, las hermanas que cabe la fuente
de Elicón fazedes continua morada,
sed todas comigo en esta jornada,
16   porqu'el triste caso denunçie e recuente!

Rúbrica: Invocaçión

---

13   HH1: que çerca la / MN31, NH2, PN4, PN8, PM1, BC3, TP1,
     YB2: cabo
14   NH2, PN4, PN8, BC3: fazeys
15   MN31: seed
16   PN8: denuncio e recuenta

---

13   *las hermanas:* las nueve Musas. Son llamadas 'hermanas' porque
fueron consideradas como hijas de Jove.
13-14   *la fuente / de Elicón:* la fuente Hipocrene, cuyo nacimiento
fue provocado por Pegaso al golpear con su casco el monte Helicón en
Boecia (cf. la nota a los vv. 370-371). Eran lugares consagrados a las
Musas. También el Parnaso, otro monte de Grecia, con su fuente Castalia, era considerado como sede de las Musas. De ahí confusiones
como la que hizo Santillana en el *Infierno de los enamorados,* estr. II,
1-4: ¡O vos, Musas, qu'en Parnaso / fazedes habitaçión, / allí do fizo
Pegasso / la fuente de perffecçión!»

III

Los campos e mieses ya descoloravan,
e los desseados tributos rendían;
los vientos pluviosos las nuves bogavan,
20   e las verdes frondes el ayre temían.

---

17 NH2: meses, PN8: messes
18 NH2, BC3: desseozos, PN12: deseosos / MN6: tribus / NH2:
     tendian
19 SA10, comienza: e los / PN4: poluosos, PN8: poluiosos, ML3:
     pluvios / MN31: pluuiosos e las / MN8, ML3: naues; también
     SA8 tuvo originalmente «naues»; después la «a» fue corregida en
     «u» / YB2: holgauan
20 e om. SA1, SA10 / SA1, SA10, NH2, RC1, PN10, PN4, PN8,
     BC3: frondas; PN12: flondas / SA1, SA10, HH1, MN31, TP1,
     YB2: del ayre tremian, MN6: ayre tenian / el verso falta en PM1

---

17 y sigs.   Como dijo FOREMAN (art. cit., pág. 115) con acierto, esta
estrofa introductoria no es simplemente una perífrasis del mes y de la
estación del año, porque «contribuye a todo el poema captando el
mundo en un estado de cambio inexorable».

18   tributos: cosecha.

19   bogavan: empujaban.

20   el ayre temían: Amador (pág. 97) prefirió la lectura de MN31
«del ayre tremían». Sin embargo, según nuestro criterio hay que leer el
ayre temían, que es una lección que da buen sentido al verso.

Dexado el estilo de los que fingían
metháforas vanas con dulce loquela,
diré lo que priso mi última çela;
e cómicos oyan sy bien los oýan.

24

Rúbrica: Descripçión del tienpo.

---

21 SA1, HH1, PM1, TP1, YB2: dexando / SA8: stilo
23 PM1: que preso mi
24 SA1, TP1, YB2: e mecanicos, SA10: e meranicos, NH1, BC3: y
    conmigo / MN6, MN31, PM1, TP1, YB2: bien lo oyan / en SA8
    fue añadida entre las líneas una «s» a «lo»; lo mismo ocurrió en
    HH1

---

22 *loquela:* modo de hablar, elocuencia.
23 *mi última çela:* Ochoa (pág. 56) no entendió este verso y pro-
puso la lectura *vela* (= velada) por *cela.* No hace falta una corrección
porque el marqués se refiere aquí sin duda a la 'cela de la memoria'.
Cf. BRUNETTO LATINI, que en su *Tesoretto,* vv. 749-762, dice:

«Nel capo son tre *çelle,*   E la discrezione,
E io dirò di quelle.   Che cerne ben da male,
Davanti è lo ricetto   E lo torto e l'iguale;
Di tutto lo'ntelletto   Di *dietro* sta con gloria
E la forza d'aprendere   La valente *memoria*
Quello che puoi intendere: Che ricorda e ritene
In mezzo è la ragione   Quello che'n esso avene»

(en *Poeti del Duecento.* Edición de GIANFRANCO CONTINI, Milán-Ná-
poles, 1960, vol. II, pág. 202); FRAY LUIS DE GRANADA *(Símbolo de la
Fe,* B. A. E., VI, Parte I, cap. XXIX, pág. 256): «Ultimamente en la
postrera parte de los sesos, que están en el colodrillo, puso la *memoria...»; Aut,* s.v. 'memoria': «Reside, esta potencia en el *tercer* ventrí-
culo del celebro»; y en el *Libro de Buen Amor* leemos: «E desque el
alma, ... ama el buen amor, que es el de Dios, [e] pónelo en *la cela de
la memoria* porque se acuerde dello» (edición de JUAN COROMINAS,
Madrid, Gredos, 1967, pág. 75).
    En el *Glossarium mediae et infimae latinitatis* de DU CANGE
(II, *París,* 1842), leemos: «Cella Posterior, Memoria; Reinard. Vulp. lib. 3,
vers. 114: "Hoc verbum Cella posteriore tene". Gemma Gemmarum:
Cellula memorativa est in capite, die Kamer der gedechtnuss» (s. v. 'Cella').
    24 *cómicos:* autores de 'comedias'. Para 'comedia', véase la *Intro-
ducción. sy bien los oýan:* posible interpretación: si han acogido bien los
versos de otros autores 'cómicos'.

IV

Al *tien*po *que* salen al pasto o guarida
las fieras silvestres e humanidad
descansa o reposa, e la fembra ardida
28   libró de Oloferne la sacra çibdad,

---

25 SA1, SA10, MN6, HH1, TP1, YB2: pasto e guarida (MN6:
    crida) / RC1, PN10, PN4, PN8, PN12: guarda
26 TP1, YB2, dice el verso: las fieras serpientes a humanidad /
    BC3: fieres / SA1, NH2, PN4, PN8, PM1, BC3: siluestras /
    RC1, PN10: siluestres o humanidat; PN12: siluestres o humani-
    dat.
27 ML3: descanso / SA1, MN31, SA10, PN4, PN8, PM1, HH1,
    TP1, YB2: descansa e rreposa (PN8: reposo) / e *om.* SA1, MH1,
    SA10, NH2, RC1, PM1, PN4, PN8, PN10, PN12, BC3, TP1,
    YB2 / SA1, SA10: fanbre
28 TP1, YB2, comienza: e libro / ML3, YB2: del Oferne

25-26 *salen al pasto o guarida* / *las fieras silvestres:* Amador (página 97) sugiere impropiamente que SA8, MN6 y MN8 tienen la lectura «Al
tiempo que al pasto salen de guarida». Según la lección que nosotros se-
guimos se trata de dos grupos de animales, uno que va al pasto y el
otro que va a la guarida cuando se está haciendo de noche. *Salir* tiene
aquí el sentido vago de 'ir' (cf. MENÉNDEZ PIDAL, *Cantar de Mio Cid*,
Parte III, Vocabulario, *op. cit.,* pág. 835; Sem Tob, 258: «a la çima sa-
lló / por más aventajado» (*apud Corominas*); el *Vocabulario de la obra
poética de Herrera,* por A. DAVID KOSSOFF, Madrid, 1966, pág. 293:
«salgo a la batalla» (H VIII, II), «saldría ... a la región de l'alegría»
(Pvar H XXX, 5); y el v. 852 de la *Comedieta:* «e muy reverentes a ella
salieron»).
27. la *fembra ardida:* la mujer valiente; alusión a Judit.
28 la *sacra çibdad:* Jerusalén. Aquí se equivoca don Íñigo o su
fuente, porque Judit libró 'Betulia' y no 'Jerusalén' del sitio por los asi-
rios al mando de Holofernes (Judit, 10-15). En la glosa al *Proverbio*
núm. LI, Santillana anota: «Judit ... avida fue entre los judíos por mujer
de muy singularíssimo engenio e muy honesta e gloriosa vida. E de
cómo ella matasse al príncipe Olofernes, el qual con grande exérçito era
venido por mandado del rey Nabucodonosor (...), e tenía sitiada la çibdad de *Hyerusalem,* segund el su libro lo narra e recuenta assaz estensa-
mente, e asý mesmo como sabia e cabtelosamente, asý muerto Olofernes, lievó la su cabeça, passándola entre todas las guardas del real a la
dicha çibdad de *Hyerusalem». (Amador,* págs. 76-77.)

forçada del sueño la mi libertad,
diálogo triste e fabla llorosa
firió mis orejas, e tan pavorosa
32   ca sólo en pensarlo me vençe piedad.

---

29   SA1: de sueño
30   SA1, SA10, dice el verso: dialogo fabla triste e llorosa
31   MN31: mis oydos de tan / SA1, SA10, NH2, BC3: orejas a tan
32   SA1, MH1, SA10, HH1, TP1, YB2, comienza: que solo / MN8:
      pecarlo; PN4: piensarlo / PM1: piada

---

32   *ca:* aunque lo más obvio es considerar *ca* como forma causal, no
hay que descartar la posibilidad de que se trate de un *ca* consecutivo. El
uso de *ca* en frase consecutiva pudiera ser explicado por la tendencia en
el latín medieval a substituir el 'ut' consecutivo por 'quia' (véase
VEIKKO VÄÄNÄNEN, *Introduction au latin vulgaire.* Deuxième Édition
avec Anthologie de Textes, París, 1967, § 374, pág. 174). Sin embargo,
según JUAN BASTARDAS PARERA *(Particularidades sintácticas del Latín
Medieval* [Cartularios españoles de los siglos VIII al XI], Barcelona-Ma-
drid, C. S. I. C., 1953, pág. 185) la sustitución de 'ut' por 'quia' es rarí-
sima en el latín medieval español.
    Para más ejemplos del *ca* causal/consecutivo, véanse FÁTIMA CA-
RRERA DE LA RED, *Las expresiones causativas en las obras de Gonzalo de
Berceo,* Logroño, Instituto de Estudios Riojanos, 1982, pág. 72; la *Defunsión de don Enrrique de Villena,* de donde recojo los siguientes
casos: estr. XI, 5-7: «Ronpían las troças e coldres manchados / del pe-
loso cuero con tanta fereza / ca dubdo si Ecuba sintió más graueza»
(SA8, SA10, MN8: ca; SA1, *Amador:* que); estr. XIV, 3-4: «e tan des-
piadados sus fazes rasgauan / ca bien se mostrauan que non lo fingían»
(SA8, SA10, MN8: ca; SA1, *Amador:* que); la *Visión,* estr. II, 7-8: «e
tan fuerte se ferían / ca non es quien bien lo crea»; y *La gran conquista
de Ultramar* (edición crítica con introducción, notas y glosario por
LOUIS COOPER, IV, Bogotá, Instituto Caro y Cuervo, 1979, pág. 264):
«venían tan bien guisados... ca toda la tierra relumbravan» (I.59 -
vb 11).

V

Assí recordado, miré do sonava
el clamoso duelo, e vi quatro donas
cuyo aspecto e fabla muy bien denotava
36   ser quasi deessas o magnas personas,

---

33   HH1 (?), PM1, TP1, YB2: recordando / BC3: mire de sonaua /
      PM1: don sonyaua
34   SA1: clamoroso / PN4, PN8, PN12: quatro duenyas
35   e fabla om. NH2, RC1, PN10, PN4, PN8, PN12, BC3 / muy
      om. TP1, YB2 / RC1, PN10, PN4, PN12: demostraua; PN8:
      demuestraua
36   ML3, TP1, YB2: ser asi deesas / PM1, TP1, YB2: deesas hu-
      manas presonas (TP1, YB2: personas)

---

33 *recordado:* despertado.—*miré do sonava:* cf. la estr. II, 1-2 de la
Querella de Amor: «Desperté, como espantado / e miré dónde sonava».
La estructuración de lo que antecede a la visión es idéntica a la de la
Comedieta: estr. II, 1-2: *«Desperté... / e miré donde sonava»;* estr. II,
5: *«vi* hun home...»

34 *clamoso:* dolorido, lastimero.—*e vi quatro donas:* son la reina
doña María de Aragón, la de Navarra doña Blanca, la infanta doña Catalina y la reina viuda de Aragón doña Leonor. Se ha afirmado que el
Livre des quatre Dames de ALAIN CHARTIER, compuesto con motivo
de la batalla de Azincourt, fue la 'fuente fundamental' para la *Comedieta de Ponça* (C. R. POST, *The Mediaeval Spanish Allegory,* Cambridge Mass., Harvard Studies in Comparative Literature, 1915, pág.
223). En la obra de Chartier el yo poético encuentra a cuatro damas
que están discutiendo: cada una de ellas se considera la más infeliz a
consecuencia de la desdicha de sus respectivos enamorados en la batalla
de Azincourt. El poeta se siente incapaz de juzgar quién es la más infeliz y pone el problema en manos de su dama.

En el *Prohemio e Carta* (pág. 57) Santillana se refiere al *Debate de las
quatro damas* del «Maestre Alen Charretiel» (= Alain Chartier). Pero
sólo el elemento del encuentro de las cuatro damas es el paralelo entre
los dos poemas (cf. JOSEPH SERONDE, «Dante and the french influence
on the Marqués de Santillana», en *The Romanic Review,* VII (1916),
pág. 209). Charles Aubrun nos ha mostrado lúcidamente que, con excepción de la coincidencia apuntada, los dos poemas difieren totalmente
entre sí («Alain Chartier et le Marquis de Santillane», en *Bulletin Hispanique,* XL (1938), págs. 128-149).

vestidas de negro e, a las tres, coronas,
llamando la muerte con tantas querellas
que dubdo si fueron tan grandes aquellas
que Ovidio toca de las tres Gorgonas.

40

---

37 SA1: de duelo a; MN31, NH2, BC3, TP1, YB2: de duelo e;
    SA10, HH1: de duelo las tres con coronas / a *om*. PN4, PN8,
    TP1, YB2 / el verso falta en PM1
38 NH2, RC1, PN10, PN12, PM1, HH1, BC3, TP1, YB2: lla-
    mando a la
39 SA1, TP1, YB2, comienza: ca dudo; SA10, comienza: ca cuido
    si / PN8: dubdo se fueron / SA1: tan grande / RC1, PN12,
    PN10, PN4, PN8: fueron tamañas aquellas

38-40 *con tantas querellas /* ... *aquellas / que Ovidio toca de las tres
Gorgonas:* en cuanto a Ovidio el marqués disponía de los *Morales de
Ovidio*, una traducción de una versión alegórica francesa titulada *Les
métamorphoses moralisées* de Pierre Berçuire (cf. MARIO SCHIFF, *La bibliothèque...*, *op. cit.*, págs. 84 y sigs.), y del libro de las *Transformaciones* (cf. la *Carta a su hijo don Pero González de Mendoça, apud
Amador*, pág. 482). Además podía haber visto los comentarios a la *Crónica Universal* de Eusebio compuestos por Alonso de Madrigal, el Tos-
tado (ver SCHIFF, *La bibliotèque...*, *op. cit.*, págs. 43-48), que contienen
muchísimas referencias a las *Metamorfosis* (cf. RUDOLPH SCHEVILL,
Ovid and the Renascence in Spain, Berkeley, University of California
Press, 1913, pág. 243) y la *General Estoria* de Alfonso el Sabio (ver
SCHIFF, *La bibliothèque...*, *op. cit.*, págs. 393, 397-398 y 399-400), en
que muy a menudo se citael «libro de Ouidio Mayor». La referencia
que aquí nos ocupa en todo caso no puede ser tomada del libro de las
Transformaciones, puesto que Ovidio no habla en ningún lugar sobre
las 'tres' Gorgonas. En *Metamorfosis*, IV, vv. 772 y sigs. (cf. OVIDIO,
Metamorphoseon libri XV, ed. Hugo Magnus, Berolini, 1914) el poeta
cuenta cómo Perseo se apodera del ojo que las dos hijas del rey Forco,
las Graias, tenían en común; de las Gorgonas sólo menciona a Medusa,
y nada nos dice sobre «grandes querellas». En las demás fuentes posibles que acabamos de mencionar se trata de 'tres' Gorgonas. Añádase a
ellas la *Genealogía de los Dioses* de Boccaccio (cf. SCHIFF, *La bibliothèque...*, *op. cit.*, pág. 333), capítulo X, «De Medusa, Stennione et Euriale
Gorgónibus et filiabus Phorci...» (GIOVANNI BOCCACCIO, *Genealogie
deorum gentilium libri*, a cura di Vicenzo Romano, volume secondo,
Bari, 1951, pág. 496). Sin embargo, creo que la fuente directa fue la *General Estoria* (Segunda Parte, I, edición de Antonio G. Solalinde, Lloyd
A. Kasten y Víctor R. B. Oelschläger, Madrid, C. S. I. C., 1957, capítulos CLX-CLXIV, págs. 273-279), donde se lee: «Desta razon de Persseo

VI

Tenían las manos siniestras firmadas
sobre sendas tarjas de rica valía,
en las quales eran armas entalladas,

---

41 PM1: tenia en las / MH1, SA8: sinistras; SA1: siniestra; PM1:
    synestras
42 PN4, PN8, comienza: que sobre
43 «en» y «armas» om. TP1, YB2 / SA1, SA10, PM1, TP1, YB2:
    entretalladas

---

e de las fijas (Medusa, Euriale, Stenio; cap. CLX, pág. 274) del rey
Phorco fabla Estacio en el segundo libro de Achilles,... Et fallamos en
el quarto libro de Ouidio Mayor que diz que estas fijas de Phorco
auien un oio...» (cap. CLXII, pág. 276). Perseo se apodera del ojo y las
tres «demandaron se el oio, e respondieron unas a otras quel non te-
nien, e alli entendieron como auien perdudo el oio e fueron muy cuy-
tadas por ello; et con la grant cuyta, e la grant priessa, e el grant que-
branto que ouieron dent, fincaron como canssadas e adormieronse»
(cap. CLXII, pág. 277)... «Et a estas fijas de Phorco... llamaron les este
otro nonbre 'gorgones' a todas tres comunal mientre» (cap. CLXIV,
pág. 279).—*toca:* no hay ninguna razón para corregir esta forma verbal
en «tocó» como hizo *Amador* (pág. 98).
    41-64 *Blasón de armas:* en estas estrofas se describen los blasones
de los Alburquerques, de Navarra y del Reino Castellano-Leonés.
    41 *firmadas:* (firmemente) apoyadas.
    42 *tarjas:* escudos.
    43 *entalladas:* labradas en bajo relieve.

44   que bien demostravan su grand nonbradía:
        la una de perla el campo traýa
        con una lisonja de claro rubí;
        de fina estupaza assí mesmo vi
48   en ella esculpido, con grand maestría,

Rúbrica: Blasón de armas *

VII

un fuerte castillo, e su finestraje
e puertas obrado de maçonería,
de çafir de Oriente, que a todo visaje,

---

44 SA10, TP1, YB2, comienza: ca bien; HH1, comienza: do bien /
    SA1: bien denotauan; PN4, PN8: bien se mostrauan; HH1,
    TP1, YB2: bien se mostraua
45 SA1, SA10, dice el verso: la vna el canpo de perla tenia (SA10:
    traya) / RC1, PN10, PN4, PN8, PN12, PM1: tenia
46 PN4, PN8: con vno linsonia / NH2, BC3: dun claro
47 SA10: escarpaza
48 MH1: en medio esculpido / PN4, PN8: escolpido es gran
49 SA1, MH1, SA10: castillo con su
50 TP1, YB2, comienza: puertas e obrado / SA1: obradas / PN4:
    marçonaria; PE: marconaria
51 a om. MH1, MN6, NH2, RC1, PN10, PN4, PN8, PN12, BC3 /
    MH1: toda

---

46 *lisonja:* losange (del francés 'losange'), paralelograma colocado de
suerte que uno de los ángulos agudos quede por pie y su opuesto por
cabeza.

47 *estupaza:* topacio, piedra preciosa de color amarillo.

49 *finestraje:* conjunto de ventanas, ventaje (del francés 'fenestrage').

50 *maçonería:* obra de relieve, a manera de mosaico (del francés
'maçonnerie').

51 *çafir:* 'zafiro', piedra preciosa de color azul.—*visaje:* rostro,
vista.

---

*   Los códices MN6, PN4, PN8 y PN12 tienen unas notas herál-
dicas, cuyo texto establezco en el *Apéndice B.*

52   mirándolo fixo, retroçedería;
          e quatro leones en torno diría
          de neta matista, fieros e ronpientes.
          Pues, lector discreto, sy d'esto algo sientes,
56   recordarte deve su genealogía.

---

52   SA1, SA10, HH1, TP1, YB2: por biuo que fuere (SA10, HH1,
        TP1, YB2: fuese) rretroçederia
53   MH1, segundo hemistiquio: ento proderia / SA10: torno avia
54   ML3: de neneta matista; SA1: de metamastica; SA10: de meta-
        mestica; PN4, PN8: de neta mastica / BC3: fierro / e om. RC1,
        PN10, PM1, HH1, TP1, YB2
55   PN4, PN8: pues el lector / SA10: discreto letor / BC3: deste
56   MN6: deue de su / SA1: jenolosia; SA10: generosia; NH2, BC3:
        genelozia; HH1: genalossia / en SA1 el verso 56 precede al 55

---

52. *retroçedería:* haría volver hacia atrás. 'Retroceder' como verbo transitivo parece ser de uso esporádico. Lo he encontrado también en *El mejor alcalde, el rey* de Lope de Vega *(Comedias,* I, edición y notas de J. Gómez Ocerín y R. M. Tenreiro (Clásicos Castellanos, 39), Madrid, Ediciones de La Lectura, 1920, Acto II, vv. 1039-1042, donde Sancho dice: «Salí a los campos, y a la luz que excede / a las estrellas, que miraba en vano, / a la luna veloz, que *retrocede* / las aguas y las crece al Oceano».—*mirándolo:* si partimos del uso transitivo de 'retroceder', el gerundio representa una oración de relativo. La lectura de la rama α es menos complicada.

54 *matista:* 'amatista', piedra preciosa de color violado sanguíneo.—(leones) *ronpientes.* Posiblemente es un calco del francés *lion rampant* (cf. METZELTIN, *reseña citada,* pág. 369), es decir, con las garras adelante, en actitud de trepar.—*fieros e ronpientes:* cf. FRÉDÉRIC GODEFROY, *Dictionnaire de l'ancienne langue française et de tous ses dialects du IXe au XVe siècle,* tome sixième, París, 1889, s.v. 'ramper': «Tant burent de bon vin no gent en assaillant / Qu'il en furent plus fier que nul lyon rampant».

55 *lector discreto:* Joaquín Arce *(op. cit.,* pág. 154) llamó la atención a la apelación al *lector* y no al 'público-oyente'. La considera como un recurso estilístico novedoso, de origen dantesco.—*sientes:* entiendes, conoces.

56 *deve:* con un sujeto tácito 'ello', es decir, lo que se ha dicho sobre el escudo.

VIII

La segunda tarja de un balaxo ardiente
era e de amarilla gema pomelada,
cuyo nonbre dixe non táçitamente;
60   e cada qual poma con nudos ligada,
de verde carbunclo al medio esmaltada.
La terçera e quarta castillo e león
eran a quarteles; e dexo el blasón,
64   ca nuestra materia non es començada.

---

57   SA1, SA10: tarja era de / ML3: vn claro ardiente
58   era *om.* SA1, SA10 / YB2, comienza: era a marauilla / e *om.*
      MN6, NH2, RC1, PN10, PN4, PN8, PN12, PM1, HH1, BC3,
      TP1, YB2 / NH2, BC3: de merauilla (BC3: maravilla) gema /
      SA10: yema / MN8: immelada; BC3: polemelada
59   SA1, SA10, dice el verso: a cuyo non dixe tan çiertamente / non
      om. HH1, TP1, YB2
60   SA10: pomo; MN6: puma / HH1: poma de nudos
61   SA10: carbunculo / SA1: carbuncol en medio / TP1, YB2: car-
      boncul almendro scultada
62   PM1: terçera quarta
63   TP1, YB2: era / en SA8 se ve el signo [9] entre «eran» y «quar-
      teles» / PM1: quarteles dexando el
64   NH2: car nostra / PM1: vuestra / HH1: es mençionada; PN4:
      comiençada

---

57   *balaxo:* rubí grueso.
58   *gema:* nombre genérico de toda piedra preciosa. Aquí se trata
del topacio. Cf. *A nuestra Señora de Guadalupe,* estr. III, 6: «Nin gema
d'estupaça tan fulgente».—*pomelada:* no encuentro este vocablo documentado en los diccionarios. Con toda probabilidad es un galicismo
(del francés *pommeler* = marcar con manchas redondas), con el sentido
de adornar con topacios en forma de *pomas* (= ¿medias? bolas). Cf. DU
CANGE, *Glossarium mediae et infimae latinitatis, op. cit.,* s.v. *pomme-
lata:* «dicitur vestis ejusmodi pommellis (= con bolas) ornata».
61   *carbunclo:* rubí. Luce como carbón hecho brasa. Santillana usa
aquí el vocablo como nombre genérico de toda piedra preciosa *(verde*
carbunclo).
63   *quarteles:* son las divisiones del campo de un escudo dividido en
cruz. Cf. el cap. XVIII de la Primera Parte del *Quijote* (ed. de Francisco Rodríguez Marín (Clásicos Castellanos, 6), 8.ª ed., Madrid, Espasa-Calpe, 1966, pág. 82): «que viene armado con las armas partidas *a*
cuarteles, azules, verdes, blancas y amarillas».

IX

¡Pues fabla tú, Çirra, e Nissa responda,
en el rudo pecho exortando a pleno;
dissuelva Polimia la cuerda a la sonda,
ca fondo es el lago e baxo el terreno!

68

---

65 PN4, PN8: Cirna / e *om.* PM1 / SA1, SA10: Niso; MH1, NH2,
    PN12, PM1: Misa: RC1, PN4, PN8: Missa
66 MN6, NH2, RC1, PN10, PN4, PN8, PN12, BC3: exortado
67 NH2: Polmia; RC1, PN10, PN4, PN8, PN12: Polima / SA1: a
    la zona
68 HH1, comienza: que fondo / SA1: baxo el eterno; SA10 tuvo
    originalmente también «eterno», palabra que fue corregida des-
    pués, probablemente por otra mano, en «terreno»

---

65 *fabla tú, Çirra, e Nissa responda:* recuerda el verso dantesco «Si
pregherà perchè Cirra risponda» (La *Divina Commedia,* di Dante Alighieri, col comento di Pietro Fraticelli, Firenze, 1887, *Paradiso,* I,
v. 36). En la *Farsalia* de Lucano, obra muy conocida del marqués (véase
Schiff, *La bibliothèque..., op. cit.,* pág. 139), Çirra y *Nissa* aparecen
juntos: «Sed mihi iam numen; nec, si te pectore uates / accipio, *Cir-
rhaea* uelim secreta mouentem / sollicitare deum Bacchumque auertere
Nysa» (*Pharsalia,* cum commentario Petri Burmanni, Leidae, 1740, I,
vv. 63-65). *Çirra:* ciudad situada al pie del Parnaso y consagrada a
Apolo (cf. Ovidio, *Metamorfosis,* ed. *cit.,* XIII, v. 174). El poeta Herrera, p. ej., habla de Apolo como del «abitador de la cirrea cumbre»
(voc. cit., pág. 48) y en una respuesta a Juan de Mena las Musas son llamadas por Santillana «las cirras doncellas» (*Cancionero Castellano del
siglo XV,* ordenado por R. Foulché-Delbosc, *ed. cit.,* pág.
98).—*Nissa:* el lugar donde nació Baco. En una de las glosas al *Tratado
en Defensa de las Virtuosas Mujeres* de Diego de Valera (edición, estudio y notas de M.ª Ángeles Suz Ruiz, Madrid, El Archipiélago, 1983,
pág. 62), leemos que el Parnaso «tiene dos cabos o puntas, a la vna llaman Elicon (véase la nota al v. 14) e a la otra Citeron; por otros son
llamados el vno Sirra, el otro Nisa. Allí eran dos tenplos: el vno consa-
grado al dios Apolo, el otro al dios Baco». Según Graves (*The Greek
Myths,* Vol. I, Penguin Books, § 27b, pág. 104) *Nissa* es una de las
cimas del monte Helicón, la residencia de las Musas. Ambos topónimos
se relacionan en este verso con la 'inspiración'.
66 *el rudo pecho:* véase la nota al v. 11.
67 *Polimia:* 'Polimnia', la musa del canto.
68 *fondo es el lago:* la 'metáfora náutica' de un lago profundo

Nin sé tal sentido en humano geno
que sin tal subsidio pueda colegir
tan alta materia, nin la descrivir,
72   servado el estilo con temprado freno.

Rúbrica: Invocaçión

---

69   PM1: se tan sentido / SA1, SA10: sentido nin vmano; HH1:
     sentydo qu'en vmano; PN4, PN8: sentido e humano seno; TP1,
     YB2: sentido que vmano engeno / ML3: vmano ageno
70   PM1: que sy tal; HH1, TP1, YB2, comienza: en sy tal / HH1:
     puedo
71   PN4, PN8, comienza: tu alta / en SA1 el copista escribió pri-
     mero «destruyr» y luego lo cambió en «descriuyr» / en MN8 el
     copista empezó por escribir en el segundo hemistiquio «non es
     començada» equivocándose con el verso 64; lo tachó y enmendó
     «destruir». En el margen se lee «istruir» / MN6: escriuir; PM1:
     escreuir
72   SA1, SA10, NH2, RC1, PN10, PN4, PN8, PN12, PM1, HH1,
     BC3, TP1, YB2: seruando / PN10: stillo / PN4, PN8: contem-
     plando freno / MN31: feno

---

subraya lo difícil que es la tarea del poeta (cf. CURTIUS, op. cit.,
págs. 189-193).
69   geno: género, linaje.
72   servado: refrenado, guardado.

X

Aprés de las quales vi más un varón
en hábito honesto, mas bien arreado,
e non se ignorava la su perfecçión,
76   ca de verde lauro era coronado.

Atento escuchava, cortés, inclinado
a la más antigua, que aquélla fablava;
quien vyo las sus quexas e a quien las narrava,
80   de cómmo ya bive soy maravillado.

Rúbrica: Miçer Johan Bocaçio de Çertaldo ilustre poeta
florentino

---

73   NH2, BC3, comienza: despues de
76   PN4, PN8: ca del verde / falta el verso en SA10
77   PN4, PN8: entento; TP1, YB2, comienza: e tanto / PN4, PN8:
      inclinando
78   SA10: antigua a aquella / PM1: fablase
79   MN8, comienza: quenbio / MN6, NH2, BC3: vio sus quexas / e
      om. SA10, ML3 / SA1, RC1, PN10, PN4, PN8, PN12, PM1,
      TP1, YB2: quexas e quien; NH2, BC3: quexas ho quien / HH1,
      segundo hemistiquio: y sospiros que daua
80   MN6: biuen; PN8: viuen

---

73   *aprés de:* cerca de; véase la nota al v. 288.
74   *arreado:* arreglado.
76   *verde lauro:* los grandes poetas eran distinguidos con la corona
de laurel. El laurel estaba dedicado a Apolo. «Los poethas usaron coro-
narse de laurel en su graduaçión, queriendo dezir quel dios de la eloquençia, Phebo, por quien se entiende la mesma eloquençia, se enamoró
de Damnes, fija del dios de los ríos, por quien es entendida la fama,
que es fija de la fluxibilidat del tiempo. Persíguela con trabajos, non
dubdando de pasar el río de las repugnançias, e aquélla es convertida
en laurel, que es árbol hodorífero e purgatyuo del ayre, significando la
fragançia de la buena fama, la qual es amada de la eloquençia, plantada
en sus templos e coronados sus saçerdotes e decorados sus poethas; por
eso dizía Ouidio en el tercero libro *De arte amandy* que pulen los sa-
grados poethas, synon tan solamente fama» (Glosa a la *Eneida* de Virgilio, romanceada por Enrique de Villena, ms. 17.975 de la Biblioteca Nacional de Madrid, fol. 125r).

XI

Aq*u*élla muy manso fablava, diziendo:
«¿Eres tú, Bocaçio, aquel que tractó
de tantas materias, ca yo no*n* e*n*tiendo
84 que otro poeta a ty se egualó?
¿Eres tú, Bocaçio, el que copiló
los casos p*er*versos del curso mu*n*dano?
Señor, sy tú eres, apresta la mano,
88 que no*n* fue ni*n*guna semblante q*ue* yo».

Rúbrica: Ffabla la serenísima rreyna de Aragón doña
Leonor

---

81 MH1, NH2: mansa / SA1, TP1, YB2: fabla; ML3: fablavo
82 NH2, PN4, PN8, PN12: eras / MN31: Boeçio
83 SA1, SA10, HH1: materias que yo
85 NH2, PN4, PN8, eras / tu *om.* SA10 / MN31: Boeçio / SA1,
    SA10, PM1: Bocaçio aquel que / SA10: que hablo; NH2, BC3:
    que acompilo; PM1, HH1, TP1, YB2: que acopilo; PN4, PN8:
    que cupilo
86 TP1, YB2: de curso / MN31: del siglo mundano / RC1, PN10,
    PN4, PN8, PN12: curso humano
87 NH2, PN4, PN8, PN12, BC3: eras
88 MN6, el primer hemistiquio: que yo non se ninguna / TP1,
    YB2, comienza: ca non / SA1, HH1: ninguno

---

81 *muy manso:* muy tranquilamente.
86 *los casos perversos:* alusión a *De casibus virorum illustrium* de
Boccaccio. Para la traducción al castellano, véase SCHIFF, *La bibliothè-
que, op. cit.,* págs. 345-346.—*perversos:* desgraciados, crueles, terribles.
Que yo sepa, *perverso* tiene en castellano únicamente en la *Comedieta*
este significado, que no va mencionado en ningún diccionario. Pero
en la *Divina Commedia (Inferno,* V, v. 93) tiene el mismo significado:
«Poi c'hai pietà del nostro mal perverso» *(ed. cit.).* En la *Enciclopedia
Dantesca* (IV, Roma, 1973, pág. 4, s.v.) se da la explicación siguiente:
«Vale *atroce, crudele...* 'l'atroce tormento' di Paolo e Francesca. Il Mat-
talia avverte che «questo significato è dedotto dal significato primo del
termine: ciò ch'è fuori od esce dalla legge o dalla norma, e quindi:
inusitato, eccezionale». Por eso es muy probable que se trate de un
dantismo léxico.—*del curso mundano: Amador* (pág. 101) optó arbitra-
riamente por la lectura de MN31 («del siglo mundano») sin indicar que
también en SA8 (su VII, Y, 4) se lee *del curso mundano.*
87 *apresta:* prepara.
88 *semblante:* semejante.

XII

Al modo que cuentan los nuestros actores
que la triste nuera del rrey Laumedón
narrava su caso de açervos dolores,

92   fabló la segunda con grand turbaçión,
diziendo: «Poeta, non es opinión
de gentes que puedan pensar nin creer
el nuestro infortunio, nin menos saber

96   las causas de nuestra total perdiçión.

Rúbrica: Ffabla la señora rreyna de Navarra

---

89   SA1, comienza: al tiempo que; MN6: a modo / que *om.* YB2 /
     NH2, BC3: conten
91   SA10, NH2, RC1, PN10, PN4, PN8, PN12, BC3: sus casos;
     PM1: sus causos / MN8: de hazer los dolores
95   PN8, comienza: en nostro / NH2, PN8: nostro
96   SA1: la cabsa; PN4, PN8: la causa; PM1: las cosas

---

89   *actores:* usado aquí en el sentido medieval de 'autores clásicos'
(cf. CURTIUS, *op. cit.*, págs. 79-87). En este pasaje se alude a Homero y
Ovidio (véase la nota siguiente).
   A partir del *Cancionero de Baena* los vocablos actor y *au(c)tor* pueden incluir también a escritores contemporáneos (ver H. TH. OOSTEN-
DORP, «La evolución semántica de las palabras españolas 'auctor' y 'actor' a la luz de la estética medieval», en *Bulletin Hispanique*, LXVIII
(1966), págs. 338-352). Así dice Santillana en su *Prohemio e Carta* (página 62): «sy en este prohemio aya tan extensa e largamente enarrado estos
tanto antiguos e despues nuestros auctores».
90   *La triste nuera del rrey Laumedón:* alusión a Hécuba, mujer de
Príamo, hijo de 'Laomedonte'. Sobre la profunda tristeza («açervos dolores», v. 91) que Hécuba sintió cuando la muerte de sus hijos Polixena
y Héctor, nos hablan OVIDIO *(Metamorfosis, ed. cit.*, vv. 494 y sigs.) y
HOMERO *(Iliad of Homer.* Ed. Walter Leaf, M. A. Bayfield, 6.ª ed.,
Londres, MacMillan, 1945, XXIV, vv. 747 y sigs.). Cf. también la *Defunsión de don Enrrique de Villena*, estr. XI, 7-8: «ca dubdo si Écuba
sintió más graueza / en sus infortunios que Homero ha contados.»

XIII

Con tanta inoçencia com*m*o fue traída
la fermosa *v*i*r*gen, de *qui*en fabla Guido,
al triste holocausto d*e*l puerto d'Aolida,
100   fabló la terçera, tornada al sentido,

---

97 NH2, BC3: ignorançia; PM1: ynorançia
98 MN31, MH1: fablo
99 RC1, PN10, PN4, PN8, PN12: de puerco / de (d') *om*. NH2,
    RC1, PN10, PN4, PN8, PN12, PM1, BC3 / SA1, SA10: de
    Lida; MN8: d'Aotido; HH1, TP1, YB2: de Olida
100 PN4, PN8: fabla / SA10: tornando / HH1: turbada el sentido

---

98-99 *la fermosa virgen, de quien fabla Guido, / al triste holocausto*
del puerto d'Aolida: aquí el poeta se refiere al sacrificio de Ifigenia en
Áulida, ciudad de Boecia, de donde salió la flota griega para Troya. Se-
gún *Ochoa* (pág. 57) se alude en estos versos a una tragedia de *Guido*
Cavalcanti intitulada *Ifigenia*. Sin embargo, según he podido averiguar,
Cavalcanti no escribió tal obra (cf. *Dizionario Letterario Bompiani delle*
Opere e dei Personaggi di tutti i tempi e di tutte le Letterature, Volume
Quarto, Milán, 1947, págs. 25-29, y *Kindlers Literatur Lexikon*,
Band III, Zurich, 1964, págs. 2647-2659). También podemos excluir a
Guido Guinicelli, porque en el *Prohemio e Carta* (pág. 56) Santillana
dice que no conoce la obra de este autor boloñés.

Sin duda se refiere aquí a Guido delle Colonne, autor de la *Historia*
destructionis Troiae. Pero el problema que se plantea es que en esta
obra no hay ninguna referencia al holocausto de Ifigenia en el pasaje
que trata de las dificultades tenidas por los griegos cuando iban a salir
de Áulida (cf. la edición de la obra por N. E. Griffin, Cambridge
Mass., The Mediaeval Academy of America, 1936, págs. 100-101). Sí se
hace mención del sacrificio de la hija de Agamenón en las *Sumas de*
Historia Troyana, atribuidas a Leomarte, de mediados del siglo XIV:
«Commo fezieron sacrefiçio de la infante Esifonia (= Ifigenia), fija del
rey Agamenon» (Título XCVII; edición hecha por Agapito Rey, Madrid, 1932, págs. 187-188), y un detalle interesantísimo es que en el te-
juelo del manuscrito (el 9256 de la Biblioteca Nacional de Madrid) se
lee: «G. Colonna, Historia de Troya» *(apud* AGAPITO REY, *ed. cit.*
pág. 8). Resulta, pues, que las dos historias sobre Troya fueron confun-
didas. Santillana se refiere también a Guido delle Colonne en el *Sueño*,
estr. XLIX, 1-4: «De las huestes he leído / que sobre Troya vinieron, /
e quáles e quántas fueron, / segund lo recuenta Guido;»

100 *tornada al sentido:* vuelta en sí.

el qual con la fabla le era fuydo,
diziendo: «Bocaçio, la nuestra miseria,
si fablar quisieres, más digna materia
104   te offresçe de quantas tú has escrivido».

Rúbrica: Ffabla la señora rreyna de Aragón rreynante

XIV

Non menos fermosa e más dolorida
que la Tirïana, quando al despedir
de los ylïones e vio recogida
108   la gente a las naves en son de partir,

---

101 NH2, comienza: al qual
102 MN31: diziendo poeta la
103 MN6: quieres; NH2, BC3: quizieras / en SA1 los versos 100-
      103 tienen el orden siguiente: 101-102-100-103
104 PN8: offerece; PM1: ofresco / TP1, YB2, segundo hemistiquio:
      tu hoi has leydo
106 SA1, SA10: Tirania; MN6, PN4: Tirana / MN31, primer he-
      mistiquio: que la triste nuera / SA1: el despedir
107 SA8, MN8, MH1: ilioneos / e om. PM1 / MN6, segundo he-
      mistiquio: yva recogida / SA1: vio corregida
108 BC3: les naues / PM1: las naus / PM1: de partida

---

106 *La Tiriana:* se trata de Dido, princesa de Tiro, que huyendo de
su hermano Pigmalión fundó Cartago. Estos versos aluden al momento
en que Eneas y sus compañeros salieron de Cartago. Ver la *Eneida* de
Virgilio, IV *(The Aeneid of Virgil,* edited with Introduction and Notes
by T. E. Page, M. A., Nueva York, 1930).
107 *los yliones:* los troyanos (de Ilión = Troya).—*e vio: Amador*
(pág. 102) sugiere que MN 6 y MN 8 (sus códices M, 59 y Canc. de
Ixar) leen «vio ya recogida», lo que no es verdad. Es una corrección in-
necesaria, porque estamos ante un caso de un *e* que tiene la función de

con lengua despierta la quarta a dezir
començó: «Poeta, mi mala fortuna
non pienses de agora, mas desde la cuna
112   jamás ha çessado de me perseguir.

Rúbrica: Ffabla la señora infante doña Catalina quexán-
dose de la Fortuna e loa los offiçios baxos e
serviles

109   MN6, comienza: como lengua; NH2, comienza: la lengua / a
om. MH1, NH2, PN4, PN8, BC3
111   SA1, SA10, MN6, RC1, PN10, PM1: pienses agora; MH1:
pienses desde agora
112   PN8: he cessado / SA1, SA10: ha dexado de

anunciar la frase principal (cf. KARL PIETSCH, «Zur Spanischen Gram-
matik», en Homenaje a Menéndez Pidal, I, Madrid, 1925, pág. 33).

Con respecto al mismo fenómeno en el francés antiguo escribe Fou-
let: «Il indique alors qu'au moment où a lieu l'action exprimée par le
verbe de la subordinée il se passe encore quelque chose d'autre que la
principale va mettre en relief». (Petite syntaxe de l'ancien français»,
troisième édition revue, París, 1930, § 421, pág. 287).

En su famoso estudio sobre la Peregrinatio Aetheriae, Einar Löfstedt
trata de «das unlogische et am Anfang der Apodosis» (Philologischer
Kommentar zur 'Peregrinatio Aetheriae'. Untersuchungen zur Geschichte der lateinischen Sprache, Uppsala-Leipzig, 1911, § 9, 3,
pág. 201).

Sin embargo, me parece mejor hablar de un et 'apodótico' en lugar de
'ilógico'.

XV

Humanas son tigres e fieras leonas
con nuevos cadillos, e [virgo] piadosa
aquella Elenessa que a las amazonas
pensó fazer libres por lid sanguinosa;

116

---

113 MN31: humanos / SA1: fieros leones
114 SA1, MN31, MH1, TP1, YB2: cabdillos; SA10, RC1, PN10,
     PN4, PN8, PN12, PM1: caudillos; NH2: candilos; BC3: candi-
     llos / SA8, MN8, MN31, MH1, MN6, NH2, RC1, PN10,
     PN12, PM1, HH1, ML3, BC3: pirgo; SA1, SA10: prigo; PN4,
     PN8: prego; TP1; YB2: pirro
115 MN8, ML3, comienza: e aquella / a *om*. SA1, MH1, SA10,
     MN6, NH2, RC1, PN10, PN4, PN8, PN12, PM1, HH1, TP1,
     YB2
116 MH1, NH2, PN8: libros / MN8, MN31, ML3: libres con lid /
     NH2, BC3: lid pauoroza

113-114 *Humanas son tigres e fieras leonas / con nuevos cadillos:* es
decir, tigresas y leonas con cachorros son 'humanas' comparadas con la
actitud 'inhumana' de la Fortuna.
   Encontramos una comparación parecida en el *Sueño*, estr. LXI, 1-2 /
LXII, 5-7: «Yo vi leona indignada / sobre fijos, e raviosa; /.../ pero yo
nin vi nin veo / de tal yra cual ardió / Diana,...».
114 *cadillos:* a *Amador* ('cabdillos', pág. 102) le pasó inadvertido el
que SA8, MN6 y MN8 tienen esta lectura, que da buen sentido al
verso. *Cadillos,* del latín 'catellos' (→ *cadiellos* → *cadillos*); en el *Appendix Probi:* 'catulus' non 'catellus' *(Die 'Appendix Probi'.* Herausgegeben
von Wilh. Heraeus, Leipzig, B. G. Teubner, 1899, pág. 9). Parece que
los copistas confundiesen frecuentemente *cadillos* y *cabdillos / caudillos*
(cf. la edición del *Martirio de San Lorenzo,* por Pompilio Tesauro, Nápoles, Liguori, 1971, pág. 49, y *El libro del cauallero Zifar,* en la edición de Charles Philip Wagner, Michigan, Ann Arbor University, 1929,
pág. 37).—*[virgo]:* es posible que el original dijese así. Ninguna de las
lecciones de las copias es correcta; por eso aceptamos la lectura propuesta por *Ochoa* (pág. 17).
115 *aquella Elenessa:* posiblemente se trata de una reina de las amazonas. Según *Ochoa* (pág. 58) es 'Pentesilea', que acudió al socorro de
Troya y murió a manos de Aquiles; *Elenessa* podría significar 'defen-
sora de Elena'. MANUEL ALVAR *(Poesía medieval española,* Barcelona,
Planeta, 1969, pág. 1012) opina que es una alusión a la lucha de Palas

tractable es Caribdi e non espantosa,
segund me contracta esta adversa rueda,
a quien non sé fuerça nin saber que pueda
120   foyr al su curso e saña raviosa.

---

117   NH2: es el Caribdi / TP1, YB2: es taridi / PN4: spantosa
118   SA1, MN31, SA10, HH1, ML3, TP1, YB2: contrasta / TP1,
      YB2, segundo hemistiquio: adversa la rueda
119   NH2: a que non / SA10: se esfuerca nyn; PM1: se fiuça ni /
      HH1: ni sabio que
120   SA1: fuyr a su; NH2, BC3: ffuyir de su; RC1, PN10, HH1:
      fuyr el su; PN4, PN8, PN12: fuyr su

---

con las amazonas. Sin embargo, estas explicaciones son poco convin-
centes, puesto que el poeta habla claramente de una mujer griega que
quiso 'libertar' a las amazonas.

117   *Caribdi:* 'Caribdis', hijo de Neptuno y de la Tierra, convertido
en un remolino que se encuentra en el estrecho de Mesina.

118   *esta adversa rueda:* la rueda de la Fortuna; véase la nota al v. 7.

119   *quien:* relativo aplicado a persona o cosa; hoy día sólo se usa
refiriéndose a personas. Cf. el *Doctrinal de privados,* III, 7-8: «... tierras, villas, fortaleças, / tras quien mi tiempo perdí».

XVI

¡Benditos aquellos que con el açada
sustentan su vida e biven contentos
e, de quando en quando, conosçen morada
e suffren pasçientes las lluvias e vientos!...

124

---

121 PN4, PN8: el ançada
122 ML3: sustenta / NH2, HH1, BC3, TP1, YB2: sus vidas; en
       MN6 «su vida» fue corregida por otra mano en «sus vidas»
123 e om. RC1, PN10, PN4, PN8, PN12, PM1
124 PM1, HH1, TP1, YB2: plazientes / PM1: lluuieas / PN12 tiene
       «vientos», de letra posterior, sobre «truenos» tachada / NH2,
       BC3: ventos

121-144., estr. XVI-XVIII *Benditos aquellos...:* por su estructura
estas estrofas recuerdan el *Beatus ille* horaciano y el *Sermo Montanus*,
«Beatitudines, Secundum Mattheum 5» («Beati... quoniam»). Según REI-
CHENBERGER *(art. cit.,* pág. 18), la anáfora «benditos aquellos» puede
ser también un reflejo de las *Geórgicas* de Virgilio («O benditos fortunatos ni-
mium», v. 458; «Felix qui potuit», v. 490; y «Fortunatus et ille deos
qui», v. 493). Pero es obvio que nuestro texto recuerda de un modo
más directo los dos primeros ejemplos. Además de la exclamación
inicial hay varias semejanzas más con el *Epodo II* de Horacio, que fueron estudiadas detenidamente por RAFAEL LAPESA *(La obra literaria...,
op. cit.,* pág. 146). Los puntos de contacto entre estas tres estrofas y las
Geórgicas virgilianas, señalados por REICHENBERGER *(art. cit.,* págs. 18-
19), me parecen demasiado vagos para que puedan ser atribuidos a influencia.

De lo que antecede se desprende que Santillana conoció la obra del
vate venusino a través de la lectura del original con la ayuda de amigos
eruditos, porque le faltaba un buen conocimiento del latín (cf. la *Introducción,* y LAPESA, *La obra literaria..., op. cit.,* pág. 256), de una traducción o comentario. Sin embargo, en cuanto a la primera mitad del
siglo XV no tenemos ninguna documentación sobre la fortuna de las
obras horacianas en España. Fuera de España, existen en Italia y Francia a partir del siglo XII manuscritos y comentarios de la obra del gran
poeta latino (cf. PAUL OSKAR KRISTELLER, *Renaissance Thought,* Nueva
York, 1961, pág. 157, nota 45, y la *Histoire littéraire de la France,* ed.
Barthélemy Hauréau, XXIX, París, 1185, pág. 581). Sea de esto lo que
fuere, Miguel Garci-Gómez mostró claramente que don Íñigo estaba
muy familiarizado con Horacio como lírico, satírico y preceptista

Ca éstos no*n* teme*n* los sus movimie*n*tos,
ni*n* sabe*n* las cosas del tie*n*po passado,
ni*n* d*e* las presentes se faze*n* cuydado,
ni*n* las venideras do han nasçimientos.

128

---

125   SA1: teme
127   las *om*. SA10 / MH1: se faze
128   PM1: ni de las / MN31: advenideras / SA1, PN10, RC1, PN8,
      PN12, TP1, YB2: nasçimiento

(«Otras huellas de Horacio en Santillana», en *Bulletin of Hispanic Studies*, L (1973), págs. 127-141).

En cuanto al contenido: los sencillos campesinos, cazadores y pescadores son dichosos porque no sufren las adversidades de la Fortuna. Lapesa señaló que estas estrofas reflejan un pensamiento que está presente en dos tragedias de Séneca, en *Hipólito*, vv. 1124 y sigs. («Minor in paruis, Fortuna furit... / seruat placidos obscura quies, / praebetque senes casa securos... / ... Non capit unquam / magnos motus humilis tecti / plebeia domus, / circa regna tonat».), y en *Octavia*, vv. 895 y sigs. («Bene paupertas / humili tecto contenta latet; / quatiunt alta saepe procellae / aut euertit Fortuna domos») (*La obra literaria...*, *op. cit.*, pág. 147). En los últimos versos de la estr. XVIII (vv. 141-144), el autor enlaza magistralmente la circunstancia de su obra (la lid marina de Ponza) con el tema central (la Fortuna).

121   *el açada*: la pala. En el español medieval la forma *ela* ante vocal se reducía a *el* (*Comedieta*: *el agua*, vv. 418 y 879; *el alva*, vv. 451 y 674; *el armería*, v. 609; *el ánima*, v. 659; *el hermana*, v. 809; *el actora*, v. 873; *el aurora*, v. 953).

125   *los sus movimientos:* es decir, de la rueda de la Fortuna.

XVII

¡Benditos aquellos que siguen las fieras
con las gruessas redes e canes ardidos,
e saben las trochas e las delanteras

132   e fieren del archo en tienpos devidos!
Ca éstos por saña non son comovidos,
nin vana cobdiçia los tiene subjectos;
non quieren thesoros nin sienten deffectos,

136   nin turban themores sus libres sentidos.

---

129   NH2: sigan
130   SA1, SA10: e arcos tendidos
131   MN6: trocas; NH2: tronchas; TP1, YB2: troxas
132   TP1, YB2: de arcos
133   SA1, SA10: estos con saña / MN31: por ira no / MH1: ssañas
134   SA1, SA10, comienza: ninguna cobdiçia / HH1, PN8: tienen
135   SA1, MH1, SA10, MN6, NH2, HH1, TP1, YB2, comienza:
        nin quieren / MN31, comienza: nin tienen tesoros
136   SA1, MN31, SA10, HH1, TP1, YB2: nin turba Fortuna sus /
        MN6: ni traban temores; NH2, PM1, BC3: nin turba temores /
        PN8: libros

---

130   *redes e canes:* la misma alusión a la caza se encuentra en el *Infierno de los enamorados,* estr. XXXVI, 7-8: «e con sus canes e redes /
facen lo que allá fezieron».—*ardidos:* véase nota al v. 27.
131   *trochas:* veredas que sirven de atajo para ir a una parte.—
delanteras: fronteras, atajos.
135   *deffectos:* carencia de bienes.

XVIII

¡Benditos aq*ue*llos q*ue* qua*n*do las flores
se muestra*n* al mu*n*do deçibe*n* las aves,
e fuye*n* las po*n*pas e vanos honores,
140   e ledos escuchan sus ca*n*tos suaves!
¡Be*n*ditos aq*ue*llos qu'e*n* peq*ue*ñas naves
sigue*n* los pescados co*n* pobres traýnas!,
ca éstos non teme*n* las lides marinas,
144   ni*n* çierra sobr'ellos Fortuna sus llaves».

---

138   PN8: mondo / NH2: mundo descienden las
139   HH1, comienza: fuyen / NH2: e fuyan ha pompas / ML3:
       vanas
140   SA10: e atentos escuchan / NH2: scuchan
141   SA10: en minimas naves
142   SA10: los peçes con / PN8: pobras
143   PN4, PN8: la lides
144   NH2, BC3: cierta; PN4, PN8: cierca / SA1, TP1, YB2: nin çie-
       rra Fortuna sobr'ellos sus llaues; PM1: ni ençierra Fortuna so-
       br'ellos sus llaues

---

138   *deçiben:* engañan, embaucan.
140   *ledos:* alegres (del lat. 'laetus').
142   *siguen los pescados: pescado* tiene aquí el significado de «pez
dentro del agua», igual que en el v. 432: «e davan mis carnes a todos
los pescados». Según *Corominas,* 'pescado' siempre ha tenido el valor
de «pez fuera del agua». Otros ejemplos que contradicen esta afirma-
ción son: «Tú libreste a Ionas del vientre del pescado» (BERCEO, I, *Mi-
lagros de Nuestra Señora.* Edición y notas de A. G. Solalinde (Clásicos
Castellanos, 44), Madrid, La Lectura, 1922, pág. 22, copla 454.ª), y
«nací entre las olas, do nacen los pescados» *(Libro de Apolonio.* Texto
íntegro en versión del doctor don Pablo Cabañas, Valencia, Castalia,
1955, copla 491c).—*traýnas:* redes pequeñas destinadas a la pesca me-
nuda.
       Para un análisis semiótico de las estrofas XVI-XVIII, véase FÉLIX CA-
RRASCO, «Aproximación semiótica al 'Benditos aquellos...' del Marqués
de Santillana», en *Revista de Literatura,* XLV (1983), págs. 5-19.

XIX *

«Ilustre Rregine, de chui el aspecto
dimostra gra*n*d sa*n*gho e magnifiçençia,
yo vegno d'al loco ov'e lo dilecto
148   e la eterna gloria e suma potençia.
Vegno chiamato de vostra exçelençia,
cha'l vostro piangere e remaricare
m'a facto si tosto partire e cuytare,
152   lassato lo çelo a vostra obediençia.

Rúbrica: Rresponde Johan Bocaçio a las señoras rreynas
        e infante

XX *

Io vegio li vostri senbianti cotali
che ben demostrate esser molestate
di cuella Regina che fra li mortali
156   regi e judica, de jure e de facte.

---

* Por tener estas dos estrofas en italiano cantidad abundantísima de
variantes, doy el texto completo de cada manuscrito en un capítulo
aparte.

145-160, estr. XIX-XX   Es lógico que los copistas, con excepción de
los de los manuscritos confeccionados en la Italia meridional (cf. mi
edición de 1976, págs. 52-59), tuvieran inmensa dificultad con estas dos
estrofas escritas en otra lengua. Igualmente es aceptable partir del punto
de vista de que Santillana no dominó el italiano a la perfección. Por eso
es imposible decir si las formas incorrectas son errores cometidos por
los copistas o por el poeta.
146   *sangho:* nobleza.
147   *ov'e:* donde está.—*lo dilecto:* el placer.
150   *piangere:* llorar.—*remaricare:* por 'rammaricare', estar afligido.
151   *tosto:* rápido.—*cuytare:* cuitar, darse mucha prisa (*Aut* y *DLE*).
152   *lassato lo çelo:* dejando el cielo.
153   *sembianti:* caras.
155   *Regina:* la Fortuna.—*mortali:* la variante 'inmortale' (SA8,
MN31) no funciona en el verso.

Vejamo li casi e ço que narrate,
e vostri infortunii cotanto perversi,
cha presto serano prose, rime e versi
160   a vostro piachire; e accio comandate».

XXI

E commo varones de noble senado
se honran e ruegan queriendo fablar,
assí se miraron de grado en grado,
164   non poco tardaron en se conbidar.

Mas las tres callaron e dieron logar
a la más antigua que aquélla fablasse
e su fuerte caso por horden contasse,
168   la qual, açeptando, començó a narrar:

Rúbrica: La narraçión que faze la señora rreyna doña
Leonor madre de los rreyes a Johan Bocaçio

---

161   e om. SA1, MN6, PM1, ML3, TP1, YB2 / MN6: de alto se-
       nado
162   MN6, comienza: sy onrran / PN4, primer hemistiquio: se rue-
       gan e honran
163   se om. MN6 / SA1, MH1, SA10, MN6, PM1, HH1, TP1, YB2:
       miraron e de
165   mas om. SA1, SA10 / SA10: tres se callaron
168   MN6, comienza: lo qual / MN6, NH2, RC1, PN10, PN4,
       PN8, PN12, BC3: açeptado / PN4: comienço / MH1, MN6,
       NH2, BC3, TP1, YB2: començo a fablar; SA10: començo de
       narrar

---

158   cotanto: tan (ver CARLA DE NIGRIS y EMILIA SORVILLO, art. cit.,
pág. 127).—perversi: véase nota al v. 86.
160   piachire: por 'piacere', satisfacción, alegría.—e accio: y con ese
fin a la vista (cf. NICOLÒ TOMMASEO e BERNARDO BELLINI, Dizionario
della lingua italiana, Milán, 1977 (reimpresión de la edición de Turín,
1865), tomo I, s.v. accio: «Talora ha il senso originario del lat. 'ad hoc.',
A questo fine».
163   de grado en grado: sucesivamente, paulatinamente. Cf. el Planto
de la reina Margarida, estr. I, 5-7: «e quando de grado en grado / las
tinieblas an rrobado / toda la flama febea».
168   la qual: sin razón siguió Amador (pág. 105) la lectura de MN6
(«lo qual»). Además se olvidó de indicar que todos los códices, con excepción de MN6, leen la qual.

XXII

«A mí non convienen aquellos favores
de los vanos dioses, nin los invocar,
que vos, los poetas e los oradores,
172   llamades al tienpo de vuestro exortar;
ca la justa causa me presta logar,
e maternal ravia me fará eloquente,
porque a ti, preclaro e varón sçïente,
176   explique tal fecho que puedas contar.

169 SA1, MN31, SA10, MN6, NH2, RC1, PN10, PN4, PN8,
     PN12, ML3: conviene
171 SA10: vos poetas / PN4, PN8: e los lauradores
172 PN4, PN8: llamados / MN31, HH1: del vuestro / PM1:
     xortar
173 NH2, comienza: que la / SA10: ca muy justa / TP1, YB2:
     m'apresta
174 SA10, NH2, RC1, PN10, PN4, PN8, PN12, BC3: faze
175 SA10: ti tan preclaro; PM1: ti por claro varon / e om. PM1 /
     ML3: barones / SA10: varon muy çiente
176 ML3: fal fecho

173 *presta:* da.
175 *sçiente:* siguiendo el modelo clásico, los poetas del siglo XV uti-
lizan mucho el participio de presente con valor de oración de relativo,
de gerundio o de adjetivo; en la obra de Santillana abundan ejemplos
(cf. la *Introducción,* MARÍA ROSA LIDA DE MALKIEL, *op. cit.,* páginas 294-295, y *La Gaya Ciencia de P. Guillén de Segovia,* edición pre-
parada por José M.ª Casas Homs, I, Madrid, C. C. I. C., 1962, página 202). Aquí significa 'sabio', 'entendido'.

XXIII

De gótica sangre fue yo produzida
al mundo e de línea bienaventurada,
de rreyes e rreynas crïada e nudrida,
180   e de nobles gentes servida e honrada;
e de la Fortuna assí contractada
que rrey en infançia me dio por marido,
cathólico, sabio, discreto e sentido,
184   de quien amadora me fizo e amada.

---

177   SA1: sangro / SA1, MN31, SA10, MN6, PM1, HH1, TP1,
YB2: fuy / SA1, SA10, HH1, TP1, YB2: yo fuy produzida
178   TP1, dice el verso: y en este mal mundo bien aventurada; YB2,
dice el verso: y en este mundo bien auenturado / e *om.* HH1
179   MH1, MN6, RC1, PN10, PN12: rreys / SA1, MN6: e de
rreynas
181   SA1, SA10; contrallada; PM1, HH1: contrastada; TP1, YB2:
contrariada
182   en *om.* SA10 / MN6: rey ni ynfançia; TP1, YB2: rrey de yn-
fancia
183   e *om.* SA1, SA10 / NH2, BC3: discreto entendido

---

177   *de gótica sangre:* dice doña Leonor que su linaje desciende de
los reyes godos: *Aut,* s.v. 'góthico': «En la Germania significa Noble,
ilustre. Juan Hidalgo en su Vocabulario».—*fue:* esta forma, hoy día dia-
lectal, era normal en el español medieval. Antonio de Nebrija escribe
sobre el 'pasado acabado': «En la segunda conjugación echa la primera
persona en i i formase del presente del infinitivo mudando la er final en
i, como de leer lei, de correr corri, sacanse algunos que salen en e,
como de caber cupe, de saber supe, de poder pude, hazer hize, de poner puse, de tener tuve, de traer traxe, de querer quise, *de ser fue,* de
plazer plugue, de aver uve» *(Gramática Castellana,* texto establecido
sobre la ed. princeps de 1492. Edición crítica de Pascual Galindo Ro-
meo y Luis Ortiz Muñoz, Madrid, 1946, Gramática V, 4, págs. 124-
125.) Compárense el *Sueño,* estr. LXVII, 7, LXVIII, 5 y 8; el *Infierno
de los enamorados,* estr. XXVI, 3, XXVIII, 4; y la *Canción* «Recuérdate
de mi vida», v. 15.
179   *nudrida:* alimentada.
181   *contractada:* tratada.
182   *que rrey ... me dio por marido:* es don Fernando I, el de Antequera, que reinó de 1412 a 1416.
183   *sentido:* afectuoso.

XXIV

De nuestra simiente e generaçión
conviene que sepas e sus qualidades,
ca fijos e fijas de grand discreçión
hovimos, e amigos de todas bondades.
Dotólos Fortuna en nuevas hedades
assí de sus dones que por justas leyes
en muy poco tienpo vi los quatro rreyes,
e dos titulados de asaz dignidades.

188

192

---

185   NH2, PN8: nostra / SA1, segundo hemistiquio: e gouernaçion
186   PN4, PN8: sepas de sus / HH1: sus cantidades
187   TP1, YB2, comienza: que hijos / HH1, segundo hemistiquio:
      de gran perffeçion / PM1: descricion
188   SA1, SA10: ouimos conplidos de
189   NH2, BC3: doto la Fortuna
190   MH1, MN6, RC1, PN10, PN12, PM1: leys
191   los om. SA1, SA10 / MN1, MN6, RC1, PN10, PN12: rreys
192   PM1: e los dos / PN12: dinignidades

---

185   *simiente:* familia, linaje.—*generaçión:* casta.
188   *hovimos: haber* era sinónimo de *tener,* pero preferido por muchos poetas del siglo XV «a causa de los nuevos estudios clásicos, ya por una inclinación a cierto preciosismo literario o culteranismo temprano» (EVA SEIFERT, «'Haber' y 'tener' como expresiones de la posesión en español», en *Revista de Filología Española,* XVII (1930), pág. 355).
191   *vi los quatro rreyes:* Alfonso, rey de Aragón; don Juan se casó con doña Blanca y cuando ella heredó Navarra de Carlos III, don Juan tomó el título de rey de Navarra; María se casó con don Juan, rey de Castilla, y Leonor con don Eduardo, rey de Portugal.
192   *dos titulados de asaz dignidades:* son los infantes don Enrique, maestre de Santiago, y don Pedro.

XXV

¿Pues qué te diré del fijo primero,
cruel adversario de torpe avariçia?
Ca éste se puede rrey e cavallero
llamar, e luzero de bello e miliçia.
En éste prudençia, tenprança e justiçia
con grand fortaleza habitan e moran;
a éste las otras virtudes adoran
bien commo a Diana las dueñas de Siçia.

196

200

Rúbrica: El señor rrey de Aragón

---

194 SA1, SA10, comienza: que es aduersario
195 e *om.* SA10, PM1
196 de *om.* MN6, NH2, RC1, PN10, PN4, PN8, PN12 / MN31:
     del bello / SA10: luzero de toda miliçia / NH2, BC3: bello de
     miliçia; PN4, PN8: bello en milicia
197 SA8, SA10, MN6: tenperança; PN4: temperancia / e *om.* SA1,
     SA10, PM1
199 SA1, SA10, comienza: aqueste las
200 TP1, YB2, segundo hemistiquio: la duena siçiçia / PN4, PN8:
     de Siria

---

193 y sigs. El grado de importancia de los hijos de doña Leonor encuentra su expresión también en el número de estrofas dedicadas a
ellos: así la reina madre elogia a los reyes de Aragón y Navarra en respectivamente 6 y 3 estrofas, mientras que dedica solamente una estrofa
a cada uno de los infantes.
   196 *de bello:* Amador (pág. 107) da «del bello», sin mencionar a pie
de página que SA8 y MN8 leen *de bel(l)o* y MN6 omite *de(l).* Más
ejemplos de la ausencia del artículo en la *Comedieta* son: «de justo varón» (v. 272); «de púnico bello» (v. 490); «e último» (v. 712); «era Batallante» (v. 725), etc. Para la frecuente omisión del artículo en el *Laberinto de Fortuna,* véase MARÍA ROSA LIDA DE MALKIEL, *op. cit.,* páginas 313-316.
   197-198 *prudencia, tenprança, justiçia, fortaleza:* son las virtudes
cardinales.
   199 *las otras virtudes:* fe, esperanza y caridad, las virtudes teolo-
gales.
   200 *las dueñas de Siçia:* según *Ochoa* (pág. 59), es *Siçia* una equivocación por *Aricia,* ciudad en Lacio, donde había un bosque y un templo

XXVI

Éste desd'el *tien*po de su püeriçia
amó las virtudes e amaron a él;
vençió la pereza co*n* esta cobdiça
e vio los preçeptos del Dios Hemanuel.

204

---

201   SA1, SA10: este del tienpo
202   SA10, comienza: otuvo las / SA8, SA1, SA10, MH1, MN6,
      PM1: las sçiencias e
203   SA1: vençio aporeza; SA10: vençio apereza / NH2: pareza;
      PN4, PN8: presa / SA1, SA10; con tanta cobdiça
204   SA1, comienza: que viò / PN4, PN8, PN12: de Dios / TP1,
      YB2: Manuel

---

consagrados a 'Diana Aricina' (cf. OVIDIO, *Arte de amar*. Traducción
por Víctor José Herrero Llorente, primera reimpresión, Madrid, Agui-
lar, 1970, libro I, pág. 57). DURÁN (*ed. cit.*, pág. 252) comenta:
«Diana... nada tiene que ver con las mujeres escitas. Lo más probable es
que Santillana las haya sacado a colación por la exigencia de la rima».
    No comparto ninguna de las dos interpretaciones porque, a mi ver,
alude el poeta en este verso a las amazonas. Posible fuente es la *General
Estoria* (Segunda Parte, I, *ed. cit.*, caps. CIV-CV, págs. 120-121), donde
«las duennas amazonas» son llamadas «mugieres scitas» y «duennas
scitas». Las amazonas adoraban a Diana porque les gustaba mucho la
caza.
    estr. XXVI-XXVIII. En el *Cancionero General* de Hernando del
Castillo (reproducción facsímil de la edición de Toledo de 1520, Nueva
York, 1967, fols. XXIII r y v), estas estrofas siguen a la XXI de la *Defunsión de don Enrrique de Villena* (cf. mis ediciones de la *Comedieta*,
ed. cit., págs. 362-365, y de la *Defunsión de don Enrrique de Villena*,
ed. cit., págs. 91-92).
    201   *pueriçia*: infancia
    202   *amó las virtudes*: en vista del contexto, esta lección me parece
preferible a la de SA8, SA1, SA10, MH1, MN6 y PM1 ('amó las sçien-
cias').
    204   *los preçeptos del Dios Hemanuel*: es decir, los diez manda-
mientos.

Sintió las visiones de Ezechïel
con toda la ley de sacra doctrina;
pues, ¿quién sopo tanto de lengua latina?,
208   ca dubdo si Maro eguala con él.

---

205 RC1, PN10, PN4, PN8, PN12, PM1: las uirtudes de
206 en HH1 el v. 207 precede al 206 / la om. YB2
207 HH1, comienza: despues supo; SA1, SA10, TP1, YB2: pues
     supo; PM1: pues que supo
208 HH1, TP1, YB2, comienza: que dubdo / SA1, primer hemisti-
     quio: ca dubdo Omero; SA10, primer hemistiquio: ca dudo de
     Omero / ML3: dub si / TP1, YB2: sy Omero se yguala / MN6,
     NH2, RC1, PN10, PN4, PN8, PN12, PM1, BC3: Marco;
     HH1: Mario / SA10, segundo hemistiquio: si igualo con el /
     SAI, MN31: ygualo; PM1: yguale

---

205 *sintió las visiones de Ezechïel:* alusión a las visiones del profeta
Ezequiel.
206 *la ley de sacra doctrina:* la religión cristiana.
208 *Maro:* Publio Virgilio (70-19 a. de J.C.), autor de las *Églogas,
Geórgicas* y la *Eneida.* En la *Coronaçión de Mossén Jordi,* estr. V, 1-6,
se lee:

«Tal dizen que Eneas vido
a la Çipriana, quando
se le demostró caçando
çerca los reynos de Dido,
porque luego mi sentido
al Eneida recordando»

Santillana conoció la *Eneida* por medio de una traducción hecha por Enrique de Villena (véase SCHIFF, *La bibliothèque...., op. cit.,* págs. 89-90).

XXVII

Las sílabas cuenta e guarda el açento
producto e correpto; pues en geumetría
Euclides non hovo tan grand sentimiento,
212   nin fizo Athalante en astrología.

---

209   SA10: las silas cuenta / ML3: quentan / SA10: el escuto; PN4:
      el accenta
210   e om. NH2, PM1, BC3 / SA1: cobrrecto; MH1, MN6, NH2,
      RC1, BC3: correcto; SA10, PM1, ML3: correto / TP1, YB2:
      corrupto / en om. SA1, SA10 / MH1: geomenta
212   PN4, PN8, comienza: non fizo / SA1, SA10: en su estrología

---

209-210 *Las sílabas cuenta e guarda el açento / producto e correpto:*
Duffell (*op. cit.*, pg. 153) lo interpreta de la manera siguiente: «observe
strict syllable count and let the accents fall in their natural (lexical) po-
sitions».—*producto:* del lat. 'productus', pronunciado largamente; aquí,
pronunciado brevemente; aquí, 'sílaba inacentuada'. Por lo tanto, las
correciones *corre(c)to (Cancionero General*, ed. *cit.*, pág. XIX vo., y
FOULCHÉ-DELBOSC, N. B. A. E. 19, ed. *cit.*, pág. 464) son innecesarias.
   211 *Euclides:* el 'Geómetra', natural de Tiro; profesó matemáticas
en Alejandría (320 a. de J.C.).
   212 *Athalante:* Atlante, rey de Mauretania, transformado por Perseo en una montaña, de tal manera que sostuvo el cielo sobre los hom-
bros (cf. OVIDIO, *Metamorfosis*, ed. *cit.*, VI, vv. 661-662: «omne cum
tot sideribus caelum requievit in illo»). De ahí que se le atribuyesen
profundos conocimientos de la astrología. En el *Triunphete de Amor*,
XII, 5-8, el yo poético ve entre otras personas «al astrólogo Atalante /
que los cielos sustentó / segund lo rrepresentó / Naso metaforisante».
   En la *General Estoria* (Segunda Parte, II, Madrid, 1961, cap.
CDXIX, pág. 31), se cuenta cómo «le (= a Hércules) ensenno aquel
Atalant, sobrino del grand Atalant, tanto del saber del arte del astrolo-
gia porque sopo todas las estrellas de que los estrelleros fablan...»

Oyó los secretos de philosophía
e los fuertes passos de naturaleza;
obtuvo el intento de la su pureza
216   e profundamente vio la poesía.

XXVIII

Las sonantes cuerdas de aquel Anfión
que fueron de Tebas muralla e arreo,
jamás non hovieron tanta perfecçión
220   commo los sus cursos melifluos, yo creo.

---

214 SA1, SA10: fuertes puntos de
215 MN6: el ynçento de; TP1, YB2: ellimento de / PN10, PN12:
     pureza; PM1: pueresa
216 SA10: e mucho profundo vio / PN12: profundament / NH2,
     BC3: vyio y la
217 cuerdas *om.* MN31 / SA1: Absion; MN6, NH2, PM1, HH1,
     TP1, YB2: Ansyon
219 TP1, YB2: no avyan tanta
220 los *om.* SA10, HH1 / SA1: melifonos; HH1: melifos / yo *om.*
     PM1

---

214 *passos:* mudanzas.
217-218 *Las sonantes cuerdas de aquel Anfión, / que fueron de
Tebas muralla e arreo:* el rey Anfión de Tebas era un músico tal que
al construir las murallas de su ciudad las piedras se ordenaron solas al
son de su lira (cf. la *General Estoria*, Segunda Parte, I, *ed. cit.*,
cap. CLXXXIII, pág. 298).
218 *arreo:* adorno, atavío.
219 *jamás non: jamás non* en posición antepuesta al verbo tiene el
mismo sentido de perpetuidad negativo que 'jamás» (cf. el v. 112).

Pues de los mas sabios alguno non leo
nin jamás he visto que assí los entienda;
de su grand loquella resçiben emienda

224   los que se coronan del árbol laureo.

---

221   SA10: sabios nynguno yo veo / MN6(?), RC1, PN10, PN4,
      PN8, PN12, PM1: algunos / MN31, TP1, YB2: no veo / el
      verso falta en SA1
222   SA1, SA10, PM1, HH1, TP1, YB2: he visto quien asi / SA1: lo
      entienda
223   su *om.* RC1 / NH2: reçibe
224   MN31, ML3, dice el verso: los del arbol se coronan laureo /
      SA8: lauiro; PN4: laurero; PN8: laurer

---

222   *nin jamás:* véase nota al v. 219.
223   *loquella:* véase nota al v. 22.—*emienda:* eliminación de un error
o vicio.
224   *árbol laureo:* véase nota al v. 76.
Estos elogios no son exagerados, como muestra el testimonio de
Eneas Silvio Piccolomini en la semblanza del rey humanista: «Fue éste
peritísimo en el arte de Gramática, aunque no gustaba mucho de hacer
discursos en público; tuvo curiosidad de todas las historias; supo
cuanto dijeron los poetas y los oradores; resolvía fácilmente los laberintos más intrincados de la Dialéctica; ninguna cosa de Filosofía le fue
desconocida; investigó todos los secretos de la Teología; supo razonar
gentil y doctamente de la esencia de Dios, del libre albedrío del hombre, de la Encarnación del Verbo, del Sacramento del Altar, y de otras
dificilísimas cuestiones; en sus respuestas era breve y oportuno; en la
locución, blando y terso» *(apud* MENÉNDEZ PELAYO, *Antología de
poetas líricos castellanos, desde la formación del idioma hasta nuestros
días,* V, Madrid, Librería de la Viuda de Hernando y C.ª, 1911 página CCLXXIX).

XXIX

Éste, desseoso de la duradera
o perpetua fama, non dubdó elegir
el alto exerçiçio de vida guerrera,
228   que a los militantes aun faze bivir;

---

225   SA1, SA10, MN6: deseo; MN31: deseo
226   SA1, SA10, comienza: perpetual fama / SA10: dude / SA8:
        elegir
227   BC3: exercio
228   MN6, comienza: e a / PN4, PN8, TP1, YB2, termina: venir

---

225-226   *Este, desseoso de la duradera / o perpetua fama:* sobre el
tema de la fama en la obra de Santillana, observa MARÍA ROSA LIDA DE
MALKIEL (*L'idée de la gloire dans la tradition occidentale, Antiquité,
Moyen Âge Occidental, Castille,* París, Klincksiek, 1968, págs. 268-269):
«En dépit de son ambitieuse avidité de grand seigneur et de son ex-
trême vanité d'écrivain amateur, le Marquis ne montre pas pour la
gloire une passion sincère. Mais, fidèle sur ce point, comme sur tant
d'autres, à la mode littéraire, et docilement influencé par le prestige
croissant de l'Antiquité, il mentionne trivialement, à propos de tous les
personnages qu'il désire célébrer leur "insigne renommée, leur glorieuse
renommée"... ou bien il fait l'éloge de tels autres personnages en les dé-
clarant avides de gloire (como en los vv. 225-226 de la *Comedieta*)... ou
encore en exhortant certains autres à la rechercher.»

éste la su espada ha fecho sentir
al grand Africano con tanta virtud
que los pies equinos le fueron salud,

232

dexando los litos, fuyendo el morir.

---

229 HH1, primer hemistiquio: la espada d'este / la *om.* MN8,
MN31, SA10, NH2, ML3, BC3 / PN4, PN8: fecho senir
230 MN31, YB2, comienza: el grand / MN6: Africano non tanta
231 SA10, HH1: pies pequeños; PN4: pies squinos; PN8: pies es-
quinos; TP1, YB2: pies equos
232 SA10, comienza: en dexar / MN31, NH2: las lites; TP1, YB2:
las liteos / NH2: fuyendo al morir / el *om.* HH1

---

230 *al grand Africano:* alusión a Boferriz, rey de Túnez, contra
quien el rey Alfonso libró una batalla en 1431.

Juan de Mariana (*Historia de España,* libro vigésimo primero, cap. V,
B. A. E., XXXI, pág. 98) describe la empresa con las siguientes palabras: «En Mecina se juntaron con la armada aragonesa otros setenta ba-
jeles, y todos juntos fueron la vuelta de los Gelves, una isla en la ribera
de Africa, que se entiende por los antiguos fue llamada Lotofagite o
Meninge. Está cercana a la Sirte menor, y llena de muchos y peligrosos
bajíos, que se mudan con la tempestad del mar por pasarse el cieno y la
arena de una parte a otra; apartada de tierra firme obra de cuatro mi-
llas, llena de moradores y de mucha frescura. Por la parte de poniente
se junta más con la tierra por una puente que tiene para pasar a ella, de
una milla de largo. Era dificultosa la empresa y el acometer la isla por
su fortaleza y los muchos moros que guardaban la ribera; porque Bofferriz, rey de Túnez, avisado del intento del rey don Alonso, acudió sin
dilación a la defensa. Tomaron los de Aragón la puente luego que llega-
ron, dieron otrosí la batalla a aquel Rey bárbaro, fueron vencidos los
moros y forzados a retirarse dentro de sus reales. Entraron en ellos los
aragoneses, y por algún espacio se peleó cerca de la tienda del Rey con
muerte de los más valientes moros. El mismo Bofferriz, perdida la esperanza, escapó a uña de caballo; los demás se pusieron al tanto en huida.
La matanza no fué muy grande ni los despojos que se ganaron, dado
que les tomaron veinte tiros; con todo esto no se pudieron apoderar de
la isla...».

231 *pies equinos:* patas del caballo.

232 *litos:* playas (del lat. 'litus'). Sin razón sugiere *Ochoa* (pág. 60)
que *litos* sea un error por 'tiros', piezas de artillería.

XXX

¿Por qué me detengo agora en fablar,
e dexo mill otras victorias primeras?
Ca éste, forçando las ondas del mar,
236   obtuvo de Ytalia muy grandes riberas;
éste manifiestas puso sus vanderas
por todos los muros de los marsellanos;
éste fue cometa de napolitanos
240   e sobró sus artes e cautas maneras.

---

234   e om. SA1/ NH2, RC1, PN10, PN4, PN8, PN12, BC3, co-
        mienza: dexando / SA1, SA10: otras vyrtudes primeras
235   SA1: hondas
237   NH2: esto; PN10: esta / SA10, dice el verso: este muy claro
        mostro sus vanderas / PN4, PN8: manifesto / PN4: se puso las
        vanderas
239   MH1, comienza: a este / en SA10 «fue» está tachada
240   MN31, SA10, PN4, PN8, PM1: sobre; NH2: sobras / SA10:
        sus avtos e / MN31, MN6, PN4, PN8: e tantas maneras; SA10:
        e castas maneras / HH1, termina: cabtas primeras / ML3: cauta
        manera

---

236   *obtuvo de Ytalia muy grandes riberas:* se refiere aquí a la incor-
poración de Sicilia y Cerdeña a la Corona de Aragón.

237-238   *puso sus vanderas / por todos los muros de los marsellanos:*
en 1423, Alfonso V saqueó la ciudad de Marsella, plaza de su rival
Anjou.—*marsellanos:* marselleses.

239   *cometa de napolitanos:* desde 1421 el rey Alfonso se entremetió
en la política de Nápoles.

El 'cometa' era un signo amenazador para las cabezas reales. Era in-
dicio de guerras, pestilencias y otras calamidades públicas (véase MI-
GUEL HERRERO y MANUEL CARDENAL, «Sobre los agüeros en la literatura española del Siglo de Oro», en *Revista de Filología Española*,
XXVI (1942), págs. 21-23).

240   *sobró:* superó, venció (del lat. 'superare').

XXXI

En quanto al primero aquí fago pausa,
non porque me faltan loores que cuente,
mas por quanto veo prolixa la causa
244   e pro trabajosa a mí non sçïente.
E vengo al segundo: que non tan valiente
en armas fue Çeva nin fizo Domiçio;
si Marco lo viera, dexando a Fabriçio,
248   a él escriviera con pluma eloquente.

Rúbrica: El señor rrey de Navarra

---

241   en om. TP1, YB2
242   me om. SA1, MN31, SA10, RC1, PN10, HH1 / SA10, RC1,
       PN10, PN12: falten; PM1, TP1, YB2: falte
244   ML3: mi noue y çiente
246   SA8, MN8, MN31, TP1, YB2: Çena; SA1, SA10: Perman;
       MH1, MN6, RC1, PN10, PN8, PN12: Zena; PN4: Zenon;
       HH1: Sena
247   PM1, comienza: que sy
248   SA10, comienza: de el / a om. HH1 / NH2, PN4:. scriuiera

---

244   *e pro trabajosa a mí non sçiente:* y demasiado trabajosa para mí,
que no sé mucho.—*pro:* tal vez sea un provenzalismo (cf. KARL
BARTSCH, *Chrestomathie Provençale (Xe-XVe siècles),* sixième édition
entièrement refondue par Eduard Koschwitz, Ginebra, Slatkine Re-
prints, 1973, 105,34; 302,14 y 372,24). No me consta la existencia de
pro con este significado en catalán, como dice METZELTIN *(reseña citada,* pág. 369).
246   *Çeva:* sin dudar opté por esta forma dada la difícil distinción
entre *n* y *u* en muchos manuscritos. Se trata de Casio Sceva, soldado de
César en la batalla de Farsalia (48 a. de J.C.).—*Domiçio:* Cneo Domicio
Ahenobardo, cónsul en 54 a. de J. C., partidario de Pompeyo en la batalla de Farsalia.
Sobre la valentía de ambos personajes escribe Lucano en su *Farsalia
(ed. cit.,* respectivamente VI, vv. 144 y sigs., y II, v. 479, etc.).
247   *Marco:* Marco Tulio Cicerón.—*Fabriçio:* Cayo Fabricio Lus-
cino, cónsul y general romano, citado muchas veces en la obra cicero-
niana (cf. la edición de J. G. Baiter & C. L. Kayser, vol. XI, Lipsiae,
Tauchnitz, 1869, index nominum, sub Fabricio, págs. 286 y sigs.).

XXXII

Archiles armado non fue tan ligero,
nin fizo Alexandre tal cavalgador,
jamás es fallado sinon verdadero,
252 egual, amoroso, cauto, sofridor;
más quiere ser dicho que honrado, honrador,
e muy más que fiero, benigno e piadoso;
éste de clemençia es silla e reposo,
256 e de los afflictos muro e deffensor.

---

250 NH2, PN4, HH1, BC3: nin fue Alixandre / MN31: tal caval-
      gada
251 SA1, PM1: jamas fue fallado / SA10: jamas este fablando sino
252 MN6: amoroso tanto sofridor; PN4: amoroso tanto y sofridor;
      PN8: amoroso tanto y soffrido / MN8, SA10, RC1, PN10,
      PN12, HH1: cauto e suffridor / SA1: cabto seruidor
253 SA1: mas querer ser
254 MN31: que cruel benigno / MN31, PM1, HH1, ML3, TP1,
      YB2: benigno piadoso
255 PN4: clemencia e cilla
256 NH2, HH1, TP1, YB2: muro deffensor / PN4, PN8, PN12:
      defendedor

---

249 *Archiles*: Aquiles. La forma con *r* era la más común en el castellano medieval. No entiendo por qué *Amador* (pág. 109) prefirió la
forma «Achiles».
250 *Alexandre*: Alejandro Magno.

XXXIII

Éste los selvajes siguió de Diana,
e sabe los colles del monte Riffeo;
corrió las planezas de toda Espartana,
e los fondos valles del grand Perineo.

260

---

257   HH1: de Dardania
258   RC1, PN10, PN4, PN8, PN12, dice el verso: e sabe los montes
      colles de Riseo (PN4, PN8: Reseo) / SA1, SA10: collados;
      MN6, NH2, BC3: collos / MN6: del mente / SA1, SA10: Rris-
      teo; MH1: Rrisfeo; NH2, BC3, TP1, YB2: Tipheo; HH1:
      Erissteo
259   ML3: los planetas / MN8, MN31: planetas; HH1: plaçenas /
      NH2, RC1, PN10, PN8, PN12, BC3: España; PN4: Spanya;
      PM1: Espana; SA1, HH1: Espartania

---

257   *los selvajes siguió de Diana: selvaje* significa comúnmente 'bosque' (cf., p. ej., el *Triunphete de Amor*, estr. VIII, 7). Sin embargo, aquí
es posible que el significado sea 'persiguió' (*Aut*, s.v. 'seguir') los 'animales', porque Diana era protectora de ellos; o sea, al rey le gustaba la
caza. Cf. la glosa al *Proverbio LIV*: «Dianna deesa fue de castidat, e de
todo punto dada al venático uso e de plaçer de la caça»; y el *Triunphete
de Amor*, estr. I, 1-2: «Siguiendo el plaziente estilo / a la deesa Diana».
258   *colles:* colinas, collados.—*monte Riffeo:* los montes Rifeos, también llamados 'Hiperbóreos', se situaban en Escitia. En la *Primera Crónica General de España* (publicada por Ramón Menéndez Pidal, I, Madrid, Gredos, 1955, 3, pág. 5), leemos que el río «Thanais nace en los
montes Ripheos y es moion entre Asia y Europa». San Isidoro menciona en sus *Etimologiae* también montes con el mismo nombre, pero
situados en el extremo de Alemania (Isidori Hispalensis Episcopi, *Ety-
mologiarvm sive Originvm Libri XX,* recognovit brevique adnotatione
critica instrvxit, W. M. Lindsay, 2 vols., Oxonii, 1911, XIV, 8, 8).
259   *planezas:* llanuras.—*Espartana:* Esparta. Con toda probabilidad
emplea el poeta la forma *Espartana* para obtener la rima necesaria con
Diana.

La selva nonbrada do vençió Theseo
el neptunal toro, terror de las gentes,
éste la ha follado con pies diligentes,
264   e sobra en trabajos al muy grand Oeteo.

---

262 SA8, MN31, MN6, NH2, ML3, YB2: neptual; SA1, SA10:
     neptomal; RC1, PN10: nepturnal; PM1: neturnal / HH1, pri-
     mer hemistiquio: el minotauro / MN6: neptual tono
263 la om. SA1, SA10, MN6, NH2, BC3 / HH1: la follo con /
     MN8, MN31, MN6, NH2, PN4, PN8, PN12, BC3: fallado
264 NH2, PN4: sobro; PN8, BC3: sobre; HH1: sofra / PN4: en
     trabaio; PN8: en tebaio / muy om. SA1, SA10, HH1 / MH1:
     grand Octeo; SA1: grand Çires oreo; SA10: gran Çieres oreo;
     NH2, BC3: gran Cetrero; RC1, PN10: gran Çiteo; PN4,
     PN12, PM1: grand Çeteo; HH1: grand Eristeo

261-262 *la selva nonbrada do vençio Teseo* / *el neptunal toro:* según
CARLA DE NIGRIS («La 'Comedieta de Ponça' e la 'General Estoria'»,
Medioevo Romanzo, II (1975), págs. 155-156), se refiere a la caza y
muerte del jabalí de Calidón, que como se lee en la *General Estoria* (Segunda Parte, I, *ed. cit.*, pág. 440) vivía en «una selua de grandes aruoles
e espessa», y «podrie seer de cuerpo tamanno como un toro guisado»
(*ibídem*, pág. 439). El único elemento difícil de interpretar parece ser
neptunal (DE NIGRIS, *art. cit.*, pág. 156). Sin embargo, creo haber encontrado la solución en la misma *General Estoria* (Segunda Parte, II,
ed. cit., cap. CCCXCIX, pág. 7), donde leemos sobre el *toro* de Creta:
«las vnas estorias dizen que lo dio Jupiter al rey Minos, e las otras que
Neptuno (de ahí *neptunal*). Otrosi las vnas cuentan que lo priso Ercules, e lo ato, e que lo dexo asi atado en el *monte* (que como 'montaña' puede tener el significado de 'bosque' (*Aut*); cf. el *Sueño*, estr.
XXV, 6) Maraton; e despues desto que lo mato *Teseo*, fiio de Egeo, rey
de Atenas».—*nonbrada:* célebre, famosa.
     263 *follado:* pisado.
     264 *sobra:* véase nota al v. 240.—*Oeteo:* Hércules, que se quemó
vivo en el monte Eta (Oeta) en Tesalia. Una de las dos tragedias que
Séneca dedicó a la figura de Hércules lleva como título *Hercules Oetaeus* (véase el *Apéndice A*).
     Esta estrofa se refiere, en sentido general, a la política transpirenaica
del rey.

XXXIV

Assí del segundo me passo al terçero,
en grand fermosura egual a Absalón,
graçioso, plaziente, de sentir sinçero,
268   ardid, reposado, subjecto a razón;
non me pienso Orfeo tanta perfecçión
obtuvo del canto, nin tal sentimiento;
éste de Dios sólo ha fecho çimiento,
272   e sigue las vías de justo varón.

Rúbrica: El señor infante don Enrrique

---

265   SA1, SA10, HH1: asi degradando me
266   SA1, comienza: de grand / NH2: fermosura y egual / a om.
      SA1, SA10, NH2, PN4, PN8, PM1 / HH1: ygual de Absalon
267   TP1, YB2: plaziente en sentir / SA1: plaziente desento synçero;
      SA10: plaçiente esento sinçero
268   NH2, PN4, BC3: ardido
269   me om. SA1, MN8, MN31, SA10, PM1, ML3 / MN8, ML3:
      non pienso que Orpheo
270   MH1: del canpo nin
271   de om. SA1, SA10 / TP1, YB2, termina: hecho su cuento
272   TP1, YB2: ssyguio / PM1: las vidas; HH1: la via / MN31,
      NH2, RC1, PN10, PN4, PN8, PN12, HH1: del justo (PN8:
      juste)

---

266   *Absalón:* tercer hijo de David. Su hermosura era proverbial;
cf. p. ej., el *Razonamiento que faze Juan de Mena con la Muerte*
(N. B. A. E. 19, 35, vv. 49-50): «No dejaste Absalón / por la gran fermosura».
268   *ardid:* véase nota al v. 27.
269   *Orfeo:* esposo de Eurídice, famoso músico y poeta.
272   *de justo varón:* cf. la nota al v. 196.

XXXV

Vengamos al quarto, segundo Magón,
estrenuo, valiente, fiero e belicoso,
magnífico, franco, de grand coraçón,
276   gentil de persona, affable, fermoso;
su dulçe semblante es tan amoroso
que non es bastante ninguna grand renta
a suplir deffectos, segund él contenta
280   al militar vulgo, pero trabajoso.

Rúbrica: El señor infante don Pedro

---

274   SA1, MN31, NH2, PM1, BC3, TP1, YB2: estremo; MH1: stre-
nuo / e om. NH2, RC1, PN10, PN4, PN8, PN12, HH1 / SA1:
e valicoso; SA10: e valioso; HH1: valiosso
275   PN4, PN8, dice el verso: magnifico grande franco coraçon /
YB2: franco y de
276   de om. SA10 / SA10: persona en fabla; NH2: persona he fabla / HH1, segundo hemistiquio: en fablar muy graçioso /
PN8: fermoroso
277   TP1, YB2, segundo hemistiquio: a nos da gran rrenta / SA1:
tanto amoroso
278   SA10, HH1, comienza: ca non / el verso falta en TP1, YB2
279   MN6, NH2, comienza: de suplir
280   SA1, SA10, NH2, PM1: pro trabajoso

---

273   *Magón:* general cartaginés, hijo de Amílcar Barca y hermano de
Aníbal, con quien colaboró en la campaña de Italia.
274   *estrenuo:* valiente.
276   *persona:* presencia.—*affable:* agradable en el trato.
278   *renta:* beneficio.

XXXVI

Quanto a los varones aquí sobresseo
e passo a la insigne mi fija primera,
de los humanales corona e arreo,
e de las Españas claror e lumbrera;

284

---

281   a om. SA10
282   MN8: la antigua mi / NH2, BC3: insigna
283   SA1, SA10, MN6, NH2, HH1, BC3, TP1, YB2: de las
284   NH2: Spanyas

---

281   *sobresseo:* termino.
282   *mi fija primera:* doña María, esposa de Juan II de Castilla.—*arreo:* véase nota al v. 218.

284   *las Españas:* el plural revela la conciencia de que España estaba
constituida de diferentes partes o es el término clásico a causa de la di-
visión romana de la Península en Tarraconensia, Baetica y Lusitania
(véase JOSEPH E. GILLET, *Propalladia and other works of Bartolomé de
Torres Naharro*, Edited by ..., III, Notes, Bryn Mawr, Pennsylvania,
1951, nota 264, págs. 793-796). Cf. el v. 329 de la *Comedieta:* «Estos,
posseyendo las grandes Españas». Según María Rosa Lida se utiliza el
término España(s) en la obra de Santillana en sentido geográfico o ela-
tivo, a diferencia de Juan de Mena, quien en su *Laberinto* emplea el término España en el sentido político de unidad de todas las regiones de la
Península bajo la supremacía de Castilla *(Juan de Mena, ..., op. cit.,*
pág. 543, nota 7). No comparto esta interpretación. También en la *Comedieta* está presente la preocupación por la unidad española. Santillana
presenta a «la gente de España» (v. 553) toda: juntamente con los de
Aragón, Navarra, Cataluña, Valencia, Mallorca, Cerdeña, Sicilia, Cór-
cega, etc., participan también castellanos, leoneses y andaluces en la batalla naval de Ponza; se trata, pues, de una empresa común. Por eso, estoy completamente de acuerdo con el profesor Lapesa cuando dice que
tanto Santillana en su *Comedieta*, como Mena en su *Laberinto* «defien-
den una tesis providencialista, los dos rebosan exaltación nacional y
anuncian algo que los Reyes Católicos habían de consumar» *(La obra
literaria..., op. cit.,* págs. 115-116). En su reseña de mi edición de 1976
(pág. 368), Metzeltin no concuerda con esta explicación. Según él el
verso en cuestión refiere a la «Ehrgeiz des Antequera-Hauses, auch
über Kastilien zu herrschen».—*lumbrera:* «Persona insigne y esclare-
cida, que con su virtud y doctrina enseña e ilumina a otros» *(DLE).*

ésta se demuestra, com*m*o primavera
entre todo el año, çerca las más bellas,
e qual feba lu*n*bre entre las estrellas,
288   e aprés fontanas fecu*n*da ribera.

Rúbrica: La muy magnífica señora doña María rreyna
de Castilla

---

285   MN31, HH1: se muestra
287   PN4, PN8, comienza: el qual; HH1, comienza: es febea; ML3,
       comienza: aquel feba / MN8, NH2, HH1, BC3: febea; TP1,
       YB2: febal / MN6: qual fenbra luze entre / NH2: entra / PN4:
       strellas
288   e *om.* SA1, PM1, HH1 / MN31, HH1: apres de fontanas /
       SA1, SA10, HH1: facunda; PM1: focunda; TP1, YB2: rrecunda

---

287   *feba lunbre:* luz del sol *(febo:* perteneciente a Febo y al Sol).

288   *aprés:* 'aprés de' cerca de. *Amador* sigue la lectura de MN31
(Osuna) sin indicar que *Ochoa,* SA8, MN6 y MN8 tienen «apres fontanas».

Se puede decir que por lo general *aprés* tiene el significado de 'después de' y *aprés de* el de 'cerca de' (cf. HANSSEN, *op. cit.,* § 733,
pág. 315). Pero parece que *aprés* y *aprés de* se confundieron: «Paçes he
visto aprés de grand rotura» *(Soneto, IV,* v. 5); «otro día mañana aprés
de los albores» *(Libro de Alexandre.* Edición de Raymond S. Willis,
Princeton-París, 1934, copla 434a). Cf. los vv. 73 y 710 de la *Comedieta.*

XXXVII

Ésta de los dioses paresçe engendrada,
e con las çelícolas formas contiende
en egual belleza, non punto sobrada,
292   ca non es fallado que en ella se emiende.
Si la gerarchía en esto se offende,
a mí non increpen, pues soy inculpable,
ca razón me fuerça e faze que fable,
296   e de todo blasmo mi fablar deffiende.

---

289   los *om.* SA10 / NH2: engendrana
290   RC1, PN10: celonicas; PN4, PN8, PN12: celiconas / MN6,
       TP1, YB2: entiende
291   TP1, YB2, comienza: con egual
293   la *om.* HH1 / BC3: este
294   non *om.* MN6 / MH1, PM1: increpe; NH2, BC3: increpan
295   HH1, comienza: que rrazon / PM1: e me façe
296   de *om.* SA10 / PM1: todo blason / SA1, SA10, HH1: mi fabla

---

289   *engendrada:* criada, procreada.
290   *çelícolas formas:* las diosas ('celícolas': pertenecientes al
cielo).—*contiende:* compite.
291   *punto:* refuerza la negación (cf. K. W. WAGENAAR, *Étude sur la
négation en ancien espagnol jusqu'au XVe siècle,* Groninga, La Haya,
1930, págs. 82-83).—*sobrada:* véase nota al v. 240.
292   *ca non... emiende:* porque no hay nada en ella que se pueda corregir, o sea, ella es el colmo de perfección.
294   *increpen:* reprendan. Según *Corominas* (s.v. 'quebrar'), el verbo
aparece por primera vez en *Aut.*
296   *blasmo:* censura, murmuración.

XXXVIII

Ésta de Sibilla del su nascimiento
fue jamás nodrida, fasta la sazón
que, commo dezena, por meresçimiento
es ya del colegio del monte Elicón.

300

---

297 RC1, PN10: esta en Seuilla fue el su / SA1, MN31, PM1,
     SA10, ML3, TP1, YB2: Seuilla; PN12, HH1: Sebila / PN4,
     PN8, PN12, PM1: de su
298 RC1, PN10, primer hemistiquio: e fue siempre nudrida
299 SA1, SA10, comienza: como decana; HH1, comienza: como
     deesa
300 PM1: monte Elion

---

297 *Sibila:* sin duda se refiere a la sibila más famosa que es 'Eritrea'.
En la glosa a la copla CXXI del *Laberinto,* escribe Hernán Núñez:
«Llama a esta sibilla (Eritrea) el auctor grande: porque fue entre todas
diez la más principal, y predicó muchas cosas del aduenimiento de
nuestro Redemptor Iesu Christo, según sant Augustin escriue en el libro diez y ocho de la ciudad de Dios y Lactancio Firmiano en el primero de las diuinas instituciones y en el libro de la ira Dei» (en *Todas
las obras del famosissimo poeta Iuan de Mena con la glosa del Comendador Fernán Núñez sobre las trezientas,* agora nueuamente corregidas
y enmendadas, En Anvers, En casa de Martín Nucio, 1552, fols. 111-
111 vo.).
298 *jamás:* siempre.
299 *commo dezena:* como décima Musa, porque el «colegio del
monte Elicón» (v. 300) constaba de nueve Musas. Cf. el soneto XXIV,
v. 2, de Garcilaso de la Vega, donde la poetisa italiana doña María de
Cardona es llamada la «décima moradora de Parnaso» (GARCILASO DE
LA VEGA, *Poesías castellanas completas.* Edición de Elías L. Rivers (Clásicos Castalia, 6), Madrid, 1969, pág. 60).
300 *Elicón:* véase la nota a los vv. 13-14.

Ésta, commo fija, sucçede a Catón,
e siente el secreto de sus anphorismos;
ésta de los çielos fasta los abismos
304   conprende las cosas e sabe qué son.

XXXIX

A ésta consiguen las siete donzellas
que suso he tocado en otro logar,
e le van en torno bien commo çentellas
308   que salen de flama o ríos de mar:

301   NH2, BC3: como a fija
302   e om. MN6 / SA1: e sabe el / RC1, PN10, PN4, PN8, PN12:
      los secretos / NH2: de los anforismos / SA1, HH1: ynfo-
      rismos; MH1: anforisimos
303   PN10: fasto / ML3: fasta a los
304   SA10: conprehende de las
306   MN8, PM1, HH1: he contado en
307   SA10, ML3, BC3, TP1, YB2: e lievan en
308   MH1: flamas / MN6: flama e rios

301-302 *Catón / ... anphorismos:* alusión a los *Catonis Disticha,*
muy populares en la Edad Media (véase JOSEPH NÈVE, *Catonis Disticha,*
facsimilés, notes, liste des éditions du XVᵉ siècle, Lieja, 1926, págs. 8-19
y 78-118). Desde el siglo XIII, se trasladaron al español (K. PIETSCH,
«Preliminary notes on two old Spanish versions of the 'Disticha'», en
Decennial Publications of the University of Chicago, First serie, VIII,
Chicago, 1903, págs. 191-212). Cf. también MENÉNDEZ PIDAL, *Poesía
juglaresca y orígenes de las literaturas románicas,* 6.ª ed., Madrid, 1957,
pág. 143.
302   *siente:* véase nota al v. 55.
305   *consiguen:* siguen.
306   *suso:* arriba.

las tres son aquellas que fazen logar
en el paraýso al ánima digna,
e las quatro aquellas a quien la doctrina
312   de Cato nos manda por sienpre observar.

---

309   SA10, comienza: las con aquellas / SA1: tres con aquellas /
       MH1: fazen folgar; NH2: fazen bogar; TP1, YB2: hazen holgar
310   TP1, YB2: ell anima
312   SA1: del Caton / MN6, RC1, PN10, PN4, PN8, dice el verso:
       del Cato e del griego nos manda obseruar; MH1, dice el verso:
       de Cato e de griego nos manda obseruar; NH2, PN12, PM1,
       BC3, dice el verso: de Cato e del griego nos manda obseruar;
       TP1, YB2, dice el verso: de Caton y griego nos manda obse-
       ruar / SA1, SA10, HH1, TP1, YB2: Caton / SA1, SA10, HH1:
       nos manda jamas obseruar / ML3: syenpre servar

---

310   *digna:* rima con 'doctrina' (v. 311). CORREAS observa en su
Arte de la lengua española castellana (apud H. GAVEL, *Essai sur l'Évo-
lution de la Prononciation du Castillan, depuis le XIVme siècle...*, París,
1920, pág. 210): «Con este sonido (= g) no es final, aunque se halle en
palabras ajenas final de sílaba; como en magno, enigma, digno, agnus
dei, en los cuales los Romancistas la qitan i dizen Carlomano, enima,
dino, anus dei». Y Juan de Valdés escribió sobre el tema: «quando es-
crivo para castellanos, y entre castellanos, siempre quito la g y digo si-
nificar y no significar, manifico no magnifico, dino y no digno, y digo
que la quito, porque la lengua castellana no conoce de ninguna manera
aquella pronunciación de la g con la n...» *(Diálogo de la lengua.* Edición de Juan Manuel Lope Blanch (Clásicos Castalia, 11), Madrid, 1969,
pág. 96).
311   *quien:* el plural de *quien* se creó en el siglo XVI (cf. MENÉNDEZ
PIDAL, *Manual..., op. cit.,* § 101, pág. 263).
312   *Cato:* Catón el 'Censor' o el 'Viejo', de quien se dijo que había
compuesto un libro de preceptos morales para su hijo (JOSEPH NÈVE,
ed. cit., pág. 5). O ¿será otra vez una alusión al autor de los dísticos,
puesto que en la Edad Media se confundieron el anónimo autor de los
preceptos sapienciales y Marco Porcio Catón (véase JOSEPH NÈVE,
ed. cit., pág. 5).—*Cato.* Es la transcripción de nominativo, un proceso
bastante común en la lengua medieval. Cf. 'Lidus' (v. 768). Más ejemplos en MARÍA ROSA LIDA DE MALKIEL, *Juan de Mena, ..., op. cit.,*
págs. 269-270.

XL

Yo non fago dubda que si de Catullo
hoviesse la lengua o virgiliana,
e me soccorriessen Proporçio e Tibullo,
316   e Libio, escriviente la gesta rromana,
atarde podría, nin Tulio, que explana
e çendra los cursos del gentil fablar,
con pluma abondosa dezir e notar
320   quánto de virtudes es fija çercana.

---

313   TP1, YB2: non hallo dubda / HH1: Catulio
314   la om. SA1, SA10
315   HH1, comienza: o me / BC3: soccorressen; SA1, SA10, TP1,
       YB2: socorriese; PM1: socoriese / NH2, BC3: socorriessen
       Oracio y / MN6: Proporaçio; TP1, YB2: Proorcio / HH1: e
       Tulio; RC1, PN10, PN4, PN8, PN12, PM1: Tribulo
316   SA1, primer hemistiquio: el libro estremente la; SA10, primer
       hemistiquio: e libro estramente; HH1, primer hemistiquio: que
       libre escriuio / PM1: escriuiese
317   SA1, segundo hemistiquio: en tal son que esplana; SA10, se-
       gundo hemistiquio: no tal son que esplana / NH2: nin Julio
       que; HH1: nin Ouidio que
318   MN8, comienza: acendra / SA1, SA10: e gronda los / NH2,
       RC1, PN10, PN4, PN8, PN12: de gentil
319   PN12: pruma

---

313   *Catullo:* Cayo Valerio Catulo, poeta latino (¿84?-54 a. de J.C.).
314   *virgiliana:* véase nota al v. 208.
315   *Proporçio:* 'Propercio', poeta latino (¿47?-15 a. de J.C.).
Tibullo: Albio Tibulo, poeta elegíaco latino (¿54 a. de J.C.?-19 d.
de J.C.).
316   *Libio, escriviente la gesta rromana:* Tito Livio, autor de *Ab urbe
condita libri..* Cf. SCHIFF, *La bibliothèque...*, *op. cit.*, págs. 95-101.
317   *atarde:* a duras penas, con gran dificultad. Cf. la estr. 707, a b
del *Libro de Buen Amor (ed. cit.):* «de pequeña cosa nace fama en la
vezindad; / desque nace, tarde muere, maguer non sea verdat». La significación 'lentamente', como indica Amador (pág. 533), no da sentido
al verso.—*Tulio:* véase la nota a los vv. 247-248.—*explana:* describe
menudamente.
318   *çendra:* acendra, purifica.—*los cursos del gentil fablar:* lo hace
Cicerón en *De Inventione,* traducido por Alonso de Cartagena hacia
1422, o en la *Rhetorica ad Herennium,* atribuida a Cicerón y traducida
al castellano por Enrique de Villena entre 1427 y 1428 (LAPESA, *La
obra literaria...*, *op. cit.* pág. 169).

XLI

La última fija non pienso la prea
o griega rapina fuesse más fermosa,
nin la fugitiva e casta Penea
324   tan lexos de viçios, nin más virtüosa;
la su clara fama es tan glorïosa
que bien es diffícil en tan nueva edad
vençer las passiones de humanidad,
328   e ser en bondades tanto copïosa.

Rúbrica: La señora rreyna doña Leonor rreyna de Portogal.

---

321   SA1, comienza: e la / PM1: non pieses la
322   SA10, comienza: e gixeca; NH2, BC3, comienza: a griega /
      SA1, SA10, HH1, YB2: rrapiña / MN6: fue mas
323   SA1, SA10, comienza: que la / la *om.* NH2, BC3 / SA10, PM1:
      fugitana / MN8: fugitiua nin casta; MN6, NH2, BC3: fugitiua
      o casta / PM1: fuchitana e casa Penea
324   SA1, SA10: e tan / SA1, SA10, segundo hemistiquio: e tan vyrtuosa
325   BC3: sua / PM1: su cara fama / SA10: es tanto famosa / NH2,
      BC3: tan radiosa
326   SA1, SA10, comienza: ca bien / tan *om.* SA1, SA10
328   PN4, PN8, comienza: esser en / MN31, MN6, PN4, PN8,
      TP1, YB2: a tan copiosa; RC1, PN10, PN12, ML3: tan copiosa

---

321-322   *la prea / o griega rapina:* se refiere a Helena, mujer de Menelao, cuyo rapto por Paris causó la guerra troyana.—*prea:* presa (del lat. 'praeda').—*rapina:* presa (del lat. 'rapina'). Hoy día 'rapiña'.

323   *la fugitiva e casta Penea:* alusión a Dafne, hija de Peneo, Cuando Apolo trató de seducirla, ella huyó y al punto de ser alcanzada por Apolo fue transformada en laurel por Peneo. Cf. *Metamorfosis, ed. cit.,* I, vv. 452-567.

En su estudio «Ekphrasis in Juan de Mena and the Marqués de Santillana» (*Romance Philology*, XXXV (1982), págs. 609-616), Diane Chaffee muestra lo diferente que es la 'ecphrasis' medieval y prerrenacentista de la de los tiempos posteriores: Santillana en su *Comedieta* y Mena en *La Coronación* «had recourse to ekphrasis as dramatic portrayal of person and character; as enumeration; and as religious, prophetic, and moral allegory and iconography. Unlike their successors, they refrained from including in their verse such ekphrases as were verbal descriptions of painting or art objects» (pág. 616).

XLII

Éstos, posseyendo las grandes Españas
con muchas regiones que son al poniente,
del fin de la tierra fasta las montañas
332   que parten los galos de la nuestra gente;
el curso celeste, que de continente
faze e desfaze, abaxa e prospera,
bien commo adversario, con buelta ligera,
336   firió sus poderes con plaga nuziente.

---

329   NH2, BC3, TP1, YB2: estas / MH1, NH2, PN4, PN8: Spañas
330   NH2: son el poniente / SA10: al oryente
331   NH2: terra
332   SA1, MH1, NH2, RC1, PN10, PN12, PM1, HH1: gaulos;
     MN8, MN31, PN4, PN8: gallos / NH2, PN8: nostra
334   SA8, SA1, MN6, TP1, YB2: faze desfaze / MN6: desfazen /
     SA1: abaxa prospera
335   NH2, BC3: aduersario qui (BC3: que) con
336   PN4, PN8: plaga luziente

---

330   *poniente:* occidente.
332   *galos:* franceses.
333   *el curso celeste:* o sea, la actuación de la Fortuna.—*de conti-*
nente: con presteza, en seguida.
336   *plaga nuziente:* plaga nociva.

XLIII

Non pienses, poeta, que çiertas señales
e sueños diversos non me demostraron
los daños futuros e vinientes males
340 de la rreal casa segund que passaron;
que las tristes bozes del buho sonaron
por todas las torres de nuestra morada,
do fue vista Yris, deessa indignada,
344 de quien terresçieron los que la miraron.

Rúbrica: De cómmo la señora rreyna madre de los
rreyes rrecuenta a Johan Bocaçio algunas señales que hovo del su infortunio

---

337 NH2, BC3: piensas / PN4, PN8: pienses por tal que / NH2,
PN4, PN8, BC3: ciertos
338 NH2, BC3: suenyos aduersos / MN6, segundo himistiquio, a
mi demostraron / non *om.* RC1, PN10, PN4, PN8, PN12 /
YB2: mostraron
339 MN6: los años futuros / RC1, PN10: ueniente
340 HH1, comienza: do la / el verso falta en SA10
341 TP1, YB2, comienza: ca las / PM1: que las tres bozes / NH2:
tristas / SA10: bufo
342 NH2: nostra
343 PM1: Eris; ML3: Vris
344 SA1, comienza: la qual terreçio a los; SA10, comienza: la cual
therreçio los; HH1: de la qual tereçieron / MN8: tristescieron

---

337-339 *çiertas señales / e sueños diversos... / ... vinientes males:*
para la teoría del carácter premonitorio de los sueños, véase REGULA
LANGBEHN-ROHLAND, *art. cit.,* págs. 424-425.
341 *las tristes bozes del buho:* el búho es mensajero de catástrofes y
tristeza (cf. MIGUEL HERRERO Y MANUEL CARDENAL, *art. cit.,* pág. 24;
OVIDIO, *Metamorfosis,* ed. cit., V, v. 550: «ignavus bubo, dirum morta-
libus omen»).
343 *Yris:* 'Iris' fue considerada también como mensajera de noticias
funestas *(EVI).*
344 *terresçieron:* se asustaron, se llenaron de pavor.

XLIV

Assí fatigada, turbada e cuydosa,
temiendo los fados e su poderío,
a una arboleda de frondes sonbrosa,
348   la qual çircundava un fermoso río,
me fue por deporte, con grand atavío
de muchas señoras e dueñas notables;
e commo entre aquéllas hoviesse de affables,
352   por dar qualque venia al ánimo mío,

---

345   NH2, RC1, PN10, PN4, PN8, PN12: cuytosa
346   PN4, PN8: teniendo
347   SA1, SA10, NH2, HH1: frondas; PM1: frundas / SA1, SA10,
      HH1: frondas sabrosa
348   SA1: vn fondo rrio; SA10: vn muy fondo rrio
349   MN6, comienza: que fue / SA1: fuy / HH1: gran conpanio
351   e om. NH2, BC3 / SA1: entre ellas ouiese / PM1: ouiesen / de
      om. NH2, TP1, YB2 / NH2, BC3: efables
352   SA1: qualquier; SA10: cual; NH2: qualqua / TP1, YB2: qual-
      que via al / PN8: a la animo

---

345   *cuydosa:* mortificada.
351   *affables:* véase nota al v. 276.
352   *qualque venia:* alguna distracción.—*mío:* no conviene poner un
punto final tras *mío,* como hicieron Foulché-Delbosc y Azáceta, porque
la frase principal sigue en la estrofa siguiente.

XLV

fablava*n* novelas e plazie*n*tes cue*n*tos,
e no*n* olvidava*n* las antiguas gestas
do son co*n*tenidos los avenimientos
356   de Mares e Venus, de tr*i*unfos e fiestas;

---

353   MH1: ffablaua; PN8: fabalauan / SA10: fablauan noblezas pla-
        çientes
354   MN31, ML3: oluidaua / TP1, YB2: las angustias gestas
356   SA8, MN31, PM1, ML3: Mares de Venus / MN31, RC1,
        PN10, PN4, PN8, PN12, PM1: Venus triunphos; SA10: Venus
        e triunfos; NH2: Venus y de triumfos

---

353 *novelas:* Covarrubias (*Tesoro de la Lengua Castellana*, Parte
primera, compvesto por el licenciado..., Madrid, 1674) define 'novela'
como «vn cuento bien compuesto o patraña para entretener los oyentes,
como las nouelas de Bocacio».
Se ve que el vocablo no se introdujo a fines del siglo XV, como dice
Terlingen (*op. cit.*, pág. 96).
355 *avenimientos:* sucesos, acaecimientos.
356 *Mares:* Marte, dios de la guerra.

allí las batallas eran manifiestas
de Troya e de Tebas, segund las cantaron
aquellos que Apolo se recomendaron
360   e dieron sus plumas a fablas honestas.

XLVI

Allí se fablava de Protheselao
e cómmo tomara el puerto primero;

---

358   SA1, SA10: de Tebas e Troya / PN4, PN8, TP1, YB2: de
       Troya e Thebas / SA1, NH2, RC1, PN10, PN4, PN8, PN12,
       PM1, HH1: contaron
359   PN10, BC3: aquellas / ML3, MN31, SA10, TP1, YB2, BC3,
       PN12: a Apolo (PN12: a Poro)
360   sus om. ML3 / MN8, TP1, YB2: plumas affables; PN4, PN8:
       plumas e fablas
361   SA1, SA10: se fabla; RC1, PN10, PN4, PN8, PN12, PM1: se
       nonbraua / RC1, PN10, PN12: Protesalau; NH2, BC3: Potre-
       salao
362   e om. SA1, SA10, RC1, PN10, PN4, PN8, PN12, PM1 / MN6:
       e de como / RC1, PN10, PN4, PN8, PN12: puerco

358-359   *cantaron/aquellos:* la guerra troyana fue 'cantada' por Homero en su *Ilíada,* y la guerra contra Tebas por Estacio en la *Tebaida*
(cf. el *Sueño,* estr. LIX, 5-6: «e de la tigre ensañada / en la Thebaida
leí».)
    Las dos guerras están descritas también en la *General Estoria,*
Segunda Parte, I, *ed. cit.,* caps. CCXVIII y sigs. (Tebas); y II,
ed. cit., caps. CDXXXVII y sigs. (Troya).
    359   *que Apolo se recomendaron:* aquí la preposición *a* se fundió con
la *a* inicial del vocablo siguiente. Cf. las *Coplas de don Jorge Manrique
por la muerte de su padre,* estr. IV, 7: «Aquél (= a aquél) sólo m'enco-
miendo (en JORGE MANRIQUE, *Poesía.* Edición de Jesús-Manuel Alda
Tesán, Madrid, Cátedra, 1976, pág. 146), y DIEGO DE SAN PEDRO, *Cár-
cel de Amor:* «me ha obligado amarte (= a amarte) (edición de Keith
Whinnom (Clásicos Castalia, 39), Madrid, 1971, pág. 93).
    361-362   *Protheselao / ... puerto primero:* cf. la *General Estoria,* Se-
gunda Parte, II, *ed. cit.,* cap. DLXIII, pág. 136: «E dieron la delantera a
Protesilao e a Procano. E estos dos prínçipes... fueron los que entraron
primero en el puerto de Troya».

allí del oprobrio del rrey Menalao,
364   allí de Tideo, el buen cavallero,
allí de Medea, allí del Carnero,
allí de Latona, allí de Fitón,
allí de Diana, allí de Actheón,
368   allí de Mercurio, sotil mensajero.

---

363   RC1, PN10, PN12: Menelau; PN8: Menelas
364   en PM1 los versos 364-368 tienen el orden siguiente: 365-366-
      367-364-368
365   NH1, BC3: de carnero / SA10: del cervero
366   PN4, PN8: de Tona / SA1, MN31, SA10, HH1, TP1, YB2: Fe-
      ton; PM1: Preton
367   todos los códices, con excepción de MN6: Ant(h)eon

---

363   *oprobrio del rrey Menalao:* la deshonra de Menelao, rey de La-
cedemonia, a causa del rapto de su esposa Helena por Paris.

364   *Tideo, el buen cavallero:* esposo de Deípila y padre de Diomedes. Fue uno de los siete caudillos que atacaron la ciudad de Tebas.

365   *Medea:* hechicera, hija del rey de la Cólquida. Se enamoró de
Jasón, el jefe de los argonautas.—*Carnero:* el 'vellocino de oro', conse-
guido por Jasón con la ayuda de Medea. Esta historia se cuenta en la
General Estoria, Segunda Parte, II, *ed. cit.,* caps. CDLIX-CDLXI,
págs. 65-67.

366   *Latona:* madre de Apolo y Ártemis.—*Fitón: Amador* (pág. 116)
pone «Pheton» (por 'Faetón'), que es la lectura de MN31, sin mencionar que *Ochoa* y los mss. SA8, MN6 y MN8 leen *Fiton* o 'Phiton'. Se
trata de 'Pitón', una serpiente monstruosa que persiguió a Latona hasta
que Apolo la mató. En el *Sueño,* estr. VII, Apolo es llamado «el adverso del Phitón».

367   *Actheón: Amador* (pág. 116) deja de mencionar que sólo MN6
tiene «Acteon». No cabe duda de que el autor en este verso, donde primero menciona a «Diana», se refiere a 'Acteón'. Acteón fue convertido
por Diana en un ciervo. Cf. el *Sueño,* estr. XLIII, 6: «recordéme de
Acteón».

368   *Mercurio:* dios del comercio, mensajero de los dioses.

XLVII

Allí se fablava del monte Pernaso
e de la famosa fuente de Gorgón,
e del alto buelo que fizo Pegaso,
372   contando por horden toda su razón;
e todo el engaño que fizo Sinón
allí se dezía, commo por enxemplo,
e de las serpientes vinientes al tenplo,
376   e cómmo se priso el grand Ylÿón.

369   RC1, PN10: se nonbraua
370   NH2, BC3: la fermoza fuente / SA1, SA10: la fermosa puente
      de / PM1: famosa fuerça de
371   NH2, BC3: fize / NH2, BC3: Pagazon
372   BC3: contanto
373   SA1: e del grand engaño; SA10: e de todo; HH1, comienza:
      ally del engaño / SA1, HH1: Symon
374   SA10, RC1, PN10, PN8, PN12, comienza: asi / MN6: desian
375   e om. HH1 / PN4, PN8: la siruientes / SA1, SA10: las sierpes
      venidas al / SA1: al tienpo
376   SA1, SA10, HH1: como fue preso; PN4, PN8: se puso el;
      PM1: se prese el / SA1: preso al grand / PN12: Ilon

369   *Pernaso:* por 'Parnaso'; véase la nota a los vv. 13-14.
370-371   *fuente de Gorgón /* ... *Pegaso:* cf. la nota a los vv. 13-14.
Posible fuente es la *General Estoria,* Segunda Parte, I, *ed. cit.,*
cap. CLXII, págs. 276-277: «Et en alçando se Persseo con ella (= Medusa) nascio duna de las primeras gotas daquella sangre que caye de la
cabesça de Medusa un cauallo con alas muy ligero, e dixieron le Pegaso.
Et este cauallo uolo otrossi, e poso en el mont que dixieron Elicon; et
cauo alli luego con el pie, e en aquella cauadura que el fizo nascio y
una fuente que mano mucha de agua muy clara, e muy sabrosa...»
La fuente se llama 'de Gorgón' porque Medusa, de cuya sangre nació
Pegaso, era una de las tres 'Gorgonas' (véase la nota al v. 40). No co-
nozco ninguna fuente con este nombre junto al jardín de las Hespé-
rides, como dice *Ochoa* (pág. 64).
373   *el engaño que fizo Sinón:* Sinón, primo hermano de Odiseo, a
quien los griegos dejaron en territorio troyano al hacer su falsa retirada,
con la misión de conseguir que los troyanos introdujesen al 'caballo de
madera' en su ciudad. Cf. la *Eneida, ed. cit.,* II, vv. 77 y sigs.
375   *serpientes vinientes al tenplo:* se refiere a las dos enormes serpientes que estrangularon a Laocoonte, sacerdote troyano, y a sus dos
hijos. Cf. la *Eneida, ed. cit.,* II, vv. 199 y sigs.
376   *Ylÿón:* Troya.

XLVIII

Allí se tocava del gentil Narçiso,
allí de Medusa, allí de Perseo,
allí maltractava*n* la fija de Niso,
380   allí memorava*n* la lucha de A*n*theo,
allí de la muerte del niño A*n*drogeo,
allí de Passiffe el testo e la glosa,

---

377   SA1, MN31, SA10, HH1: se contaua / PN4, PN8: de gentil
378   TP1, YB2: de Bresseo
379   SA1: mal traun: PM1: maltrataua
380   PM1: memoraua / PN12, BC3: la luca; PM1: la luja / NH2,
      BC3: la lucha (BC3: luca) tanteo
381   PN4, PN8: de ninon Androgeo / TP1, YB2: Androteo

---

377   *gentil Narçiso:* Narciso, hijo del río Cefiso y de la ninfa Lei-ríope, estando dotado de una gran belleza *(gentil),* se enamoró de sí propio. Cf. OVIDIO, *Metamorfosis, ed. cit.* III, vv. 339 y sigs., y la *General Estoria,* Segunda Parte, I, *ed. cit.,* caps. XXXVIII-XLVI, páginas 165-172.

378   *Medusa... Perseo:* véase la nota a los vv. 370-371.

379   *maltractavan:* criticaban.—*la fija de Niso:* alusión a 'Escila', hija del rey Niso de Megara, la cual le cortó a su padre el pelo purpúreo de que dependía la existencia de su reino, para favorecer a su amado, el rey Minos de Creta. Cf. OVIDIO, *Metamorfosis, ed. cit.,* VIII, vv. 1-151. En el *Decir en loor de la reina de Castilla,* estr. IV, 5-6, se lee: «La gentil fija de Niso / del rey de Creta enartada».

380   *la lucha de Antheo:* se trata de la lucha del gigante Anteo contra Hércules. Cf. la *General Estoria,* Segunda Parte, I, *ed. cit.,* cap. CCCLXXXVI, pág. 451.

381   *la muerte del niño Androgeo:* Androgeo, hijo del rey Minos de Creta, fue asesinado por sus compañeros atletas después de su victoria en los juegos atenienses, a instigación de Egeo, rey de Atenas. Cf. la *General Estoria,* Segunda Parte, I, *ed. cit.,* cap. CCCXXXII, pág. 397.

382   *Passiffe:* por 'Pasífae', mujer del rey Minos. Desde Alfonso el Sabio (p. ej., *General Estoria,* Segunda Parte, I, *ed. cit.,* cap. CCCXXXIII, págs. 395 y sigs.) era *Passiffe* (o *Pasiphe*) la forma más frecuente. Cf. también MARÍA ROSA LIDA, *Juan de Mena,... op. cit.,* págs. 274-275, nota 50.—*el testo e la glosa:* para *texto* y *glosa* en la literatura medieval, véase LEO SPITZER, «En torno al arte del Arcipreste de Hita», en *Lingüística e Historia Literaria,* 2.ª ed., Madrid, Gredos, 1961, págs. 93-101.

allí reçitavan la saña raviosa
384   e la comovida yra de Pentheo.

XLIX

Ya de los temores çessava el conbate
al *ánimo* afflicto, e yo reposava
segura e quieta; de ni*n*gu*n*d rebate
388   nin otro infortunio ya me temorava.
E com*m*o la lunbre febal se acostava,
leva*n*téme leda con mi conpañía,
e por la floresta fezimos la vía
392   del real palaçio donde yo ha*b*itava.

---

383 SA1, HH1: rrecontauan; MN8: resacauan; NH2, BC3: raci-
taua; PM1: rreçitaua / MN31: saña famosa
384 MN31, RC1, HH1: Pantheo; SA1: Ponteo
385 SA10, comienza: yo de / de *om.* ML3 / ML3: çesava de conbate
386 SA1, MN8, MN31, SA10, MN6, NH2, PN4, PN8, PM1, ML3,
BC3: el animo; HH1, comienza: del animo / en PM1 dice el
verso: el animo aflito ya rreposaua
387 e *om.* SA8, MN31, MH1, MN6, NH2, PM1, ML3, BC3, TP1,
YB2 / SA1, SA10: segura que era de / NH2, RC1, PN10,
PN12, PM1, BC3; ningun conbate; PN4, PN8: ningun debate
388 NH2, BC3: infortuno / PM1, HH1: me atemoraua
389 SA10: se encostava / PM1, TP1, YB2, se mostrava
391 e *om.* MH1 / NH2, BC3: la finiestra fizimos
392 MN31, MH1, RC1, PN10, PN4, PN8, PN12, HH1, TP1,
YB2: do yo / SA10, segundo hemistiquio: adonde abitava

383-384 *la saña raviosa / ... de Pentheo:* como ha mostrado Carla
de Nigris *(art. cit.,* págs. 161-162), figura la historia de este rey tebano,
que fue la víctima de la ira de las bacantes, en las *Metamorfosis,* III,
vv. 512-733 *(ed. cit.),* y en la *General Estoria,* Segunda Parte, I, *ed. cit.,*
caps. XLVI-LXVII, págs. 173-193. En ambas fuentes hay frecuentes
alusiones a la *saña* de Penteo.
387 *rebate:* alarma, sorpresa.
389 *la lunbre febal se acostava:* se ponía el sol. Véase nota al v. 287.
390 *leda:* véase nota al v. 140.

L

Mostrado se havía el carro estellado,
e la mi conpaña, liçençia obtenida,
el dulçe reposo buscavan de grado;

396　　e yo retraýme fazia la manida,

393　PN8: mostrando / SA1, MN31, SA10, NH2, PM1, BC3: estre-
llado; PN4: strellado

394　SA1, SA10, HH1: mi conduyta (SA10: condita) liçençia /
MH1, TP1: conpania; NH2: conpanyia; RC1, PN10, YB2:
compañia / SA1, SA10, NH2, PN8, PN12: obtenia; PM1: ote-
nia

395　NH2, PN4, PN8, BC3, comienza: y dulçe; PM1, comienza: y
el / MN8, MN31, NH2, RC1, PN10, HH1, ML3: buscaua;
SA1, SA10: bastaua

396　PM1: retrami / RC1, PN10, HH1: faza / MN6, NH2, RC1,
PN10, PN4, PN8, PN12, PM1, TP1, YB2: fasia mi ma(g)nida

393　*carro estellado:* se refiere a la Osa Mayor, que por la disposición de sus siete estrellas adopta más o menos la forma de un carro.—*estellado:* del lat. 'stellatus'. Con toda probabilidad se trata de un
catalanismo (cf. *Corominas,* s.v. 'estrella').

395　*buscavan:* Amador (pág. 117) optó por «buscava», sin apuntar
que SA8 y MN6 tienen el verbo en plural. Sin embargo, en el castellano
antiguo es muy usual que el verbo vaya en plural cuando el sujeto es un
colectivo (cf. HANSSEN, *op. cit.,* § 484, págs. 185-186).—*de grado:* gus-
tosamente.

396　*manida:* lugar donde recogerse; aquí: aposento, habitación.

en la qual, sobrada del sueño e vençida,
non sé si la nonbre fantasma o visión,
me fue demostrada tal revelaçión
qual nunca fue vista nin pienso fingida.

400

---

397   NH2: sobrado / MN6: sobrada el sueño; HH1: sobrada de
      sueño
399   PN4: demuestrada / SA10: demostrada vna rrevelaçion
400   MN6, NH2, RC1, PN10, PN4, PN8, PN12, PM1, BC3, TP1,
      YB2, segundo hemistiquio: ni menos fingida

---

397   *sobrada:* véase nota al v. 240.

398   *fantasma o visión:* San Agustín distinguió tres tipos de sueño:
'ostensio', en que las imágenes le fueron demostradas al soñador por
Dios; *phantasma,* en que la imagen se construyó en la imaginación sin
corresponder a la realidad, y 'phantasia', en que una imagen se conservó
en la memoria del soñador *(apud* HARRIET GOLDBERG, «Dreams in Medieval Hispanic Literature», en *Hispania,* 66 (1983), pág. 24). En el
Sueño, estr. XX, 6, la 'fantasía' anuncia acontecimientos venideros.
Ahora bien, el término 'visión cierta', que algunos autores medievales
emplean, parece corresponder a la 'ostensio' agustiniana. Así, por ejemplo, se lee en la *Gran conquista de Ultramar:* «Ca esto non entendades
que es *sueño* mas *visión cierta* que vos Dios quiso mostrar» (B. A. E.,
XLIV, pág. 73). Fray López de Barrientos distingue entre 'visiones cier-
tas' y 'fantasmas' (véase HARRIET GOLDBERG, *art. cit.,* pág. 24).
   Por lo tanto, es posible que, en nuestro texto, *visión* tenga este sentido, diferenciándose así de *fantasma.*

LI

Yo vi de Macrobio, de Guido e Valerio
escriptos los sueños que algunos soñaron,
los quales denotan insigne misterio,
404   segund los effectos que de sí mostraron;

---

401   NH2, BC3: Mancobrio; PN4, PN8: Mancrobio / SA1: Mocro-
      bio e de Guido
402   MN6: escrito los / NH2, BC3: que aquellos sunyaron / PN10:
      algunos sonoran
403   MN6, dice el verso: los quales denocta consyguen misterio /
      SA1: denotan e ynsigne, SA10, RC1, PN10, PN4, PN8, PN12,
      NH2, BC3, TP1, YB2: denotan a insi(g)ne / MN8: insignes
      misterios
404   MN6, TP1, YB2: defectos / NH2, BC3: que daçi mostraron

401-402   *de Macrobio, de Guido e Valerio / ... los sueños que algunos soñaron.—Macrobio:* Ambrosio Teodosio Macrobio, autor de un
comentario sobre el *Somniun Scipionis* de Cicerón.—*Guydo:* Guido
delle Colonne, quien en su *Historia de la destrucción de Troya* habla de
los sueños de Hécuba y Andrómaca (cf. *Sumas de Historia Troyana,
ed. cit.,* págs. 149 y 211).—*Valerio:* Valerio Máximo, *Factorum et dicto-
rum memorabilium libri novem,* I, cap. VII, *De somniis* (ed. Lipsiae,
1865). Cf. el *Sueño,* estr. XX., y SCHIFF, *La bibliothèque...,* op. cit.,
págs. 132-134.
404   *effectos:* resultados.

pues oyan atentos los que se admiraron
e de tales casos fizieron mençión,
ca nond será menos la mi narraçión,
408   mediantes las musas, que a ellos guiaron.

Rúbrica: Capítulo do se rrecuenta el sueño de la señora
rreyna, madre de los rreyes

---

405   NH2, BC3: atientos
406   NH2, BC3: fizieron nuncion
407   NH2, BC3, comienza: que non
408   SA10, NH2, HH1, BC3: mediante / HH1: las causas que a
      ello / a *om.* ML3

---

408   *mediantes las musas: Amador* (pág. 118) tiene «mediante» aunque todos los códices que él conocía leen *mediantes.* Se trata aquí de
una cláusula absoluta con participio presente, correspondiente al ablativo absoluto en latín. Este tipo de construcción se empleaba hasta bien
entrado el siglo XVII (cf. ANDRÉS BELLO y RUFINO JOSÉ CUERVO, *Gra-*
mática de la lengua castellana. Edición completa, esmeradamente revisada, corregida y aumentada con un prólogo y frecuentes observaciones
de Niceto Alcalá Zamora y Torres, Buenos Aires, 1952, Notas, número 143, pág. 488).

LII

Obscura tiniebra tenía aquedada
la gente, en el tiempo que a mí paresçía
qu'en pequeña barca me vía çercada
412   de lago espantoso que me conbatía;

---

409 NH2, BC3: obscuras tinebras
410 HH1: gente del tiempo
411 en *om*. MH1, MN6, NH2, PM1, BC3 / HH1: pequeña nave
    me / MN31: me avia çercada; NH2, BC3: me tenia acercada;
    PN8: me veni cercada / RC1, PN10, PN12, TP1, YB2: ueya
412 MH1, NH2, RC1, PN10, PN4, PN8, PN12, BC3: del lago /
    RC1, PN10, PN4, PN8, PN12: me perseguia

---

409 *aquedada:* sosegada, descansada.
410 *en el tiempo que:* con elipsis de 'tal' antes de 'que'; cf. BELLO y
CUERVO, *op. cit.*, § 1063, pág. 326.
411 *en pequeña barca:* falta el artículo indefinido, lo que es muy
frecuente en el español medieval; cf. HANSSEN, *op. cit.*, § 524, pág. 204.
Más ejemplos en la *Comedieta:* «de lago espantoso» (v. 412); «de varón
mançebo», «tenía preçiosa corona» (vv. 730-731), etc.

non creo las ondas de [ponto Galía]
ninguna otra nave assí conbatieron,
nin egual tormenta los teucros sintieron

416   al tienpo que Juno más los perseguía.

---

413   SA1: non creas / SA8, MN8, MN31, MN6, PM1, HH1, ML3:
      de santo Gulia; SA1: de santo Galia; MH1: del santo Gulia;
      SA10: de santa Galia; NH2, BC3: de esta Golia; RC1, PN10:
      del sancto Golia; PN4, PN8, PN12: de sancto Golia; TP1,
      YB2: de astrologia
414   PM1: ni ninguna / NH2, BC3: a ninguna otra nao / MN31:
      otra nuve asi
415   SA1: nin en ygual / NH2: tormento; BC3: tormiento / SA1:
      los tenefos; SA10: los tenedos; NH2, BC3: los sentidos; PN4:
      los eneydos; PN8: los tendos; HH1: los tenosos; TP1, YB2:
      los truenos / el verso falta en MN31
416   NH2, BC3: tempo / MN6, PM1: Junio / mas om. TP1, YB2 /
      NH2, BC3: Juno las mas perseguia

---

413 [ponto Galía]: dadas las variantes, no estoy tan convencido de
que «Golia» («Galía» y «Gulia») es «error tan palmario» por 'Eolía',
como razona Ochoa (pág. 65). Amador (pág. 118) siguió la lectura propuesta por Ochoa. Pero ¿no pudo referirse el autor al 'Sinus Gallicus' o
al 'Mare Gallicum' (= 'Aquitanicus Sinus'), ambos conocidos por sus
tempestades. «ʃanto» podía ser una equivocación por 'ponto'; entonces,
pudiéramos imaginarnos un 'ponto Galia', El paso de 'Golia', etcétera,
a «d'Eolia» (Ochoa) va, a mi juicio, demasiado lejos. También se podría
pensar en la ciudad de 'Sena Gallica', a orillas del mar Adriático, también célebre por su mar tempestuoso.
    Existían también las formas 'Senagallia' o 'Senogallia' (cf. Paulys
Real-Encyclopädie der classischen Altertumswissenschaft, neue Bearbei-
tung begonnen von Georg Wissowa, herausgegeben von Wilhelm Kroll
und Kurt Witte, zweite Reihe (R-Z), zweiter Band, Stuttgart, 1923).
¿Sería 'Santogalia' una trivialización de 'Senogallia'? ponto: mar (del lat.
'pontus').
    415-416   tormenta los teucros sintieron / ... Juno más los perseguía:
cf. VIRGILIO, Eneida, ed. cit., I, vv. 34-123.

LIII

No*n* vi yo a Neptuno en carro dorado
andar por el agua, com*m*o se recuenta,
q*u*ando, de la madre de Amor inplorado,
420 la flota dardania libró de tormenta;
mas Tetis deessa, no*n* punto contenta,
fendida la fusta e sus oquedades,
r juntas con ella las divinidades
424 del mar, aume*n*tava*n* la mi sobrevie*n*ta.

---

417 SA10: non vino Nebtuno; NH2, BC3: non vio a Neptuno / yo
   om. SA1, SA10, NH2, PM1, BC3, TP1, YB2 / ML3: yo en ultimo en
419 SA10: del Amor / NH2, PN4, PN8, BC3: implorada
420 TP1, YB2, comienza: de flota / PN4, PN8: libre / PN4: tor-
   mienta
421 MH1: Techis; SA10: Tenis / NH2, BC3: contienta
422 SA1, SA10, PM1, HH1: fendia la; PN4, PN8: fondida la /
   TP1, YB2: la fuste e sus oydades / MN6, NH2, BC3: aque-
   dades
423 SA1: junta; HH1: junto / MN8, MN31, SA10, MN6, TP1,
   YB2: ellas / SA10: divinidadas
424 HH1, comienza: el mar avmentaua / NH2, PN4, PN8, BC3,
   TP1, YB2: del mal / MN31, NH2, BC3: aumentaua

---

417 y sigs. *Neptuno en carro dorado...*: cf. VIRGILIO, *Eneida*,
ed. cit., vv. 779-821.
419 *la madre de Amor:* la diosa Venus.
420 *dardania:* troyana.
421 *Tetis:* esposa de Peleo, madre de Aquiles.—*non punto:* véase
nota al v. 291.
422 *fusta:* en su interesante libro *Schiffe an den Küsten der Pyre-
näenhalbinsel, Eine kulturgeschichtliche Untersuchung zur Schiffstypolo-
gie und-terminologie in den iberoromanischen Sprachen bis 1600* (Euro-
päische Hochschulschrifte, 6, Frankfurt, 1975, págs. 150-151), Rolf
Eberenz ha mostrado que 'fusta' es «sehr oft ein Sammelbegriff für alle
möglichen Schiffstypen wie Galeeren (...), galeotas (...), naos (...), cara-
belas (...), leños (...), carracas (...), balleneres und barcas (...)». Aquí se
trata de una «pequeña barca» (v. 411). En los vv. 536 y 622, las *fustas*
son 'barcos de guerra'.—*oquedades:* concavidades, partes huecas.
424 *sobrevienta:* susto, preocupación.

LIV

Allí fueron sueltos los fijos de Echina
e de sus entrañas salían yrados,
çercavan en torno toda la marina
428   e la navezilla de entramos los lados;
cubrían las vagas sus baxos tillados,
e Çéffiro e Noto con su grand sequela
quebravan el árbol, ronpían la vela,
432   e davan mis carnes a todos pescados.

---

425 MN31: fueron juntos los / ML3: Achina; RC1, PN10: Echiña
426 SA1: salieron / SA1, SA10, RC1, PN10, PN4, PN8, PN12,
     PM1, HH1: ayrados
427 SA10: torno la toda marina / SA1: mariña
428 SA1: entramos costados / MN31: los fados
429 MH1: cobria / SA10: las aguas sus; PN4, PN8: las vegas sus;
     HH1: las bocas sus / SA10: sus altos tillados; NH2, BC3: sus
     nueuos tellados / MN6: baxos tejados; HH1: baxos colados;
     TP1, YB2: baxos collados
430 MN6: Zefrio / SA10: Çefiro loco con / con om. HH1
431 SA1, SA10: quebrataua; NH2, BC3: quiebran / MN8: el mastel
     rompian; MN31, ML3: el ayre rronpian / SA1, SA10: rronpia
432 SA1, PM1: daua

---

425 *los fijos de Echina:* algunos hijos de 'Equidna' son el Can Cer-
bero, la Esfinge, la Quimera, la Hidra de Lerna y el león de Nemea.
    428 *entramos:* cf. *Corominas,* s.v. 'ambos': «aunque lo que registra
el andaluz Nebrija es ya *entrambos a dos,* todavía los castellanos Garcilaso y Juan de Valdés emplean *entramos* en el siglo siguiente, y éste de-
clara que es mejor vocablo que *ambos».*
    429 *vagas:* olas.—*tillados:* cubiertas de una nave.
    430 *Çéffiro:* 'céfiro', viento del Oeste.—*Noto:* personificación del
viento sur.—*sequela:* séquito.
    431 *el árbol:* el mástil. *Amador* (pág. 119) siguió esta vez MN8,
aunque también la lectura de *Ochoa,* SA8 y MN6 funciona perfectamente.
    432 *pescados:* véase nota al v. 142.

LV

Pues sienta quien siente, si sentido basta,
después de tal sueño yo quál fincaría;
por çierto non creo que en Tebas Iocasta,
436 por bien que recuente su triste elegía,
la su dolor fuesse egual de la mía,
nin de la Troyana, por mucho que Homero
descriva el su caso e sueño mas fiero,
440 commo soberano de la poesía.

---

433 PN8: pues siente quien / MN31: pues sientan quien siente
434 MN8, SA10, HH1, ML3: sueño qual yo fincaria; SA1: sueño
     ya que tal fincaria; MN31: sueño qual yo quedaria; MN6:
     sueño yo que tal ficaria
435 MN8, MN31, SA10, ML3: çierto yo creo / en om. MN31,
     RC1, PN10, PN4, PN8, PN12
436 SA1, MH1: rrecuenten; NH2, BC3: recuenta / triste om.
     MN6 / SA1, SA10, HH1: triste alegria; PN4, PN8: recuente la
     su alegria
438 MN31, primer hemistiquio: nin de la de Troya; TP1, YB2: la
     troya por / PN8: Ouiero
439 NH2, BC3: discriuo; PM1: escriua / el om. MN31, SA10,
     MN6, NH2, ML3, BC3, TP1, YB2
440 SA10, dice el verso: como potente en la gran poesia; PM1:
     como soberana della poseya

---

434 *fincaría:* quedaría.
435-437 *en Tebas Iocasta /* ... */ la su dolor fuesse egual de la mía:*
alusión a la tristeza que Yocasta tuvo al enterarse de que Edipo era su
hijo, o al llanto de Yocasta después de la muerte de Eteocles. Posible
fuente es la *General Estoria,* Segunda Parte, I, *ed. cit.* respectivamente
los caps. CCXL y CCCIX, págs. 337 y 381.
438 *la Troyana:* Hécuba (véase nota al v. 90) o Andrómaca (véase
nota a los vv. 401-402).

LVI

Ya los corredores de Apolo rrobavan
del nuestro orizonte las obscuridades,
e las sus fermosas batallas llegavan
444   por los altos montes a la sumidades;
e bien commo el Teucro e los eneades
firieron las azes e señas de Turno,
ronpió la tiniebra, el ayre nocturno,
448   e fizo patentes las sus claridades.

---

441   NH2, BC3: ya de los / MN6: los corderos de / PN12: Aporo
442   SA1, SA10: de nuestro / NH2, PN8, BC3: nostro
443   las *om.* TP1, YB2
444   SA1: las humanidades; SA10, HH1: vmidades
445   e *om.* HH1 / el *om.* MN6 / SA1, SA10, HH1: Tenefo; MH1,
       NH2, BC3, TP1, YB2: Tenero; ML3: Teucreo; PN4, PN8: Te-
       nelo / PM1: Treuco los / NH2, BC3, TP1, YB2: e las eneades
446   SA1, SA10: rronpieron las; RC1, PN10: fizieron las / SA10: las
       asas; MN6: las fases
447   MN8: tiniebra al ayre; HH1: tiniebra y ayre / SA10: ayre
       diurno
448   sus *om.* MH1 / YB2: clarides

---

441   *los corredores:* los caballos.
443   *las sus fermosas batallas:* son las batallas de la luz contra la os-
curidad.
445   *el Teucro:* Eneas.—*los eneades:* los compañeros de Eneas.
446   *azes:* líneas de batalla.—*señas:* pendones, estandartes.—*Turno:*
rey de los rutulios, enemigo de Eneas; cf. la *Eneida, ed. cit.,* IX-XII.
447   *ronpió:* en el marco de la comparación 'Apolo' tiene que ser el
sujeto.

LVII *

Las nobles servientes las ricas cortinas
corrieron del lecho, e me demostravan
cómmo ya las lunbres, al alva confinas,
452 los cultivadores al canpo llamavan;
e sentí conpañas que murmureavan
por todo el palaçio en son de tristeza,
e yo sospechosa, pospuesta pereza,
456 temiendo inquiría de lo que tractavan.

---

449 SA1, SA10, NH2, RC1, PN10, PN12, BC3: los nobles / PN8:
     noblas / HH1: siruientas
450 SA1: e de si demostrauan
451 y a *om.* SA10 / NH2, BC3: la lumbre / SA1: lunbres las auia
     confinas; SA10; lunbres a la via confinas / PM1: confines
452 HH1: cultiuadores del canpo
453 e *om.* SA10 / SA1, SA10, MN8, MN31, MH1, MN6, ML3:
     murmurauan / en SA10 el verso 454 precede al 453
454 MN8, comienza: e por / todo *om.* SA1, SA10
455 e *om.* SA1, NH2, BC3 / PN8: suspechozo
456 NH2, BC3, primer hemistiquio: temiendo que oyiria / SA10:
     inquiri / MN6: tractaua / en SA10 el verso 456 precede al 455

---

* La estrofa falta en TP1, YB2.

---

450 *corrieron:* descorrieron.
451 *confinas:* cercanas.

LVIII *

E commo Fiameta con la triste nueva
que del peregrino le fue reportada,
segund la tu mano registra e aprueva,
la más fiel de aquéllas, non poco turbada,
la infecta carta, del lucto sellada,
con húmido viso me representó;

460

---

457 e *om.* MN6, NH2, RC1, PN10, PM1, BC3 / MN8: Flameta;
      RC1, PN10, PN12, PM1: Fiumera; PN4, PN8: Fumiera
458 MH1: del pelegrinos fue / MN6: fue representada; RC1, PN10:
      fue presentada; PN4, PN8: fue recuentada
459 NH2: segunt que la mano / tu *om.* MN6, NH2, RC1, PN10,
      PN4, PN8, PN12, PM1, BC3 / ML3: e aperuada
460 MN6, NH2, RC1, BC3: las mas fiel; PN8: las mal fiel / HH1:
      fiel d'ellas non / MN6: poco trabada
461 MN6, RC1, PN10: ynferta; PM1: infita; HH1: ynfata; ML3:
      ynsfesa / SA1, SA10, NH2, PM1, HH1, BC3: de luto; RC1,
      PN10: de luro / MH1: luco; MN6: luro
462 MN6: con vynido vyso

---

* La estrofa falta en TP1, YB2.

---

457 *Fiameta con la triste nueva:* se refiere a la tristeza de Fiameta,
protagonista de la *Elegia di Madonna Fiammetta* de Boccaccio, al oír la
noticia de que su amante Pánfilo la ha abandonado.
459 *la tu mano:* la de Boccaccio. El marqués poseyó un ejemplar de
la *Fiammetta* en italiano (véase MARIO SCHIFF, *La bibliothèque...,*
op. cit., pág. 327).
461 *infecta:* inficionada, contagiada.— *lucto:* luto, duelo, tristeza.
462 *viso:* rostro, faz.

qu*á*l era su forma e qué concluyó
464   qu*i*ero te sea por mí relatada».

Rúbrica: De có*mm*o fue presentada la carta de las señoras rreyn*a*s de Castilla e de Portugal a la señora rreyna su madre, en la qual se faze men-
 çió*n* de la batalla e presión de los rreyes e infante

---

463   SA1, SA10: forma o que / HH1: y en que / PM1: e aqui con-
      cluyo
464   SA1, MH1, MN6, RC1, PN10, PN4, PN8, PN12, PM1, HH1,
      BC3: quiero que te / te *om.* SA10, NH2 / MH1: mi rebatada

---

464   *quiero te sea:* es la lectura de β. *Amador* (pág. 120) siguió el ms.
MN6 dejando de mencionar en las notas a pie de página que SA8 y
MN31 leen como MN8. En el castellano antiguo —así como en el moderno— puede suprimirse la conjunción 'que', sobre todo tras 'verba
dicendi' y 'verba voluntatis'. Cf. el v. 686.

LIX *

«Los altos corajes, rreyna venerable,
mayormente aquellos que naturaleza
formó del comienço de sangre notable,
468   non deve sobrarlos alguna aspereza;
ca los que paçientes sostienen graveza
han de la Fortuna loable victoria,
e d'éstos fizieron los sabios memoria,
472   a quien non sojudga dolor nin tristeza.

Rúbrica: Comiença la carta

---

467   MN6: de comienço / PN4, PN8: del sangre / PM1: sangre
onorable
468   MN31, MH1, MN6, RC1, PN10, PN12, PM1, HH1: ninguna
aspereza; NH2, BC3, PN4, PN8: ninguna aspreza
469   PN4, PN8: los pacientes / SA10, RC1, PN10: paciente / NH2,
BC3, segundo hemistiquio: sufren la crueza
472   SA1: no judga dolor

---

* La estrofa falta en TP1, YB2.

---

465   *corajes:* personalidades fuertes.
468   *sobrar:* véase nota al v. 240.—*alguna aspereza: Amador* (página 121) tiene 'ninguna apereça' y no apunta en las notas la variante de SA8 y MN8. Cuervo (*Diccionario...*, *op. cit.*, s.v. 'alguno') observa sobre este problema: «en consonancia con la sintaxis latina decían a menudo nuestros clásicos *alguno* en frases negativas donde el uso actual exige *ninguno*». Ver también *Textos lingüísticos del Medioevo español* (preparados con Introducciones y Glosario por D. J. Gifford y F. W. Hodcroft, segunda edición corregida, Oxford, 1966), núms. 117: 19 y 119: 14, 17.— *aspereza:* contrariedad, desgracia.
472   *quien:* véase nota al v. 311.— *sojudga:* domina.

LX *

Lo qual, preçedentes recomendaçiones,
las humiles fijas a ti recordamos,
por quanto las graves estimulaçiones,
476   non somos silvestres que non las sintamos;
mas quando en aquéllas constantes llamamos
la graçia de Aquel que fizo a Balán
mudar el intento, e tuvo el Jordán,
480   a todas estrellas e fados sobramos.

---

473   MN8, MN31, ML3: la qual / HH1: proçedientes
474   MN8, MN31, ML3: ti comendamos; SA10: ti rrecontamos;
      NH2, BC3: ti recomendamos
475   MN8, MH1: stimulaciones
476   NH2, PM1, BC3: siluestras / SA10: somos ylustres / PN4,
      PN8: sentamos
477   en om. NH2, BC3
478   MN6, RC1, PN10: fiso de Balam / MN31: Balaan; HH1:
      Laban
479   BC3: al intento / PN4, PN8, PN12, PM1: e fizo a Jordan /
      ML3: tovo Jordan / NH2: tuuo al Jordan
480   PM1: estrellas estados sobranos / PN12: soberamos

---

* La estrofa falta en TP1, YB2.

---

473 *preçedentes recomendaçiones:* para la construcción, véase nota
al v. 408.
474 *humiles:* humildes.—*recordamos: Amador* (pág. 121) prefirió
'commendamos', que es la lección de MN8 y MN31. Según nuestro criterio, es preferible *recordamos,* que da un significado correcto al verso.
475 *estimulaçiones:* tormentos.
476 *silvestres:* necias, torpes.
477 *constantes:* participio presente con el valor de un gerundio. El
significado del verso será entonces: teniendo constancia (firmeza) en
aquellas *estimulaçiones,* llamamos...
478-479 *Aquel que fizo a Balán / mudar el intento:* Dios hizo que
Balaam bendijese al pueblo de Israel en vez de maldecirlo, lo que había
rogado el rey Moab a Balaam (Números, 22, 23 y 24). La explicación
de Durán *(ed. cit.,* pág. 269), según la cual «Balán es quizá uno de los
nombres del diablo», es totalmente gratuita.
479 *tuvo el Jordán:* detuvo las aguas del Jordán (Josué, II).
480 *sobramos:* véase nota al v. 240.

LXI *

Dexado el exordio, la triste materia,
o muy cara madre, conviene tocar;
ca nuevas çircundan las playas de Yberia
484   e son afirmadas por fama vulgar,
que naves son bueltas en el fondo mar
de los españoles contra ginoveses,
e de tarentinos contra milaneses;
488   pues fablen poetas, que bien han logar.

481   NH2, RC1, PM1, HH1: dexando
482   SA1, SA10: muy clara madre / PM1: convine
483   MN8: cirrundar; MN31: çircunda / PN4, HH1: las planas de
484   HH1: son confirmadas / MH1: por cada lugar
485   PM1: que naus son / PN4: fondo del mar: PN8: fondo de mar
486   PN4: spanyoles
487   e om. HH1
488   NH2, PN8, BC3: fablan / MN31: que non han / en SA1 el
      verso 488 precede al 487

* La estrofa falta en TP1, YB2.

481   *exordio:* introducción.
487   *tarentinos: Amador* (pág. 121) pone 'tarantinos', aunque todos
los manuscritos que conocía tienen nuestra lección. Jacoba Caldora, el
príncipe de Tarento, había tomado el lado de Alfonso V después de la
muerte de la reina Juana de Nápoles (cf. H. J. CHAYTOR, *A history of
Aragón and Catalonia,* Londres, 1933, pág. 223).

LXII *

E çesse la pluma sotil de Lucano
de púnico bello, e non fable Homero,
ca por bien que canten el sitio troyano
492   e pinten el día de Humaçia más fiero,
si dexan las fablas e tocan el vero,
por çierto non creo poderse fallar
tan crua batalla en tierra ni'n mar,
496   sy el reportante non fuere grosero.

---

489   e om. SA1, SA10, PM1, HH1
490   MH1, MN6, RC1, PN10, PN4, PN8 (?), PN12, PM1: del pu-
        nico / SA1, SA10: de purico e velo (SA10: vello); NH2, BC3:
        del publico bello / non om. NH2, BC3
491   PN4, PN8, PN12, comienza: que por / BC3: bien c'acaten /
        MN8, MN31, PM1, ML3: cante; SA1, RC1, PN10, PN4,
        PN12: cuenten; MN6: cuente; HN2: acatan; BC3: acaten;
        PN8: quenten; HH1: cuent'el / PN4, PN8: el suyo troyano;
        PM1: el syno troyano
492   MN6, comienza: o pinten / PM1, HH1: pinte / SA10: e ymiten
        el / SA1: Humiçia (la «u» fue tachada y encima de ella se escri-
        bió una «e»); MN31, HH1: Vmancia; SA10: de avdaçia; NH2,
        BC3: de humanas
493   PN4, comienza: se dexen; PN8, PM1, comienza: se dexan /
        SA1: fabulas / PN4: toquen / SA10: tocan lo vero; NH2, BC3:
        tocan al vero
494   SA10, PN4, PN8: poderse fablar
495   SA10, NH2, PN4, PN8, PM1, HH1, BC3: cruda / NH2, BC3:
        ni mar
496   PM1: el rreportador / SA1, SA10: fuese; PN8: fuera

---

* La estrofa falta en TP1, YB2.

489-490   la pluma sotil de Lucano / de púnico bello: como es bien
sabido, no trata la Farsalia de Lucano de las 'guerras púnicas'. Sin embargo, puede ser una referencia a la lucha de Curión contra Varo y
Juba: «... infecta semper / Punica bella dolis» ed. cit., IV, vv. 736-
737).—de púnico bello: véase nota al v. 196.—púnico: cartaginés.
492   Humaçia: por 'Emacia' (Tesalia). En esta región de Grecia, cerca
de la ciudad de Farsalia, venció César a Pompeyo en 48 a. de J. C.
493   el vero: la verdad.
495   crua: cruel.
496   grosero: mentiroso.

LXIII *

E serás tú, Ponça, jamás memorada
por esta lid fiera, cruel, sanguinosa,
e avrá tu nonbre perpetua durada,
500   e de todas yslas serás más famosa.
En ti fue cridada con boz pavorosa
en los dos estoles «¡batalla! ¡batalla!...»
Viril fue la vista que pudo miralla
504   sin temor de muerte, e más que animosa.

Rúbrica: Comiença la batalla

---

497   e om. MN6, NH2, RC1, PN10, BC3 / MN6: Ponos; PN4:
      Pionsa / MN6, segundo hemistiquio: las mas memorada
498   NH2, BC3: lit cruel fiera sanguinosa
499   PN4: hauera; PN8: hauiera / SA10, HH1: perpetua nonbrada;
      PM1: perpetua morada
500   seras om. RC1 / SA10: seras tu famosa
501   MN8: criada; SA1, MH1, MN6, PN4, PN8, PN12: gridada /
      PM1: fue llamada con / con voz om. MN31
502   en om. MN31 / MN8: escoles; MN31: escolles
503   PN8: mirarlos
504   SA10, primer hemistiquio: sin grave temor / SA1: mas caninosa

---

* La estrofa falta en TP1, YB2.

---

497   *jamás:* véase nota al v. 298.
499   *durada:* duración.
501   *cridada:* gritada.
502   *estoles:* flotas, escuadrones. *¡batalla! ¡batalla!:* cf. en la *Crónica
de D. Juan Segundo* (ed. cit., cap. IX, pág. 526) la descripción de la batalla naval de Ponza: «é la mas gente de la suya gritando á grandes
voces batalla, batalla...».

LXIV *

Non a tan grand yra çierto provocó
la muerte del çiervo al pueblo latino,
nin la de la tigre en saña inflamó
508   a los sucçessores del Agenorino;

---

505   a *om.* NH2, PN4, PN8, PN12, PM1, BC3 / SA1, SA10, dice el
      verso: no a tanta yra Çiro (SA10: Çiero) prouoco
506   NH2, BC3: de cieruo
507   MN31, SA10, MN6, NH2, RC1, PN10, PN4, PN8, PN12,
      PM1, BC3: nin de la / MN31: en saño
508   SA1, SA10, HH1, segundo hemistiquio: del triste Cadino /
      MN6, NH2, RC1, PN10, BC3: Ageronino

---

* La estrofa falta en TP1, YB2.

505-506   *Non a tan grand yra çierto provocó / la muerte del çiervo
al pueblo latino:* Tiro, el pastor jefe de los rebaños del rey Latino, in-
citó a los latinos a la guerra contra Eneas, después de haber matado Ascanio al ciervo, animal predilecto de Silvia, la hija de Tiro. Cf. la
Eneida, ed. cit., VII, vv. 475 y sigs.
507-508   *la de la tigre en saña inflamó / a los sucçessores del Agenо-*
rino: en el *Sueño,* estr. LIX, 5-6, alude el marqués también a una tigresa
furiosa en relación con la historia de Tebas («e de la tigre ensañada / en
la Thebaida leí»). Se trata del animal predilecto de Antígona e Ismena,
cuya muerte causó gran dolor entre los tebanos. María Rosa Lida de
Malkiel comenta: «... las expresiones "en saña", "ensañada" muestran
que Santillana pensaba en las tigres enloquecidas de la *Tebaida,* mientras que el número singular deriva claramente de la *General estoria,*
cuya versión pormenorizada se había superpuesto a la de Estacio en el
recuerdo del Marqués» («La *General estoria:* notas literarias y filoló-
gicas, II», *Romance Philology,* XIII (1959), pág. 3).—*los sucçessores del*
Agenorino: los tebanos, descendientes de Cadmo, hijo de Agenor.

nin creo ressollo libial viperino
más contaminasse ninguna ferida
que fizo a la gente la espantosa crida,
512　por donde el effecto fadado previno.

509　NH2, BC3: creo ricollo libeal / PN4, PN8: ressollo librar /
　　　NH2: inperino; BC3: niperino; RC1, PN10: ueperino
510　RC1, PN10: contraminase / MN6, NH2, RC1, PN10, PN4,
　　　PN8, PM1, BC3: alguna ferida
511　SA1, MH1, MN6, PN4, PN8, PN12, PM1: grida
512　donde om. MN31 / MH1: efecto fado preuino; SA10: efeto pa-
　　　sado previno

509　*ressollo:* respiración, aliento.—*ressollo libial viperino:* muy a
menudo se alude en la literatura clásica a la existencia de muchas serpientes en Libia. Cf. p. ej., LUCANO, *Farsalia, ed. cit.,* IX vv. 608-609,
614, 734, 766, etc.
510　*ninguna ferida:* otra vez es incompleta la información ofrecida
por *Amador* (pág. 123), porque también SA8 tiene esta lección. *Ninguna* tiene aquí el significado de 'cualquiera' (véanse MENÉNDEZ PIDAL,
Cantar de Mio Cid, I, *op. cit.,* § 182, 3, pág. 275, y *Textos lingüísticos...,* *op. cit.,* 13: 22, 74:16 y 74:30).
512　*effecto fadado:* fin vaticinado, revelado.—*previno:* se advirtió.

LXV

Aquí las enseñas fueron desplegadas,
assí de los rreyes commo de varones,
e todas las naves de fecho entoldadas
516 e vistos en promto inmensos pendones:
en unos las cruzes, en otros bastones,
en los otros pomas, lirios e calderas,
en otros las jarras, en otros veneras,
520 en otros castillos e bravos leones.

---

513 TP1, YB2, comienza: aquellas enseñas / NH2, BC3: las senyas
     fueran / PN4: replegadas
514 MH1, MN6, RC1, PN10, PN12: rreys / MN31: de los varones
516 NH2, BC3: en prom(p)tos; PN4, PN8, PN12: en punto /
     MH1: yniuersos pendones: SA10, HH1: diversos pendones
517 SA10: en vno / PN8: crusas
518 SA1, SA10, dice el verso: en otros lirios pomas e calderas / los
     om. MN31 / e om. RC1, PN10, HH1
519 MH1: otras ... otras / RC1, PN10: jarras e en / YB2: venras
520 e om. SA10

---

513 *enseñas:* estandartes.
515 *de fecho:* de veras.
516 *en promto:* luego, inmediatamente. *Amador* (pág. 123) pasó por
alto el que SA8, MN6, MN8 y MN31 tienen esta lectura.
517 *cruzes:* en la bandera de Barcelona.—*bastones:* en la de Aragón.
'Bastón' en la heráldica es «cada una de las dos o más listas que parten
el escudo de alto a bajo, como las que tienen el de Aragón» *(DLE).*
518 *calderas:* en la heráldica una 'caldera' es una «figura artificial
que se pinta con las asas levantadas en cabezas de serpientes» *(DLE).*
519 *jarras:* Garcí Sánchez instituyó la divisa de la 'jarra' en el blasón de Navarra, cambiando las antiguas aristas por la jarra con las azu-
cenas (cf. NARCISO SENTENACH, *El Escudo de España,* Madrid, 1916,
pág. 17).—*veneras:* conchas.

LXVI

En la parte adversa, bien com*m*o señora
o reyna de todos, era la vandera,
la q*u*al con*t*enía la devoradora
524 bixa milanesa, fiera e temedera.

---

522   SA8, MH1, NH2, HH1, TP1, YB2: todas
523   PN4, PN8, PM1; deuoradera
524   TP1, YB2, comienza: baxa / e *om.* NH2, PN4, PN8, TP1,
      YB2: temedora

523-524   *la devoradora / bixa milanesa:* figura en el escudo de la familia Visconti de Milán (cf. *DEI,* donde se lee en el tomo XII,
pág. 801, bajo 'Visconti': «famiglia milanese le cui origini storiche si
possono forse far risalire alla fine del sec. 10.º...; col capitanato di Mar-
liano la famiglia entrava nella "militia sancti Ambrosii", ossia fra i feu-
datari dell'arcivescovo di Milano. Poco dopo, ..., la famiglia dovette ot-
tenere l'ufficio di visconte e renderlo ereditario; ... appunto all'ufficio di
visconte si ricollega *l'insegna della biscia,* che probabilmente riprodusse
il serpe della basilica di S. Ambrogio»). *Ochoa* (pág. 67) comenta: «El
pendón de Milán lleva bixa de azur, coronado de oro, en campo de
plata. Se la representa en postura vertical, y tortuosa, devorando un
niño, de cuyo cuerpo desnudo sólo se ve la parte superior». En *De We-
reld van Leonardo da Vinci (El Mundo de Leonardo da Vinci),* Amsterdam, 1968, pág. 61, Robert Wallace dicé que la serpiente devora un
'sarraceno'.—*bixa:* serpiente, culebra; viene del italiano 'biscia' (del
lat. tardío 'bístia'; cf. CARLO BATTISTI, GIOVANNI ALESSIO, *Dizionario
Etimologico Italiano,* ed. *cit.,* s.v. y GERHARD ROHLFS, *Grammatica
storica della lingua italiana e dei suoi dialett,* Fonetica, Turín 1970, § 71,
pág. 92).—*temedera:* temible, digna de ser temida.

E luego çercana commo conpañera,
era la cruz, señal genovesa;
águilas e flores en la grand enpresa
528   honravan las proas por la delantera.

---

525 SA1: çercauan; NH2, PM1, ML3: cercaua; BC3: certaua; TP1,
      YB2: çerna / PM1: como panyera
526 NH2, BC3, comienza: y era / HH1: la cruel sseñal / señal om.
      MN31
527 RC1, PN10, comienza: con aguilas / e om. MN8, MN31, RC1,
      PN10, HH1, ML3 / MN6: flores e la
528 NH2, BC3, comienza: guarnidas las; PN4, PN8, PN12, PM1:
      ornauan las; TP1, YB2: honrran las / SA1: preas; SA10:
      presas / HH1: proas y las delanteras

---

526 *la cruz:* es el emblema de la ciudad de Génova.
527 *enpresa:* 'empresa', divisa, emblema.
528 *honravan:* «ornavan», la lectura que *Amador* (pág. 123) prefirió, sólo se encuentra en PN4, PN8, PN12 *(Ochoa)* y PM1. Las dos
lecciones son posibles. Sin embargo, nuestro *stemma* genera *honravan.*

LXVII

Las gruessas bonbardas e rebabdoquines
de nieblas fumosas el ayre enllenavan,
assí que las yslas e puertos confines
532   apenas se vían, nin se devisavan;

---

529 MH1: las ginesas bonbardas / MN31, NH2, TP1, YB2: lon-
     bardas / SA1, SA10, HH1, PM1: segundo hemistiquio: truenos
     (PM1: trunos) bodoquines; MH1, segundo hemistiquio: truenos
     baudoquines; MN6, RC1, PN10, segundo hemistiquio: truenos
     bodoques; PN4, PN8, PN12, segundo hemistiquio: truenos
     (PN8: tronos) e bodoques; NH2, BC3: y truenos de bando-
     quines; TP1, YB2: y rrabadoquines
530 SA1, MH1, MN6, NH2, RC1, PN10, PN4, PN8, PN12, PM1,
     HH1, BC3, TP1, YB2: nieblas e fumos el; SA10: nieblas e
     fumo el / NH2: ayre lauauan; RC1, PN10, ML3: ayre en-
     leuauan; PN4: ayre enuelauan
532 SA1, MN31, MH1, MN6, RC1, PN10, PN8, PN12, PM1, TP1,
     YB2: veyan; NH2, BC3: vean / HH1: vyan y sse

529-544 Por falta de coincidencias textuales, no veo ninguna razón
para admitir, como hace Clotilde Schlayer (*Spuren Lukans in der spanischen Dichtung*, Heidelberg, 1928, pág. 39), que hubo influencia de la
Farsalia (III, batalla naval cerca de Marsella) de Lucano en la descripción de la batalla naval de Ponça de las estrofas LXVII y LXVIII.
    529 *bonbardas:* piezas de artillería. Para esta voz, véase TERLINGEN,
op. cit., págs. 205-206.—*rebabdoquines:* piezas de artillería de bronce,
de unos 20 a 30 calibres de longitud.
    531 *confines:* cercanos.
    532 *devisavan:* percibían, veían confusamente.

Jove no*n* se cree, q*u*ando reco*n*tavan
q*ue* vino a la niña tebana trona*n*do,
viniesse tan fiero, el çielo inflama*n*do,
536   com*m*o aq*u*ellas fustas q*u*ando se allegava*n*.

---

533   HH1, comienza: Jupiter non / MN6: Joue nin se / NH2: creya / NH2, BC3: recontaua; PN4: recuentauan
534   SA10, dice el verso: que vino no a la nyña tebana rrobando / SA1: la mina tebana / tebana *om*. PM1 / TP1, YB2: trobando
535   SA10, comienza: e veniese / MH1: biuiese / SA1: viniese a tan / PN4, PN8, PN12: viniesse mas fiero / MN6, NH2, RC1, PN10, BC3: fiero del çielo / MN31, NH2, RC1, ML3, BC3: inflamado
536   SA10: como a aquellas; HH1: como quando aquellas / PN4: aquellas naues quando / MN8, MN31, ML3, HH1, RC1, PN10, PN4, PN8, PN12, PM1: se llegauan

---

533-535 *Jove non se cree... / ... a la niña tebana tronando / ... el cielo inflamando:* Sémele, hija del rey Cadmo de Tebas, deseó una vez que Júpiter se le apareciera en su forma verdadera. Él se le presentó con relámpagos y truenos. Cf. la *General Estoria*, Segunda Parte, I, *ed. cit.*, cap. XXIX, pág. 158: «Et Juppiter, por venir a Semele con las noblezas e estrannezas que a Juno auie a tomar... troxo nublos escuros de que cerco la cara e aun el cuerpo todo, e con los nublos uientos, e relámpagos e lluuias, e semeianças otrossi de truenos e rayos».

536 *fustas:* véase nota al v. 422.

LXVIII

E commo el granizo que fiere en linera
traýdo del viento aquilonar,
inmensas saetas de aquella manera
540   ferían los nuestros por cada logar.
Allí todas gentes cuytavan llamar
«¡Sant Jorge!» con furia, commo quien dessea
traer a victoria la crua pelea,
544   jamás non pensando poderse fartar.

---

537   e *om.* MH1 / TP1: que fuere en / NH2: que fieran linera /
        MN6: en la linea / HH1: limera; SA1: liñera
538   ML3: el uiento; PM1: den viento
540   BC3: feriran; PN4, PN8, PN12, PM1: ferian a los / NH2,
        PN8: los nostros
541   TP1, YB2: ay todas / SA1, SA10: todas las gentes / TP1, YB2,
        segundo hemistiquio: grytauan la mar / SA1, MH1, MN6,
        RC1, PN10, PM1: cuydauan
542   con furia *om.* PM1
543   SA8: traer la victoria / SA1, MH1, SA10, PN4, NH2, RC1,
        PN10, PN12, PM1, HH1, BC3, TP1, YB2: traher (BC3: tre-
        her) en efecto (TP1: efeucto) la; MN6: traen en efecto la; PN8:
        traer en el effecto la / SA10, NH2, PN4, PN8, BC3: cruda
544   HH1: non cuydando poderse

---

537   *linera:* no encuentro esta voz documentada en los diccionarios.
Se compone de 'lino' más el sufijo '-era', con el significado de 'linar',
'campo de lino'.
538   *el viento aquilonar:* viento norte.
541   *cuytavan:* véase nota al v. 151.
542   *Sant Jorge:* San Jorge es el patrono de Barcelona. El blasón
propio de Barcelona fue el de la cruz de San Jorge.
543   *traer a victoria:* de acuerdo con nuestro criterio, preferimos esta
lectura a «traer en efecto».—*crua:* véase nota al v. 495.

LXIX

¿E quién contaría los muchos linajes,
alcuñas e reynos que allí se nonbraron
de diversos modos, assí los lenguajes,
548 quando los estoles en uno afferraron?;
ca dubda es aquellos que más se esforçaron
a saber del cuento, poderlos contar,
pues solos aquellos, a quien da logar
552 el tienpo, diremos, e nos recontaron.

---

545 e *om.* MN6, NH2, RC1, PN10, BC3 / RC1: contraria
546 PN4, comienza: algunos e; PN8, comienza: alcunos e; TP1,
    YB2: alcañas / en SA8 la conjunción «e» está borrada / MN6: e
    reynas
547 HH1: diuersos nonbres asi
548 PM1: vno se aferraron / MH1: aforraron
549 RC1, PN10: es de aquellos / PM1: mas e esforçaron
550 SA1, SA10, TP1, YB2: saber el cuento / SA10: cuento e pode-
    llos / RC1, PN10: poderlas
551 PM1: quien dan lugar
552 PM1: el cuento diremos que nos / RC1: e non recontaron /
    SA1: nos cantaron; SA10: nos rrecordaron

---

545 *¿E quién contaría los muchos linajes:* topos de 'lo indecible';
cf. ERNST ROBERT CURTIUS, *op. cit.*, cap. VIII, § 5, págs. 231-235.
546 *alcuñas:* linajes, alcurnias.
548 *estoles:* véase nota al v. 502.—*afferraron:* se unieron.
550 *a saber del cuento:* a conocer el número.
551 *quien:* véase nota al v. 311.

LXX

La gente de España llamava «¡Aragón!»,
e todos «¡Navarra!» los de su quadrilla;
e los que guardavan el noble pendón
556   do era pintada la fogosa silla,
llamavan «¡Mallorca, Çerdeña e Çiçilla,
Córçega e Sessa, Salerno e Taranto!»;
e todos ferían, pospuesto el espanto,
560   assí virilmente que era maravilla.

---

553   SA8, PN4, PN8: l(l)amauan; MN31: llamando; MN6: llama;
      NH2, RC1, PN10, BC3: l(l)aman; TP1, YB2: llamada
554   TP1, YB2: todos nauaros de su
555   e om. PM1
556   SA1: fogorosa; SA10, PN8: fagosa
557   SA10, NH2, BC3: llaman / e om. SA1, SA10, NH2, RC1,
      PN10, PN4, PN8, PN12, PM1, BC3 / SA1: Çeçiçilia; MN31,
      PN10, SA10: Çeçilia; NH2: Cicilia; RC1, TP1: Secilia; PN8,
      BC3: Sicilia; PM1: Çeçillia
558   SA10: Corçega Sesa / MN31, SA10: Sosa / MH1, PN12, HH1,
      TP1, YB2: Salerne / MH1, SA10, MN6, PN4, PN8, PN12,
      PM1, TP1, YB2: Salerne (Salerno) Taranto
559   MN6: propuesto
560   SA10: que fue mamaravilla

---

556   *la fogosa silla:* es el 'Siti Perillós' de los libros de caballería del
ciclo bretón: «nom que en els llibres de cavalleria del cicle bretó es do-
nava a una cadira on no es podia asseure, sense que hi morís, un cava-
ller que no fos ple de bondat i puresa; aquesta cadira fou adoptada
como a emblema per Alfons V». (A. M. ALCOVER y F. DE B. MOLL,
Diccionari català-valencià-balear, segona edició, Palma de Mallorca,
1964, s.v. 'siti'). Se ha dicho que la entrada de este emblema en el pendón real de Aragón remonta a la conquista de 'Pizzofalcone', lugar conocido con el nombre de 'Siti Perillós', en el año 1442 (cf. CANAL GÓ-
MEZ, *ed. cit.,* págs. XVII-XVIII; C. MINIERI RICCIO, «Alcuni fatti di Alfonso I di Aragona dal 15 aprile 1437 al 31 maggio 1458, Cedolas della
Regia Tesoreria Aragonese», en *Archivo Storico per le Provincie Napoli-
tane,* Anno VI, Fascicolo I, Nápoles, 1881, pág. 32 y MARQUÉS DE LO-
ZOYA, *Historia de España,* II, Barcelona, 1967, pág. 341). Pero nuestro
texto indica bien a las claras que esta divisa ya figuraba en 1435-1436 en
el pendón real de Aragón.
558   *Sessa:* ciudad cerca de Gaeta.—*Salerno:* ciudad cerca de Nápoles.—*Taranto:* véase la nota al v. 487.

LXXI

Allí se nonbravan los Lunas e Urrea,
Yxar e Castro, Heredia, Alagón,
Lihori, Moncayo, Urrias, Gurrea,
564   con otros linajes de noble nasçión;

---

561   NH2, BC3: nombraua; PN4, PN8, PN12, PM1: se nombra-
      ron / SA8, MN8, MN31, MH1, MN6, NH2, PN10, PN4,
      PN8, PN12, PM1, BC3, ML3, TP1: las Lunas / SA10: nonbra-
      van Lurias e / SA1, HH1: los de Lurias e / e *om.* SA8, MN6,
      NH2, BC3 / PM1: Vreas
562   NH2: Ixer / PN8: Heredio / SA1, TP1, YB2: Heredia e Ara-
      gon (TP1, YB2: Alagon); en SA10 la conjunción «e» tras «He-
      redia» está tachada
563   NH2: el primer nombre está tachado / BC3: Lori / RC1,
      PN10: Lihori e Moncayo / NH2, BC3: Vrries / SA1, RC1,
      PN10: Vrrias e / PN8: Gorrea; PM1: Gurrvas

---

561   *los Lunas:* miembros de la noble familia aragonesa 'Luna'
(cf. CHAYTOR, *op. cit.,* pág. 315).—*Urrea:* Lope Jiménez de Urrea, noble aragonés; luego virrey de Sicilia (cf. ELOY BENITO RUANO, *art. cit.,*
pág. 267).
562   *Yxar:* sin duda se refiere a Juan Fernández de Hijar y Cente-
llas, mayordomo de Alfonso V (cf. LATASSA, *Biblioteca antigua y nueva
de escritores aragoneses,* t. I, Zaragoza, 1884, pág. 500).—*Castro:* el
conde de Castro y sus hijos Fernando y Diego de Castro (cf. *Dietari,*
pág. 156, y la *Crónica de D. Juan Segundo,* ed. cit., pág. 526).—*Heredia:* fr. Fortún de Heredia, fr. Juan de Heredia y fr. Eximeno de Heredia (cf. *Dietari,* pág. 153).—*Alagón:* Jaime d'Alagón (cf. *Dietari,*
pág. 153).
563   *Lihori:* ¿...?—*Moncayo:* Juan y Sancho de Moncayo (cf. *Dietari,* pág. 153).—*Urrias:* mosén Hugo de Urries (cf. *Diccionario Enci-
clopédico Hispanoamericano,* 21, Barcelona, Montaner y Simón,
1897).—*Gurrea:* Juan de Gurrea (cf. *Dietari,* pág. 153).
564   *nasçión:* origen, nacimiento.

pues vamos aquellos que allende Monçón
habitan o moran, e non se detenga
el nuestro proçesso, mas presto devenga

568   por sus rectos cursos en la conclusión.

565   MN8, MN31, PN12, NH2, BC3, TP1, YB2: a aquellos / aque-
       llos om. PN4, PN8 / SA10: aliende / NH2: Monçion / PN4,
       PN12: allende Avinyon; PN8: allende Evinyon
566   SA1, MH1, SA10, MN6, NH2, RC1, PN10, PN4, PN8, PN12,
       PM1, HH1, BC3, TP1, YB2: (h)abitan e moran / MN31, se-
       gundo hemistiquio: o non detenga / SA10: detengan
567   MN8: uuestro; NH2, BC3: nostro

565 *aquellos:* por 'a aquellos' con *a* embebida; muy frecuente en
textos del Medievo (véase nota al v. 359).—*Monçón:* localidad cerca de
Huesca; las cortes se reunieron muchas veces en 'Monzón' a causa de
su posición céntrica con respecto a los reinos de Aragón, Cataluña y
Valencia.

566 *habitan o moran: Amador* (pág. 125) deja de mencionar
que también SA8 y MN8 tienen esta lectura. Por lo tanto, es la versión
de β.

567 *proçesso:* relato, narración.—*presto:* rápidamente.—*devenga:* lle-
gue (del lat. 'devenire').

LXXII

Allí se no*n*bravan Maças e Boýles,
Pinoses, Çentellas, Soleres, Mu*n*cadas,
e los Arenoses, varones gentiles,
572   e muy muchas otras progenyes ho*n*radas.

---

569 PN4, PN8, PN12, PM1: se nombraron / e *om.* MN6, NH2,
     RC1, PN10, PM1, HH1, BC3 / TP1, YB2: y Queboyles
570 SA8, MN31: Pinos; SA10: Pioses / SA8: Pinos e Çentellas /
     PM1: Sentilles / MN31: Solores / SA8: Soleres e Muncadas
571 MN6, RC1, PN10, PN4, PN8, PN12, PM1, primer hemisti-
     quio: e los Requesenes; NH2, BC3, primer hemistiquio: y los
     de Requesenes / SA1: los Artuses; MN31, SA10: los Arenosos;
     HH1: los Areneses / Arenoses *om.* MH1 / HH1, segundo he-
     mistiquio: mançebos gentiles
572 SA1: muchos otros / HH1: muchas o otras gentes onrradas /
     MN6, NH2, RC1, PN10, PM1, BC3: progenias

---

569 *Maças:* ¿...?—*Boýles:* Ramón Boyl, virrey de Nápoles, y Felipe
Boyl, nobles valencianos (cf. *Dietari,* pág. 154).
570 *Pinoses:* miembros de la noble familia catalana 'Pinós'; esta familia era oriunda de Cerdeña.—*Çentellas:* Antón de Centelles, hijo del
conde don Gilabert de Centelles (cf. ZURITA, *Los cinco libros primeros
de la segunda parte de los 'Anales de la Corona de Aragón',* compuestos
por..., chronista de dicho reyno, tomo tercero, Impressos en Çaragoça,
año 1669, pág. 231, y Eloy Benito Ruano, *art. cit.,* pág. 271).—*Soleres:*
cuatro hermanos de la noble familia valenciana 'Soler' participaron en la
lucha, a saber, mosén Francisco Soler, mosén Galcerán Soler, mosén
Luis Soler y fray Ramón Soler (cf. *Dietari,* pág. 154, y ELOY BENITO
RUANO, *art. cit.,* pág. 272).—*Muncadas:* Guillén Ramón de Moncada,
conde de Calatanixeta (cf. ZURITA, *op. cit.,* pág. 231, y ELOY BENITO
RUANO, *art. cit.,* pág. 271).
571 *Arenoses:* miembros de la noble familia 'Arenós' (cf. CHAYTOR,
op. cit., págs. 151 y 156).
572 *progenyes:* linajes, familias.

E commo las flamas son mas abivadas
feridas del viento, assí se abivavan,
quando sus linajes e alcuñas llamavan,
576   a fazer ningunas las lides passadas.

---

573   PM1: la flama / MN8: son mal abiuadas / P̄N4, PN8:
      abriuadas; PN12: abiugadas
574   YB2, comienza: eredias del viento / se om. PN4, PN8, PN12 /
      PN4: abriuauan
575   HH1: sus liñas e / e om. MH1, MN6, NH2, PN4, PN8, PN12,
      BC3, TP1, YB2 / PN4: linages algunas; TP1, YB2: linajes al-
      cañas
576   NH2, PN4, PN8, PN12, PM1, BC3: de fazer / NH2, BC3: fa-
      zer algunas las

LXXIII *

Allí se no*n*bravan los de Barçelona,
e los llobregates e de Rosellón,
allí los de Prades e los de Cardona,
580   e los Perelloses e de Çervellón;

---

577 PN4, PN8, PN12: se nombraron
578 MN8: llobregatos; MN6, HH1, TP1: l(l)obregantes; SA1:
    obregones (originalmente «lobregones»; la «l-» fue tachada);
    SA10: lobreganos / de *om.* MN6 / MH1: Rrosellen
579 MN6: los Pradas / SA8, SA1, MH1, SA10, MN6, RC1, PN10,
    PN12, HH1, TP1: Pradas; MN31: Prados / SA10: Pradas con
    los / MN31, HH1: Cordona; RC1: Cardena
580 PM1, comienza: ellos Perelloses / TP1: los de Perellos / MN6:
    Perellosos / en MN31 falta la parte del verso tras «e los» / SA1,
    SA10: e los de Çeruellon

---

*   La estrofa falta en YB2.

---

578 *llobregates:* oriundos de Llobregat, comarca situada en la provincia de Barcelona.—*Rosellón:* región de la Francia Meridional.
579 *Prades:* noble familia catalana. En 1443, el marqués manda su
Comedieta a doña Violante de Prades (véase el *Apéndice A.).—Cardona:* ilustre familia catalana. En el *Dietari* se mencionan 'mosén Cardona' (pág. 153), 'don Pedro de Cardona', 'don Juan de Cardona' y
'don Alfonso de Cardona' (pág. 155).
580 *Perelloses:* miembros de la noble familia catalán-aragonesa 'Pe-
rellós', oriunda de los condes de Tolosa en la época de Carlomagno.
'Pallareses', la lectura de *Amador* (pág. 126), no se encuentra en ningún
diccionario.—*Çervellón:* municipio en la provincia de Barcelona; el título de conde de *Cervellón* se remonta a Guerdo Alamán (principios
del siglo IX).

allí muchos otros q*ue* mi locuçión
a co*n*tar no*n* basta de perpiñaneses,
e del Pri*n*cipadgo, de anpurdaneses,
584   e muchos q*ue* dexo de aqu*e*nde Aviñón.

---

581   SA1, SA10, MN6, NH2, RC1, PN10, BC3: alli otros muchos
      que / PN8: locacion
582   NH2, BC3, dice el verso: ha comtar no basten de perpina-
      nenses / MN31: de perpinenses
583   SA1, MH1, SA10, MN6, NH2, RC1, PN10, PN4, PN8, PN12,
      BC3, TP1, segundo hemistiquio: e anpurdaneses (aburdaneses,
      anburdaneses, anburdañeses, abundaneses); PM1: e de anpurda-
      neses
584   PN4: dexo aqui de Auinyon; PN8: dexo aque de Avinyon;
      PM1: dexo daqui Aviñón; HH1: dexo aquende Aviñón; NH2,
      BC3: dexo aquende Auinion (BC3: Aniñon) / MH1: de allende
      Avinon

---

582   *perpiñaneses:* oriundos de Perpiñán, capital de Rosellón (véase
la nota al v. 578).
583   *Del Prinçipadgo:* es decir, de Barcelona.—*anpurdaneses:* habitantes de Ampurdán, comarca en la provincia de Gerona.

LXXIV *

Allí se no*n*brava*n* los de Sandoval,
los de Avellaneda e Sotomayor;
Castro e Mendoça co*n* saña mortal
588   mostrava*n* qu*ién* eran en la gra*n*d furor.
Fajardos e Angulos, pu*n*gidos de honor,
buscavan las proas a gra*n*d diligen*ç*ia;
Avalos e Puelles co*n* toda femen*ç*ia
592   no*n* menos fazía*n*, pospuesto temor.

---

585   PN4, PN8, PN12, PM1: se nombraron
587   e *om*. PM1 / MN6: con santa mortal
588   SA10: mostrava quien era
589   e *om*. SA1, SA10, PM1 / PM1: Angules
590   SA1, SA10, HH1: las preas
591   MH1, MN6, PM1, PN4, PN8, PN10, PN12, RC1, SA1, SA10,
       TP1, YB2, HH1: Daualos / NH2, BC3, comienza: dauan los /
       e *om*. SA1, SA10, HH1 / PN4, PN8, PN12: Pulles / SA10, se-
       gundo hemistiquio: pospuesto temor / MN6, NH2, RC1,
       PN10, BC3: con tanta femençia / RC1: fehemençia; PN4: fe-
       ruençia
592   SA10, segundo hemistiquio: con toda femençia / NH2: puest-
       puesto / PM1: el temor

---

*   La estrofa falta en YB2.

---

585 *los de Sandoval:* mosén Fernando de Sandoval (cf. *Dietari,*
pág. 156), don Diego Gómez de Sandoval (cf. ZURITA, *op. cit.,* página 231) y Gutierre de Sandoval (cf. ELOY BENITO RUANO, *art. cit.,* páginas 268).
586 *Avellaneda:* Lope de Avellaneda (cf. ELOY BENITO RUANO,
art. cit., pág. 267).—*Sotomayor:* don Juan de Sotomayor, maestre de
Alcántara (cf. ZURITA, *op. cit.,* pág. 231).
587 *Castro:* véase nota al v. 562.—*Mendoça:* Rui Díaz de Mendoza,
el Calvo (cf. *Dietari,* pág. 156).
588 *quién:* véase la nota al v. 311.
589 *Fajardos:* mosén Alfonso Fajardo (cf. *Dietari,* pág. 156).—*An-*
gulos: en el *Dietari* (pág. 156) se mencionan 'mosén Lope d'Angulo' y
'mosén Rodrigo d'Angulo'.—*pungidos:* excitados, estimulados.
591 *Avalos:* Fernando d'Avalos, camarero del Infante don Enrique,
e Íñigo d'Avalos, camarlengo de Alfonso V (cf. *Dietari,* pág. 156, y
ELOY BENITO RUANO, *art. cit.,* pág. 267).—*Puelles:* ¿...?.—*femençia:* ve-
hemencia.

LXXV *

Las gentes contrarias llamavan «¡Milán!»,
e «¡Génova!» muchos con assaz vigor;
pues crean aquellos que creer querrán,

596 tanbién el poeta commo el orador,
que dubda es de rreyes nin d'emperador
fallarse en las mares tal flota jamás,
tan bien ordenada, nin por tal conpás,

600 nin tan desseosa de ganar loor.

---

594 MN6: muchos son asaz
595 PN4, PN8: pues yerran (PN8: eran) aquellos
596 MN6, NH2, BC3, dice el verso: tanbien del poeta como del
     orador
597 SA1, SA10, PM1, HH1, comienza: ca dubda / SA1, MH1,
     MN6, RC1, PN10, PN12: rreys
598 ML3: las naues tal / PN4, PN8, HH1: los mares
599 nin om. MN31
600 SA1, NH2, RC1, PN10, PN4, PN8, PN12, PM1, HH1, BC3,
     TP1: ganar honor

---

*   La estrofa falta en YB2.

---

599 *conpás:* tamaño

LXXVI

Allí se no*n*brava*n* Grimaldos e Doria,
Açescos, Catanios, Negros e Damar,
allí Desireo, de insigne memoria,
Espíndolas, Çibos e Iuso de Mar;

604

---

601 SA1, SA10, HH1, NH2, BC3: se l(l)amauan; MN6: se llama-
ron; PN4, PN8, PN12: se nombraron; PM1: se nonbraon /
TP1, YB2: Grinaldos / MH1: e de Oria; PN4, PN8: e Oria;
HH1: y Dolia
602 SA1: Asyestos; MN8, ML3: Aflescos; MN31: Afiestos; SA10,
NH2, BC3: Açeptos; HH1: Afiascos; MH1: Açestos; MN6,
RC1, PN10, PN4, PN8, PN12: Açesos; TP1, YB2: Ecostos /
NH2, BC3: Catanos / MN8: Danar; MN31: Demar (o: de
Mar)
603 TP1, YB2, primer hemistiquio: ally ssere yo / MN6: Desuero;
HH1: Desyre; PN4: Desirco (o: de Sirco); MN31: Desiero;
NH2, BC3: Deciteo (o: de Citeo); PM1: Deserio
604 PN4, PN8: Spindolas / PM1: e Çibos / SA1: Çindos; TP1,
YB2: Çibes / e *om.* MN6, PM1 / MN8, MN31, MH1, MN6,
RC1, PN10, PN12, TP1, YB2: Inso de Mar; SA1, SA10: Huso
de Mar; PN4, PN8: Niso de Mar; HH1: e Paris Dabar; ML3:
Inso Damar

---

601 *Grimaldos:* miembros de la noble familia genovesa 'Grimaldi'.
Es muy probable que 'Giovanni I. Grimaldi', Señor de Monaca, tomase
parte en la batalla naval.—*Doria:* importante familia genovesa. En el
Dietari (pág. 152) se menciona «la nau de Jeronimo Doria».

602 *Açescos:* no sé de qué familia se trata, pero en vista de los nombres de familia localizados, que son todos de Génova, será ésta sin duda
también una familia oriunda de esa ciudad. Las variantes de MN8,
ML3, MN31 y HH1 «Aflescos», «Afiestos» y «Afiascos» pudieran indicar que aquí se alude a la familia genovesa 'Fieschi' *(DEI)*. Cabe en lo
posible que en un texto o una carta figurara este nombre en acusativo
precedido de la preposición 'a' (pienso en una enumeración de los parti-
cipantes en la batalla naval), y que alguien lo leyera como un solo vocablo. Dado el carácter muy hipotético de esta explicación, pongo la lección de SA8 y de la otra rama del árbol genealógico.—*Catanios:* miembros de la familia patricia genovesa 'Cattaneo'.—*Negros:* ¿...?—*Damar:*
¿la familia genovesa 'De Mari'? En el *Dietari* (pág. 152) figura 'Cipiano
de Mar'.

603 *Desireo:* ¿...?

604 *Espíndolas:* miembros de la familia genovesa 'Spinola'. Fran-

gentiles Bivaldos, Marbotes, Lercar,
Çigaulas, Fragosos e Justinïanos,
Çibus, Çinturios e Ytalïanos,

608

e otros que dexo por non dilatar.

---

605 MN31: Bimaldos; MH1, MN6, PM1, PN4, PN8: Binaldos:
HH1: Grimaldos / MN6: Marbote; BC3: Narbotes; TP1, YB2:
Margotes / SA8, MN8, MN31, ML3, NH2, BC3: Larcar; SA1:
Locar; SA10: Lorcar; MN6: Lentar; PN4, PN8: Lertar; HH1:
Bertar; PM1: Lecar; TP1, YB2: Lerear

606 SA1, primer hemistiquio: Çiga e los Fragosos / SA10, PM1:
Çigalos; PN4: Sigalas; HH1: Çiagolos / HH1: Fragolos; TP1,
YB2: Fogosas

607 TP1, YB2: Çegus / NH2, BC3: Cibas y Centurios / en MN8 el
verso 607 precede al 606

---

cesco Spinola era el comandante de Gaeta (cf. CHAYTOR, op. cit.,
pág. 223, y el Dietari, pág. 150).—Çibos: miembros de la familia genovesa 'Cybo'. Sabemos que 'Arano Cybo' participó en la batalla de
Ponza. (DEI).—Iuso de Mar: posiblemente se refiere a la familia genovesa 'Usodimare'.

605 Bivaldos: miembros de la familia genovesa 'Vival-
di'.—Marbotes: ¿...?—Lercar: la noble familia genovesa 'Lercari'.

606 Çigaulas: miembros de la familia genovesa 'Cigala'.—Fragosos:
miembros de la familia genovesa 'Fregoso'.—Iustinianos: en el Dietari
(pág. 152) se hace mención de la «nau Justiniana», cuyo comandante era
Giacomo Giustiniani, Señor de Scio.

607 Çibus: véase nota el v. 604.—Çinturios: miembros de la familia
genovesa 'Centurione'.

LXXVII

Non son los martillos en el armería
de Milán tan prestos nin tan abivados
commo la batalla allý se fería
612 con ánimos duros e muy denodados;
ca unos caýan en el mar llagados,
e otros en pronpto las vidas perdían,
e otros sin piernas e braços se výan,
616 assí fieramente eran affincados.

609 los *om.* TP1, YB2 / NH2, BC3: martillos y la armaria / PN4,
PN8, PN12, ML3, TP1, YB2: en la armeria / SA1: el armen-
teria
610 PM1: prestos e tan / PN4: abriuados; PN12: abiugados; PM1:
abiguados
611 SA10, comienza: co(n) (?) la / SA1: batalla que alli / NH2,
BC3: batalla assi se / PM1: se façia
612 MN6, RC1, PN10: animos buenos e
613 SA10, segundo hemistiquio: en mar muy llagados / SA1, RC1,
PN10, PN4, PN8, HH1, TP1, YB2: la mar
614 SA1: en punto las / TP1, YB2: la vida
615 MN6: piernanas / HH1: ssin braços y piernas venian / PM1:
piernas los braços / SA1, MH1, MN6, NH2, RC1, PN10,
PN12, PM1: se veyan; BC3: se vean / MN31: braços cayan
616 YB2, comienza: alli fieramente

609-610 *el armería / de Milán:* para el prestigio de que gozaba Milán en cuanto a su industria de armas, véase JOSEPH E. GILLET, en el
volumen II, Notes, de su edición *Propalladia and other works of Bartolomé de Torres Naharro, op. cit.,* págs. 172-173.
613 *el mar:* Amador (pág. 128) pone «la mar», aunque todos los códices que conocía dicen *el mar.*
614 *en pronpto:* véase nota al v. 516.
616 *affincados:* apretados, trabados en lid.

LXXVIII

El peso de Mares non punto mostrava
favor a ningunos, nin se conosçía,
assí que la brega jamás non çessava,
620   e de todas partes la furor ardía;
mas los sabios Janos con artillería
ronpían las fustas e las foradavan,
e todas cautelas e artes buscavan
624   por haver del fecho final mejoría.

---

617   MN6, TP1, YB2: el pozo de
618   TP1, YB2, comienza: fama a / PM1: fauar a nigunos / SA1,
        SA10: ninguno / MN6, RC1, PN10, PM1: conosçian
620   SA10, dice el verso: e en todas las partes furor mucho ardia /
        MN6: el furor / RC1, PN10: furor crescia
621   SA10: los Janos muy sabios con / NH2, BC3: Janyos; RC1,
        PN10: Jaunos
622   SA1: rronpen / RC1: fuestes; PN8: fistas / TP1, YB2: y fora-
        dauan
624   HH1, comienza: para (?) aver / PM1: del efeto final

617-618   *El peso de Mares...* / *favor a ningunos:* la balanza estaba en
equilibrio, o sea, los dos partidos luchaban con igual fortuna.—*punto:*
véase nota al v. 422.
619   *brega:* lucha, combate.—*jamás non:* véase nota al v. 219.
621   *Janos:* tal vez sea una alusión a miembros de la familia 'Gianni'.
Según *Ochoa* (pág. 68) se trata de una trivialización de 'Jenos' o 'Ge-
nos' por 'Genoveses'. No creo que sea una referencia a 'Jano', el dios
romano de dos caras, como sugiere Durán *(ed. cit.,* pág. 279).
622   *fustas:* véase nota al v. 422.—*foradavan:* agujereaban, penetra-
ban.

LXXIX

En el filo estava la lid espantosa,
assí commo el Febo en el medio día,
tocando el effecto, dexando la glosa,
628   assaz trabajada la cavallería,
la prinçipal nave do la señoría
real navegava, ronpidos los robres,
assí reçeptava las aguas salobres
632   que era miraglo que non se fondía.

---

625   PN4, PN8, YB2: el fijo / NH2: spantosa
626   BC3: al Phebo
627   NH2, BC3: tocando lafecto / MN6, MH1, RC1, PN10: dexada la glosa (MH1: grosa)
629   SA1, MN31, MH1, SA10, NH2, RC1, HH1, BC3, TP1, YB2: naue de la
630   HH1: rreal se anegaua / PM1: rronpiendo / TP1, YB2: ropydos los nobres (YB2: nombres) / SA1, SA10: rrobles
631   HH1, comienza: en ssy rreçebtaua / TP1, YB2: assy que resçeptaua / SA1: rreçebtauan; SA10: rreçitaua
632   SA1, SA10, HH1, comienza: ca era / PM1: qu'era marauilla que / en PN4 y PN8 dicen los tres últimos versos:

    real nauegaua las aguas solobres
    que era miraglo que non se fondia
    assi receptaua (PN4: los) rompidos los robres

---

625   *el filo:* el fiel de la balanza *(Corominas). Aut:* «Se toma *(el filo)* por equilibrio e igualdad». El sentido es, pues, que ninguno de los dos partidos era superior.
626   *el Febo:* el sol.
628   *cavallería:* gente de guerra, milicia.
631   *reçeptava:* recibía, recogía.

LXXX

Los gra*n*des naucheres, sentido aq*u*el daño
universalme*n*te, com*m*o se sentía
por toda la flota, e cruel engaño,
636   cuytava*n* el tracto e la pleytesía.
Mas ¿q*u*ién vos dirá la extrema porfía
q*u*e se sostenía por no*n* se rendir?;
ca Libio dubdara poderla escrevir,
640   vista la deffensa q*u*e allí se fazía.

---

633 NH2, BC3: nocheres; SA1, SA10, PM1, HH1: naucheles; PN4,
PN8: nauxeres / SA10, HH1, PM1, NH2, BC3: sintiendo /
NH2, BC3: sintiendo el danyo
634 SA10, dice el verso: por todo el comun que asi se sentia /
NH2, BC3: vniuersalmiente / se *om.* TP1, YB2
635 SA1, dice el verso: por dar a la flota en el cruel engaño: SA10,
dice el verso: por toda la flota el mui crudo engaño / e *om.*
PM1 / en PN4 y PN8 el verso 635 precede al 634
636 TP1, YB2: cuydauan el traucto
637 dira *om.* MN31 / MN6, NH2, RC1, PN10, PN4, PN8, PN12,
HH1, BC3, TP1, YB2: diria
638 SA10: que todos sofrian por / SA1: se sostenian
639 SA1, dice el verso: ca Tulio dudan poderlo dezir / SA10, HH1:
ca Tulio dubdara / NH2: duraua; BC3: durara / SA1, MN8,
MN31, SA10, RC1, PN10, ML3: poderlo; TP1, YB2: poderse
640 SA10, comienza: viendo defensa / PN4: defiensa / RC1: que
assi se

---

633 *naucheres:* pilotos.
636 *cuytavan:* deseaban vehementemente *(DLE).—tracto:* convenio,
tratado.—*pleytesía:* pacto. Creo que la lectura de *Amador* «a la pleytesía» (pág. 129) no forma sentido.
637 *porfía:* emulación.
639 *Libio:* véase nota al v. 316.—*poderla: Amador* (pág. 129) prefirió la lección de MN8 y MN31 «poderlo». Nuestro criterio impone *poderla* (= la porfía), que da buen sentido al verso.

LXXXI

E com*m*o del fuego la yerva curada
veloçe s'aprende, universalmente
por toda la flota fue boz divulgada
644   qu'el Rrey se anegava; e de con*tinente*
los nobles hermanos co*n* toda la ge*n*te
sintieron aq*u*ella tristeza e dolor
q*ue* los de Cartago por su emperador,
648   la vez postrimera q*ue* fue padesçie*n*te.

---

641   e *om.* MH1, MN6, NH2, RC1, PN10, PN4, PN8, BC3 / PN4:
yerua turrada; NH2, BC3: yerba crurada

642   PN4, PN8: se enprende / NH2, BC3: vniuersalmiente; PN12:
vniuersalment

643   TP1, YB2: fue nos divulgada

644   SA10, segundo hemistiquio: en aquel continente / PN12: conti-
nent

645   MN8, NM31: hermanos e toda / PM1: toda su jente / PN12:
gent

648   SA10, PN4, PN8: la voz postrimera / PN12: padeçient

---

641   *curada:* cuidada; aquí tal vez 'seca'.

642   *s'aprende:* se prende. Cf. los ejemplos siguientes: «Luego se
aprendió mucho ahina, e comenzó a arder la rua tan fieramente...»
(Conq. de Ultr. 277, B. A. E., 44, pág. 238; *apud* CUERVO, *Diccionario..., op. cit.);* «fasta que... ençendamos el fuego e se aprenda la leña
(ms. B: 115, 529; *apud* EVA SALOMONSKI, *Funciones formativas del pre-
fijo a-* estudiadas en el castellano antiguo (Tesis doctoral), Zurique,
1944, pág. 77).

644   *se anegava:* naufragaba.—*de continente:* véase nota al v. 333.

646-647   *dolor / que los de Cartago por su emperador:* el dolor que
los cartagineses sintieron al conocer la muerte de Aníbal.—*emperador:*
Alfonso de Cartagena señala en la *Qüestion fecha sobre el acto de la caballería* en su respuesta al marqués: «... señor muy amado, quál era
aquel sacramento de que Marco Catón a su fijo escrivió, e al Duque
Ponpilo, que llamó enperador siguiendo la costunbre de aquella hedat,
en que a los soberanos capitanes enperadores llamavan» *(apud Amador,*
pág. 500).

LXXXII

Assí, concluyendo, la flota fue presa
con todos los rreyes, duques e varones,
e puesta en Saona la notable presa,
en lo qual acuerdan las más opiniones.

652

---

650 SA1, SA10, MN6, RC1, PN10, PN12, PM1: rreys / e *om.*
     RC1, PN10, HH1
651 PN8: e posta en / MN6, RC1, PN10: la noble presa, PM1: la
     onorable presa
652 SA1, MH1, SA10: en la qual; PM1: en el qual / SA1, MH1,
     SA10, MN6, NH2, RC1, PN10, PN4, PN8, PN12, PM1,
     HH1, BC3, TP1, YB2: se acuerdan

649-650 Sobre la participación de don Pedro en la batalla naval no
concuerdan los historiadores; respecto a ello, escribe el padre Juan de
Mariana *(op. cit.,* pág. 104): «unos dicen que se halló en la batalla, y
que escapó con tres galeras, cubierto de la escuridad de la noche; otros
que con la demás armada que traia de Sicilia llegó a la isla de Isquia al
mismo tiempo que se dió la batalla». Cierto es que no cayó prisionero
(cf. *Crónica de D. Juan Segundo, ed. cit.,* pág. 526, y ELOY BENITO
RUANO, *art. cit.,* págs. 29-30).
La derrota se debió sobre todo a la circunstancia de que Alfonso se
había embarcado con unas 8.000 personas de la casa y corte reales, las
cuales dificultaron enormemente la tarea de los marineros, y a la falta
de experiencia en luchas marítimas de parte de los aragoneses. (FERRÁN
SOLDEVILA, *Historia de Catalunya,* segona edició revisada i augmen-
tada, II, Barcelona, 1962, págs. 667-668.)
652   650   *duques:* jefes, comandantes. Es un cultismo semántico.
651   *Saona:* puerto en el golfo de Génova.—*presa:* botín, despojo.
652   *en lo qual acuerdan: Amador* (pág. 129) prefirió la lectura de
MN6 y *Ochoa*|«se acuerdan». Mi criterio impone *acuerdan.* Cf. *Cantar
de Mio Cid, ed. cit.,* v. 2066, «acuerdan en una razon», v. 3218, «non
acuerdan en consseio»; *Crónica de Pedro Niño (apud* CUERVO, *Diccionario..., op. cit.):* «Estando el rey en Madrid, trató e sacó maneras como
el condestable don Rui López e Pero Manrique fuesen echados de la
corte, porque non consentian nin acordaban con él en algunas cosas».

Leýdos, o Rreyna, los tristes renglones,
pues biven, espera, que Dios es aquel
que puede librarlos, commo a Daniel,
656   e fizo a David en sus inpressiones».

Rúbrica: La presión de los señores rreyes e infante

---

653 SA1, SA10, HH1, comienza: pues rreyna leydos los
654 HH1, primer hemistiquio: biue y esspera / SA10: pues bien es-
     peran / RC1, PN10: pues biua en espera; PM1: pues biue es-
     pera; TP1, YB2: pues biue en espera / SA1, MN8, MN31,
     SA10, ML3: esperan / MN6: Dios a aquel
656 SA1, SA10, HH1: Dauid de sus

---

654 *pues biven, espera:* esta lección es preferible a *pues biven, espe-
ran.* El sentido es: ya que siguen con vida, no pierdas la esperanza.

655 *Daniel:* falsamente acusado por sus enemigos de desobediencia
al rey Darío, fue echado al pozo de los leones, de donde salió ileso por
intervención divina (Daniel, VI).

656 *David en sus inpressiones:* se refiere a las diversas guerras que
David sostuvo (Samuel, II).—'Inpressión' tiene aquí la acepción latinista
de 'ataque, expedición militar'.

LXXXIII

Leýda la carta o letra, cayó
en tierra, privada de fabla e sentido,
e de todo punto el ánima dio,
660   non menos llagada que la triste Dido;
e luego las otras el más dolorido
duelo começaron que jamás se falla
ser fecho en el mundo, nin por la batalla
664   do Luçio fue muerto e Varro vençido.

Rúbrica: La muerte de la señora rreyna de Aragón, madre de los rreyes

---

657   HH1, dice el verso: la letra leyda o carta cayo
658   PN8: terra / HH1: priuada de lengua y
659   PM1, ML3: animo
660   SA10: llegada / NH2: trista
662   HH1: duelo fizieron que / PN4: comiencaron
663   PN8: ell mondo / la om. NH2, BC3
664   NH2, PN4, PN8, comienza: de Luçio / PN4, PN8: muerto en
        bario (PN8: barro) vencido / SA1, SA10: Gabarro; MH1,
        NH2, RC1, PN10, BC3: Vario / PN12: uençida

657-659 *Leýda la carta... cayó / ... /... el ánima dio:* en realidad, la
reina madre se murió el 16 de diciembre de 1435 (véase la *Introduc-*
ción).
660   *la triste Dido:* véase nota al v. 106.
663-664 *por la batalla / do Luçio fue muerto e Varro vençido:* el
poeta alude aquí a la famosa batalla de Cannae (216 antes de J.C.), en el
cual el general cartaginés Aníbal destrozó el ejército romano mandado
por *Lucio* Emilio Paulo y Gayo Terencio *Varro.*

LXXXIV

Aquí Calíope, Molpómone e Clío
e las otras musas, pues voy comedia*n*do,
dad remos e vela al flaco navío
en *el* fo*n*do lago dond'entro dubdando;

668

---

665 SA1, SA10, comienza: si Caliope / SA10: o Melpomene / PN4,
    PN8, PN12, segundo hemistiquio: Meliope e Dido; PM1: Mol-
    pomone e Diedio
666 PM1: e a las otras busas / PN4, PN8: pues vi comediando /
    SA1, SA10, PM1: voy começando; HH1: vo comendado;
    TP1, YB2: vo comediendo
667 SA1: remo / MN8, MN6, RC1, PN10: dad velas e remos al /
    SA10, PM1: e belas al; YB2: y vias al / SA1: al franco nauio
668 PM1: do entro; ML3: donde dentro

---

665 *Calíope, Molpómone e Clío:* como Horacio, el marqués asocia a
Clío, Calíope, Melpómene y Polimnia (véase el v. 67) con la lírica. En
la *Defunsión de don Enrrique de Villena,* estr. XIX, 5-6, leemos: «per-
dimos a Oraçio, que nos (= las Musas) inuocaua / en todos exordios de
su poesía». Cf. Horacio, *Odas y Epodas,* C. I, 1, 33; C. I, 12, 2; C. I,
24,3; C. II, 4,2; C. III, 30, 16; C. IV, 3, 1; y C. IV, 6, 25. (Horace,
Odes et Épodes. Texte établi et trad. par F. Villeneuve, París, 1927.)
668 *en el fondo lago, dond'entro dubdando:* otra vez emplea Santillana la 'metáfora náutica' (véase CURTIUS, *op. cit.,* págs. 189-193) de un
lago profundo, indicando lo difícil que es su tarea (cf. el v. 68). Este
empleo sin duda está ligado al acontecimiento que originó el poema,
que es la batalla *naval* de Ponza.

ca yo non soy Marçia, mas fuygo su vando,
nin loo las fijas del rrey Perineo,
e vuestros favores invoco e desseo,
672 e qu'el sacro Apolo me vaya guiando.

Rúbrica: Invocaçión

---

669   HH1, comienza: que yo / SA10, RC1: non so / MN31: Mar-
       çio; SA1, SA10: Marçiga; TP1, YB2: Maçia / RC1, PN10: Mar-
       cia nin fuygo / HH1: Marçia nin so de su / SA1, SA10, NH2,
       PN4, PN8, PN12, BC3, ML3, TP1, YB2: fuyo / MH1: fuygo
       sabando
670   MN31: nin leo las / PN4, PN8: loo sus fijas / MN6: Prineo;
       MH1: Perimeo
671   SA1, SA10, HH1, comienza: mas vuestros / NH2: vostros
672   NH2, HH1, BC3, comienza: aquel sacro; PM1, comienza: el
       qual sacro / SA1: e aquel sacro

---

669 *Marçia:* por 'Marsias', que desafió a Apolo a tocar la flauta; fue
desollado en castigo a su atrevimiento. Cf. OVIDIO, *Metamorfosis, ed.
cit.,* VI, vv. 382-400.—*mas fuygo su vando:* ningún códice tiene la lectura de *Amador* (pág. 130) «nin sigo su bando».
670 *las fijas del rrey Perineo:* se refiere a las hijas de 'Piero', rey de
Macedonia, las cuales se atrevieron a comparar su talento musical con el
de las Musas; en un certamen de canto fueron vencidas y en pena de su
atrevimiento convertidas en urracas. Cf. OVIDIO, *Metamorfosis, ed. cit.,*
V, vv. 294-317 y 662-678.

LXXXV

La madre de Alecto las nuestras regiones
dexara ya claras al alva lunbrosa,
assí que patentes eran las visiones;
676 e non era alguna que fuesse dubdosa,
quando en presençia la muy poderosa
deessa rodante me fue demostrada
con grand conpañía, ricamente ornada,
680 en forma de dueña benigna e piadosa.

Rúbrica: De cómmo la Fortuna en feminil forma vino a
consolar a las señoras rreynas e infante

---

673 PN4, PN8: del Electo / SA1, SA10, PN4, PN8, PN12,
Ele(c)to; MH1: Alerto / PN8: las nostras regiones / NH2,
BC3: las vostras (BC3: vuestras) regiones; TP1, YB2: las vias
rregiones / PM1: rryjones
674 PN4, PN8, PN12, comienza: mostrara ya / PM1: dexaran /
SA10, YB2: clara / SA1, SA10: el alua / MH1: lunbrosoa
675 SA1, SA10: las sus visiones
678 SA1, SA10, diesa rrodiana me; HH1: deesa redonda me / PN4:
demuestrada
679 SA10: conpaña; PN4, PN8: companya / NH2, BC3: rica-
miente / MN8, MN31, ML3, TP1, YB2: ricamente honrrada;
RC1, PN10, HH1: ricamente ordenada
680 NH2, BC3: en fuerma / HH1: dueña dulçe piadossa / e om.
MN8, MN31, ML3, TP1, YB2

---

673 *La madre de Alecto:* es 'Nocte', la Noche. *Alecto* era una de las
tres Furias.
678 *deessa rodante:* Fortuna (véase nota al v. 7).

LXXXVI

Assí commo nieve por quien passa yelo,
después comovida del vulturno viento,
era su ymagen e forma del çielo
684 e todos sus actos e su movimiento.
Assí de mirarla estava contento
que jamás quisiera de allí se alexara;
pues voy al arreo, e baste su cara
688 ser más que la luna fermosa, sin cuento.

---

681 PN10: a asy / PN8, YB2: como viene por / MN6, NH2, RC1,
PN10, BC3: nieue que pasa por yelo / MH1: paso / MN8,
MN31, ML3: passa el yelo
682 SA10: e despues / uulturno *om.* MH1 / MN6: vulcarno viento;
NH2, BC3: vterno viento; PN4, PN8: alterno viento; PN12:
ulterno uiento; PM1: vturno viento; HH1: boltoso viento;
SA1, SA10: bolturno viento; MN8: vulturnio viento; TP1:
vlcano viento; YB2: vulcano viento; ML3: vultono viento
683 PN4, PN8: ymagen en forma de cielo
684 MN31: todos los actos / TP1, YB2: actos su
685 MN6: mirarlo / SA10: mirarla yo estaba / NH2, PN4, BC3:
contiento
686 MN31, comienza: e jamas / PM1: alenxara
687 MH1: vo / BC3: el arreo / e *om.* SA1, SA10 / NH2: y vasta la
cara; BC3: y baste la cara

---

681 *quien:* véase nota al v. 119.
682 *vulturno viento:* del lat. 'vulturnus ventus', que es un viento cá-
lido del Sur. *Amador* (pág. 131) tiene la lección de MN8 «vulturnio» y
no indica las variantes.
686 *quisiera de allí se alexara:* véase nota al v. 464.
687 *arreo:* véase nota al v. 218.

LXXXVII *

Vestía una cota de damasco vis,
de muy fina seda e ricas labores,
de color de neta gema de Tarsis,
692   senbrada de estrellas de muchas colores:

---

689   PM1: vestetya / NH2: vna tocha; BC3: vna toqua; PN12: vna toca / NH2, BC3: domasco; PN4, PN8: damasso / PM1: damasco gris
690   PN8: ceda / PM1: seda de ricas / NH2, BC3: y de ricas
691   MN6, RC1, PN10: color neta / HH1: guma / SA1, SA10: Tarquis
692   SA8, MN8, MH1, PN4, PM1: muchos

---

*   Véase el cuerpo de variantes de los epígrafes.

689-692   Sobre la importancia que se dio al vestido en los siglos XIV y XV, escribe HUIZINGA (*El Otoño de la Edad Media*, octava edición, Madrid, Revista de Occidente, 1971, págs. 87-88): «La última Edad Media ha dado en el vestido continua expresión a una cantidad de estilo vital, de lo que hoy día, incluso la solemnidad de una coronación, no es más que un pálido reflejo. En la vida diaria indicaban las diferencias en pieles y colores, gorra y caperuzas, el orden riguroso de las clases sociales, las ostentosas dignidades, el estado de alegría y de dolor, las delicadas relaciones entre los amigos y los enamorados». Cf. también LAPESA, *La obra literaria...*, op. cit., págs. 155-160.

689   *cota:* vestidura.—*vis:* moreno. Es de origen provenzal (cf. S. J. HONNORAT, *Dictionaire Provençal-Français*, t. I, pág. 279; apud MICER FRANCISCO IMPERIAL, *«El dezir a las syete virtudes»* y otros poemas. Edición, introducción y notas de Colbert I. Nepaulsingh (Clásicos Castellanos, 221), Madrid, Espasa-Calpe, 1977, pág. 52, nota al v. 11) y con toda probabilidad entró en el castellano antiguo a través del catalán (cf. ALCOVER, op. cit., s.v. 'bis'). Para la presencia del adjetivo en el castellano antiguo, véase el *Glosario* al texto de la *Historia Troyana*, en *Obras Completas de R. Menéndez Pidal*, XII, en *Textos Medievales Españoles*, Madrid, Espasa-Calpe, 1976, pág. 406. El adjetivo no figura en el estudio de R. M. Duncan, titulado «Color Words in Medieval Spanish» (en *Studies in Honor of Lloyd A. Kasten*, Madison, 1975, págs. 53-71).

691   *gema de Tarsis:* para J. M. Millás («De toponimia púnico-española», en *Sefarad*, I (1941), pág. 324), *Tarsis* (como topónimo) «es de

las unas mostravan los grandes calores,
e otras el tienpo de fría invernada,
e otras causavan ventura menguada,
696   e otras los triunphos e grandes honores.

---

693   SA1, HH1, comienza: ca vnas / SA10, primer hemistiquio: que
      a vnas mostraba / SA10, MN6, RC1, PN10, TP1, YB2: las
      grandes / el verso falta en PN4 y PN8
694   MN31: otras del tienpo; PN4, PN8: otras al tiempo
695   NH2, BC3: mostrauan ventura / BC3: muengada / en HH1 el
      verso 695 precede al 694
696   HH1, primer hemistiquio: otros los bienes / NN2: otro / los
      om. MN8, MN31, NH2, ML3

---

legítima estirpe hebrea; significa crisólito, aguamarina». En el *Universal
vocabulario en latín y en romance* (Sevilla, 1490; cito por F. GONZÁLEZ
OLLÉ, «De la etimología de 'társica' al tópico de los 'ojos verdes'», en
Studia Hispanica in Honorem R. Lapesa, I, Madrid, 1972, pág. 286),
Alonso de Palencia escribe: «Tharsis es nombre hebraico. Tharsis es
mar o pielago. Tharsis en Ezechiel y en Daniel interpreta Aquila interprete crisolito et Simaco interprete lo interpreta iacintho. Et ouo algunos que no pensaron bien que Tharsis se posiesse por la çibdad
Tarso, ca el nombre desta piedra preciosa se pone entre las otras piedras
que estauan en el adornamiento o paramento del summo sacerdote».
Este vocablo llegó sin duda al conocimiento del marqués a través de la
Biblia (cf. GONZÁLEZ-OLLÉ, *art. cit.*, pág. 282); además es muy significativo que Santillana tuviese en su biblioteca glosarios para la interpretación de los nombres hebreos (véase SCHIFF, *La bibliothèque…*,
op. cit., pág. 236). Más tarde, en el *Soneto* IX, el marqués hablará de la
«vista társica», interpretada por González Ollé (*art. cit.*, págs. 289-294)
como primera documentación en las letras castellanas del tópico 'ojos
verdes'.
      695   *menguada:* miserable.

LXXXVIII

Çeñía una gruessa çinta de caderas
con doze morlanes, ricamente obrados
de oro, con piedras de muchas maneras,
700   segund que por horden serán recontados:

---

697 SA10, PN4: tenia vna; PN8: tenian vna; NH2, BC3: cenian;
PM1: cenya / NH2, BC3: vna cinta gruessa de / SA10: caderos;
PN4, PN8: cadenas
698 SA10: doze animales ricamente / MN8: moflanes / NH2, BC3:
richamiente
700 PN4: recuentados

---

697 *çinta de caderas:* cinturón.
698 *morlanes:* Ochoa (pág. 70) sugirió que acaso serían «morleses»,
es decir, «paños». Sin embargo, esta explicación es inaceptable, porque
existe una palabra 'morlán' o 'morlas' (de 'Morlas', municipio de
Bearne) que es una moneda muy usual en Aragón desde el siglo XII, y
en Cataluña todavía en 1457 (ver FELIPE MATEU Y LLOPIS, *Glosario Hispánico de Numismática*, Barcelona, C. S. I. C., 1946, pág. 147ª, y *Corominas*, s. v. 'morlaco'). Resulta ser una voz poco conocida, puesto que
fuera de los dos lugares citados no aparece, que yo sepa, en ningún diccionario español. En nuestro texto significa 'escudo pequeño' o 'medallón'.

era en el primero, de cuernos dorados
e piel, un Carnero, e luego siguiente
un Toro enplentado, fermoso e valiente,
704   commo si corriesse, los pies levantados.

---

701 SA1, RC1, PN10, primer hemistiquio: en el primero era / en
     om. MN8, MN31, SA10, ML3
702 PM1, comienza: de pies vn / SA1, SA10, HH1: e por el vn /
     TP1, YB2: d'un Carnero / PN12: seguient
703 TP1, YB2: enprentado / PM1: fermosa e / e om. SA10, NH2,
     HH1, BC3, ML3, TP1, YB2 / SA10: segundo hemistiquio: fer-
     moso plaçiente / PN12: Ualient / en MN6 los versos 702 y 703
     dicen:
            vn toro enplentado fermoso e valiente
            ligero tenprado con pelo lusiente
     en RC1 y PN10:
            un toro emplentado fermoso ualiente
            el qual parescia a toda la gente
704 NH2, BC3: curriesse / PN12: leuantado

---

702 *un Carnero:* es decir, 'Aries'. Siguen los demás signos del Zodíaco: Tauro (Toro), Gemelos (Géminis), Cáncer (Cancro), Leo, Virgo,
Escorpión (Escorpio), Libra, Sagitario, Capricornio (Capra), Acuario
(Acario) y Piscis (Piçis).
703 *enplentado:* por 'imprentado' (del catalán 'empremta', impresión o huella; véase *Corominas*, s.v. 'exprimir').

LXXXIX

Era en el terçero Geminis gravado,
en el quarto Cancro, en el quinto Leo,
en el sexto Virgo, segund es pintado
708   en el Almagesto del rrey Tolomeo;

---

705   SA1: e era / SA10: el terçera / RC1, PN10, PN12, NH2, HH1,
      ML3, BC3, TP1, YB2: granado
706   SA1, SA10, PM1, comienza: el quarto / MH1: Carnero; NH2,
      BC3: Clanclo; SA1: Cangro; MN6, RC1, PN10: Caucro;
      PN12: Canclo; PM1, HH1: Cançer; TP1, YB2: Canero / TP1,
      YB2: Canero y en / SA1, SA10: Cangro (SA10: Cancro) el
707   en om. SA1, SA10 / HH1: sesto visto segund
708   SA1, MH1, MN6, NH2, RC1, PN10, PN4, PN8, PN12, BC3,
      TP1, YB2, primer hemistiquio: en el gran(d) Magesto; PM1: en
      el gran majisterio; HH1, primer hemistiquio: el gran Magesto

---

708   el Almagesto del rrey Tolomeo: El Almagesto del astrónomo (y no
rey) alejandrino Claudio Ptolomeo (siglo II después de J.C.) es el manual
completo de la astronomía griega de la época de su mayor desenvolvi-
miento. Con razón ha hecho notar M. de Toro Gisbert (Ortología castellana de nombres propios, París, s.a., pág. 372) que «etimológicamente
debiera ser Ptolemeo (gr. Ptolemaios, lat. Ptolemaeus); pero siempre
hemos visto escrito este nombre con o». Cf. también GILLET, Propalladia, t. III, op. cit., pág. 323.
     También San Isidoro confundió al famoso astrónomo con el rey: «In
utraque autem lingua diversorum quidem sunt de Astronomia scripta
volumina, inter quos tamen Ptolemaeus, rex Alexandriae, apud Graecos
praecipuus habetur» (Etymologiae, ed. cit., III, 25, 1).
     El título original del tratado es Μεγαλη συνταξις της αστρονομίας.
El nombre de Almagesto es debido a la traducción árabe Kitab al-
Maŷistī (del griego μεγιστη = muy grande; Libro Muy Grande). Tras la
traducción al latín en 1175 por Gerardo de Cremona, el tratado es conocido en la Edad Media como el Almagestum: cf. el Libro de Astrología de Enrique de Villena, en que se habla del «Almagesti» de «Tholo-
meo» (apud JOSÉ MARÍA MILLÁS VALLICROSA, «"El Libro de Astrología» de Don Enrique de Villena, en Revista de Filología Española,
XXVII (1943), pág. 21), y el De vita et moribus philosophorum de Walter Burley, de que Santillana tomó conocimiento a través de una traducción al castellano (cf. la introducción a mi edición del Bías contra Fortuna, ed. cit., pág. 52), donde se lee sobre Ptolomeo que «conpuso muchos libros, es a saber: el libro que es llamado almagesto de la ciencia

Escorpio venía, siguiéndolo arreo,
aprés d'ellos Libra, con el Sagitario,
Capra en el dezeno, después d'él Acario,
712   e último Piçis del notable arreo.

---

709 HH1, dice el verso: escrito venia siguiendolo apreo / MH1:
Scorpio / venia *om.* SA10 / SA1, RC1, PN10, PM1: siguiendo
el arreo

710 NH2, BC3: comienza: despues d'ellos / HH1: d'ello

711 SA10: Capricorno; RC1, PN10: Capria / en *om.* HH1 / en el
om. SA10 / MN31, MN6, RC1, PN10: dozeno / PM1: despis /
PN8: Aquerio; TP1, YB2: Acaquario

712 MH1, SA10, MN6, RC1, PN10, PN4, PN8, PN12, HH1, TP1,
YB2, NH2, BC3, comienza: el ultimo; SA1, comienza: en el
vltimo / SA10: Peçes / MN6: del noble areo; NH2, BC3: del
nombre arreo; RC1, PN10: de noble arreo / SA1: de notable
aseo / SA1, SA10, HH1: aseo / el verso falta en PM1

---

de las estrellas y de los movimientos de los cuerpos celestiales» *(Gualteri Burlaei liber 'De vita et moribus philosophorum',* mit einer altspanischen Übersetzung der Eskurialbibliothek, herausgegeben von Hermann Knust, Tübingen, 1886; Unveränderte Nachdruck, Frankfurt am Main, Minerva GMBH, 1964, cap. CXX, pág. 371). También era conocido con el título de *Magna constructio.* La lectura «gran Magesto» recuerda vagamente los títulos de las traducciones al árabe y al latín.

709 *arreo:* a continuación.

712 *e último:* véase nota al v. 196.—*arreo:* véase nota al v. 218.

XC

Color de la piedra de topaça fina
era*n* sus cabellos, dorados, eguales,
e qual es el Febo qua*n*do más se enpina,
716 e muestra e reparte sus rayos diurnales;
fermosa guirlanda de ricos metales
aq*u*éllos premía, e de perlas netas,
co*n* siete firmalles, q*u*e de las planetas
720 mostrava*n* sus fuerças e çiertas señales.

---

713 SA1, YB2: calor; NH2, BC3: claror / la *om.* SA10 / SA1: tu-
pisa; SA10: topaçion; PN4: d'estopaza; PN8, PN12: d'estu-
passa / SA10: topaçion y fina
714 NH2: sus gebellos; BC3: sus gabellos
715 e *om* PM1 / NH2, BC3, comienza: ygual es / el *om.* SA8,
SA1 / MN8: al Febo / mas *om.* SA10 / PN4, PN8: s'enclina;
PN12: se inclina
716 MN31, SA10, MN6, NH2, RC1, PN10, PN4, PN8, PN12,
PM1, BC3: departe / SA1, PN4, PN8, HH1, ML3: rrayos diui-
nales; SA10: rraios lustrales
717 TP1, YB2: hermosas guirnaldas / SA8, SA1, MH1: guirnalda /
NH2, BC3: matales
718 SA10, primer hemistiquio: de que los primia / PM1: aquellas
primeras e / TP1, YB2: aquellos ornados y / NH2, BC3: prenia
/ SA10, segundo hemistiquio: de perlas muy netas
719 SA1: con siente firmales / SA10: primalles; MN6: fyrmallas;
PN4, PN8: fermalles / que *om.* HH1 / SA10: los planetas
720 SA10: mostrava; PN4: muestrauan / PM1: e ricas senyales /
PN4, PN8: ciertos senyales

---

713 *topaça:* topacio.
719 *firmalles:* broches, prendederos (del catalán 'fermall').—*las planetas: Amador* (pág. 133) puso «los planetas», aunque todos los códices
que utilizó tienen el femenino. En la nota al v. 450 de su edición del
Sueño, García de Diego dice que 'planeta' era femenino *(ed. cit.,* página 84). Sin embargo, me parece más acertado decir que 'planeta' era vocablo bigenérico: cf. el *Infierno de los enamorados,* estr. LII, I, «O tú,
Planeta diafano!»; el *Dezir a las syete virtudes (ed. cit.),* v. 9, «çerca la
ora quel planeta enclara»; y en la glosa al sexto verso de la copla 67
Hernán Núñez escribe: «... Dispuso Dios desde el principio del mundo
que cada uno de *los* siete *planetas* disponga en los hombres diversas
operaciones, según es assí que en cada uno de los siete círculos obran
las siete planetas, en *el* primer planeta...» *(ed. cit.).*

XCI

Era en el primero, teniente en la diestra
la foz incuruada, el gra*n*d Cultivante,
el drago i*n*premía su mano siniestra;
724   e luego el segu*n*do el fijo Tonante.
La terçera ymage*n* era Batallante,
sentado en un carro, armado e feroce;
pues basta lo dicho al q*ue* los conosçe,
728   e q*ui*en no*n*, aprenda del rey Atala*n*te.

---

721   NH2: teniendo la / BC3: teniente la
722   HH1: la boz encoruada; RC1, PN4, PN8: la faz incuruada /
       NH2, BC3: la voz encornada / TP1, YB2: yncurnada / SA10:
       foz incuruante el / SA1: Cultifante; MN6, RC1, PN10, PN12,
       PM1: Cultinante
723   NH2, BC3, PM1: sinestra / HH1: mano diestra
724   SA10, dice el verso: e luego el fijo Tronante segundo; NH2,
       BC3, dice el verso: el luego siguiendo el fijo Tornante; MH1,
       MN6, RC1, PN10, PN4, PN8, PN12, PM1, HH1, TP1, YB2:
       luego segundo (RC1: segund) / SA1: el fijo el Tronante / SA1,
       MH1, SA10, MN6, RC1, PN10, PN4, PN8, PN12, HH1, TP1,
       YB2: Tronante; NH2, BC3: Tornante
725   SA1, MH1, SA10, MN6, RC1, PN10, PN4, PN8, PN12, PM1,
       HH1, TP1, YB2: era el Batallante; NH2, BC3: era en ba-
       tal(l)ante
726   TP1, YB2: assentado / SA1: en el carro / vn *om.* SA10 / PM1:
       caro / e *om.* PM1, HH1, TP1, YB2
727   SA1, SA10, NH2, PN4, PN8, PN12, PM1, ML3, BC3: baste /
       TP1, YB2: dicho a quien los / PN4: al quien los
728   PN4: aprienda

---

722   *Cultivante:* Saturno, padre de la agricultura.
723   *inpremía:* sujetaba, empujaba abajo.
724   *Tonante:* epíteto de Júpiter. También se usaba 'Tronante' (véase
nota a los vv. 533-535).
725   *era Batallante:* alusión a Marte. Para la omisión del artículo,
véase nota al v. 196.
726   *feroce:* valeroso. Es un cultismo.
728   *rey Atalante:* véase nota al v. 212.

XCII

El quarto firmalle mostrava persona
de varón mançebo, muy claro, lunbroso;
de tres pies tenía preçiosa corona,
732   e alto instrumente tenplava curoso.
Era en el quinto, de gesto amoroso,
fermosa donzella en el mar nadante;
el sexto adormía con flauta sonante
736   al pastor de Yo de sueño engañoso.

---

729   MN31: firmable; SA10: famable
730   SA10: de manso mançebo / MN6, NH2, BC3: claro e lunbroso
731   MH1, HH1, comienza: e tres / SA1, SA10: tres piedras tenia
732   PM1, comienza: en alto / SA1, TP1, YB2: estrumente; MN8:
      instruuiente; SA10, RC1, PN10, PN4, PN8: instrumento;
      MN6: ynsturmente; NH2, BC3: esturm(i)ente; PM1: estru-
      mento; HH1: estormento / MN6: tenperaua; MN31, SA10,
      MH1, RC1, PN10, PN4, PN8, HH1, TP1, YB2: tenpraua /
      SA10: cursoso
733   RC1, PN10, PN4, PN8: el quarto de / de om. SA1, SA10
734   MH1: mar non nadante / PN4, PN8, HH1: mar andante
735   el verso falta en PN4 y PN8
736   MH1, comienza: del pastor / NH2, BC3, primer hemistiquio:
      el pastor dexo / TP1, YB2: pastor dexe de / HH1: de dexo de;
      RC1, PN10: de Yro de / NH2, PM1, BC3: del suenyo / PN12:
      sueno amoroso / el verso falta en PN4 y PN8

---

730   *varón mançebo:* Febo Apolo, el Sol.—*lunbroso:* luminoso.
732   *e alto:* para la omisión del artículo, véase nota al v. 196.—*curoso:* cuidadosamente; es forma acatalanada (cf. JOSÉ A. PASCUAL,
op. cit., pág. 135).
734   *fermosa donzella:* el planeta Venus.
735-736   *el sexto adormía... / al pastor de Yo:* aquí Santillana se refiere a Mercurio, que tocó la flauta para adormecer a Argo, el guardián
de Io. Cf. OVIDIO, *Metamorfosis, ed. cit.,* I, vv. 568 y sigs., y la *General Estoria,* Primera Parte, págs. 158-162 (*apud* CARLA DE NIGRIS,
art. cit., págs. 160-161). No se trata aquí de 'Endimion', como dice
Ochoa (pág. 71).

XCIII

Era en el seteno donzella en un parco
o luco arbolado, siguiendo las fieras;
con flecha tendida enbraçava el arco,
740   segudando aquéllas fasta las riberas.
A ésta las ninfas eran conpañeras,
tendiendo las redes, faziendo sus tiros;
eran assí mesmo faunos e satiros
744   allí figurados, conpañas ligeras.

---

737 NH2, BC3, dice el verso: en el seteno era donzellan vn prato /
     SA1: era el / TP1, YB2: septimo / SA1, HH1: vn barco; TP1,
     YB2: vn parto
738 SA1, comienza: oculto arbolado; NH2, comienza: a loco arbo-
     lado / BC3: o loco arbolado; HH1, TP1, YB2: o luto arbo-
     lado / MN31: arboledo
739 MN6, RC1, PN10: con la flecha / PN4, PN8: con fresca ten-
     dida / RC1: enbaraça / NH2, BC3: enbraçada en larco / TP1:
     el arto
740 SA1, SA10: sig(u)iendo; NH2, BC3: segurando; MN8, MN31,
     ML3, TP1, YB2: segundando; MN6, RC1, PN10, PM1: secu-
     tando; PN4: seguitando; PN8: sequitando
741 MN31: estas
742 PN4, PN8: teniendo las
743 SA1, SA10: era asy mesmo / PM1: mesmo famosos e / SA1:
     faufos (corregida por otra mano en «faunos»); HH1: fauros / e
     om. NH2, RC1, PN10, HH1, BC3 / PN4, PN8: saffiros
744 SA10, NH2, BC3: figuradas; TP1, YB2: segurados

---

737 *donzella en un parco:* alusión a Diana que fue identificada con
la Luna, quedando así completo el grupo de los siete planetas (Sol,
Luna, Mercurio, Venus, Marte, Júpiter y Saturno). Cf. la *General Estoria*, Segunda Parte, II, ed. cit., cap. CCCXCVIII, pág. 7: «E cuenta en
el Libro de los linages de los gentiles e de sus dioses que desta gente de
la prouinçia de Arcadia que por eso despreçiauan a Diana, a que lla-
mauan los otros deesa de la Luna»; OVIDIO, *Arte de amar*, ed. cit., Libro III, pág. 118; Boccaccio, *Genealogie deorum...*, ed. cit., Liber
Quintus, cap. II, págs. 234-236; e ISIDORO, *Etymologiae*, ed. cit., VIII,
2, 56.—*parco:* parque, lugar murado propio para la caza.
738 *luco:* selva, bosque (del lat. 'lūcus').
740 *segundando:* (per)siguiendo.

XCIV

O Musas, mostradme las gentes insignes
que en este conclave vinieron presentes,
de toda la tierra fasta los sus fines,
748   ca non fallo algunos que fuessen absentes:
allí paresçieron los quatro potentes,
primero de todos, que por monarchía
hovieron del mundo total señoría,
752   con ricas tiaras e resplandesçientes.

Rúbrica: Invocaçión

745   NH2, BC3: insignas
746   MN31: en esta conclaue; ML3: en esto conclaue / NH2, BC3,
       TP1, YB2: conclaui
747   NH2: terra / NH2: fasta las sus confines / TP1, YB2: fasta las
       sus
748   PN8: foessen obscuros / PN4: absientes
750   SA10, comienza: vno de todos / PN4: primeros / PM1: monar-
       chias
751   TP1, YB2: hoviera
752   SA10: con rricos arreos e; HH1: con muy rricas tierras e /
       MN6, TP1, YB2: ricas tierras e; PM1: ricas caras e

745   *insignes:* rima con 'fines'; véase nota al v. 310.
746   *conclave:* asamblea.
749   *paresçieron:* aparecieron.—*los quatro potentes:* con toda probabilidad se trata de una referencia a los representantes de las 'cuatro mo-
narquías', Babilonia, Macedonia, África (Cartago) y Roma (cf. J. W.
Swain, «The Theory of the Four Monarchies», en *Classical Philology*,
XXXV (1940), pág. 1-21). En la *General Estoria*, Primera Parte (*apud*
Carla De Nigris, *art. cit.*, páginas 157-158), se dedica un capítulo a
«Los quatro principales regnos del mundo».

XCV

Allí vi yo a Bello, a Nino e Sardana,
e vy a Egialo e al otro Nino,
vy a Fialte e aq*u*el que la vana
756   creençia antepuso al poder divino.

---

753 PN4, PN8: ali vio a / ui yo *om*. YB2 / yo *om*. SA1, MH1,
     PM1, TP1, YB2 / NH2: yo el Bello a Nimo a Sardana; BC3:
     yo el Bello a Mino a Sardana / SA1: Bello y Ynino; SA10,
     HH1, ML3: Bel(l)o e Nino / PN12: Mino / SA8, PM1: e a Sar-
     dana / YB2: Nino a Sardana
754 vy *om*. MN31 / a *om*. SA1, NH2, PN4, PN8, HH1, BC3 /
     SA1, HH1: Argilao; SA10: Arguialo; NH2, BC3: Anchianlo;
     TP1, YB2: Gyalo / SA1: e a Tronino / SA10: e a otro / TP1,
     YB2: otro Anyno; NH2, PN12, BC3, ML3: otro niño
755 SA10: e vi / SA1, PN4, PN8: vi al Fialte / TP1, YB2: Finalte /
     e *om*. MN31, PM1
756 MN8: querencia

---

753 y sigs. En la enumeración · de los personajes masculinos que
acompañan a la Fortuna siguió Santillana más o menos el siguiente esquema: reyes de Asiria; gigantes; historia tebana (los 'Siete contra Tebas'); (algunos personajes desconocidos); guerra troyana; los argonautas; *Eneida* de Virgilio; la batalla de Farsalia; historia romana; Macedonia y Egipto; Moisés; los jueces de Israel; los reyes de Israel; y «la
venida del Jhesu bendicto». Santillana se muestra como hombre medieval cuando equipara y mezcla personajes mitológico-legendarios con fi-
guras bíblicas e históricas.

753 *Bello:* 'Belo', rey legendario de Asiria; fue sucedido por
Nino.—*Nino:* hijo de Belo; casado con Semíramis.—*Sardana:* por 'Sar-
danápolo', rey de Asiria.

754 *Egialo:* 'Egialeo', hijo de Adrasto y uno de los Epígonos; fue el
único que murió en la segunda guerra tebana.—*al otro Nino:* el último
rey de Nínive, sucesor de Sardanápalo.

755 *Fialte:* 'Efialtes', hijo de Neptuno e Ifimedia.

755-756 *aquel que la vana / creençia antepuso al poder divino:* posible alusión a Otos, que juntamente con su hermano Efialtes acometió el
Olimpo (cf. GRAVES, *op. cit.*, § 37, pág. 121).

Allí vi yo a Caco de monte Aventino,
Assur el ponposo, e vi más a Anteo,
con insignes otros que fueron arreo,
760   passado el diluvio, en error maligno.

Rúbrica: Rrecuéntanse los monarchas, enperadores, rreyes
que en esta venida aconpañavan a la Fortuna

---

757   PN4, PN8: ali vio a / HH1: allo vino Caco / yo *om.* SA1,
       MN31, MH1, SA10, PM1 / SA1, MN6, ML3: a Cato / SA10,
       HH1, TP1, YB2: del monte
758   SA10: e Asuero / TP1, YB2: comienza: Çessar el / SA1, HH1:
       Asuy; NH2, BC3: Assuer / a *om.* MH1, MN6, NH2, RC1,
       PN10, PN4, PN8, PN12, PM1, HH1, BC3 / PN8: mas Antes
759   SA1: ynsynos
760   SA10, dice el verso: desqu'el diluvio al orbe pervino / SA1: di-
       luio; MN6: diluui / PM1: diluuio et error

---

757   *Caco de monte Aventino:* este gigante vivió en una caverna del
monte Aventino en Roma.
758   *Assur:* forma hebraica de 'Jerjes'. En el Antiguo Testamento,
dos reyes de Persia y uno de Media llevan este nombre.—*Anteo:* gigante, hijo de Neptuno y Gea; cf. la nota al v. 380.
760   *maligno:* rima con '-ino'; véase nota al v. 310.

XCVI

Allí vi yo Adastro e vi a Thideo,
Ligurgo e Anfiaro e Ypomedón,
Canpaneo el sobervio, e Partinopeo,
e vi Poliniçes, graçioso varón;

764

---

761 yo *om.* SA1, MH1, SA10, NH2, BC3 / SA1: Adrastro /
MN31: Thadeo; HH1: Tyden
762 TP1, YB2: e a Ligurgo / SA1, comienza: Limo Anfario e /
HH1: Ligurgio / SA1, MN8, MN31, NH2, ML3, BC3, TP1,
YB2: Ligurgo (SA1: Limo) Anfiaro / MH1: Anfierçio, SA10:
Ufario; MN6, PN4, PN8, TP1, YB2: Anphiarao; PN12: An-
phiaroa; NH2, BC3: Anchiarea; PM1: Anfiario; HH1: Anfaro /
NH2, PM1, HH1, TP1, YB2: A. Ypomedon
763 SA1: Canponeo / e *om.* SA1 / HH1: Pertinopen; PN4, PN8:
Pantinopeo
764 TP1, YB2: e vy a Poliniçes / SA1: Polimiçes; RC1, PN10: Poli-
neces; PN4, PN8, PN12, PM1: Policenes / HH1: fermoso
varon

---

761 *Adastro:* 'Adrasto', rey de Argos.—*Thideo:* véase nota al
v. 364.
762 *Ligurgo:* 'Licurgo', rey legendario de los edones (en Tracia).—*Anfiaro:* 'Anfiarao', uno de los 'Siete contra Tebas'.—*Ypomedón:*
'Hipomedonte' fue uno de los siete jefes que asediaron Tebas.
763 *Canpaneo:* 'Capaneo', otro de los 'Siete contra Tebas'.— *Partinopeo:* otro de los 'Siete contra Tebas'.
764 *Poliniçes:* hijo de Edipo y de Yocasta, hermano gemelo de
Eteocles.

Thïocles tebano, Drïas e Chirón,
Cadino el mançebo, Alteo el fermoso,
Toante de Len*us*, el muy valeroso,
768 Yspen, Arçenisse, Lid*us* e Vacón.

765 PN4, PN8, dice el verso: ali vi de Greçia t(h)ebano Dirias e Tiron / SA1: Tioles; NH2: Etioches; BC3: Etiocles; en MN6 «Thiocles» fue corregida en «Etheocles»; HH1: Tohaches / NH2, BC3: E. el thebano / PM1, segundo hemistiquio: Andria e Chiron / TP1, YB2: tebano Vrias e / MH1: Thiron; NH2: Ciron

766 RC1, PN10: Anteo

767 BC3, MN6, NH2, PM1, PN4, PN8, PN10, PN12, RC1: Lemus; SA1, TP1, YB2: Lemos; MH1: Lenius; SA10: Lemes; HH1: Lenos

768 MH1, MN6, RC1, PN10, PN4, PN8, PN12: Ysperi; SA1: Yspan; SA10: Ispes; NH2, BC3: Yspreçi; PM1: Yspere; TP1, YB2: Esperi / NH2, BC3: Arconici; RC1, PN10: Acernise; TP1, YB2: Artenize / SA1, NH2, PM1, BC3: Lidos; HH1: Lydas; TP1, YB2: Lydes / PM1: Lydos o Vacon / SA1, HH1: L. e Varon / SA10: Lidus el varon

765 *Thïocles:* 'Eteocles'.—*Drïas:* hay varias personas con este nombre. Sin embargo, por ser mencionado juntamente con «Chiron», ha de ser el capitán griego que se hizo famoso por su lucha contra los centauros.—*Chirón:* 'Quirón', uno de los centauros.

766 *Cadino:* 'Cadmo'. Para la forma *Cadino*, véase nota al v. 634 en mi edición del *Bías contra Fortuna* (ed. cit., pág. 131).—*Alteo:* probablemente por 'Alceo', equivocación explicable por la fácil confusión de *t* y *c* en letra gótica. Así se llamaron el hijo de Perseo y Andrómeda, y el hijo de Hércules y ¿Onfala?

767 *Toante de Lenus:* Toante, rey de la isla de Lemnos, en el mar Egeo. Para la forma 'Lenus' por 'Lemnos', véase también DIEGO DE VALERA, *Tratado en Defensa..., op. cit.,* pág. 72.

768 *Yspen:* por ¿'Ispan' o 'Espan'? En la *General Estoria* (Segunda Parte, II, *ed. cit.,* cap. CDXXII, pág. 34) se cuenta que «Ercules traye vn omne consigo que auia nonbre Espan; e era omne muy fiio dalgo, e criarase con Ercules muy de pequenno, e con el visquiera toda via. E tomo Ercules a este, e diolo por adelantado en Espanna, e puso a la tierra el nonbre del»; en las *Sumas de Historia Troyana (ed. cit.,* pág. 141) es 'Ispan' el sobrino de Hércules y gobierna en España después de su tío.—*Arçenisse:* ¿...?.—*Lidus:* en la *General Estoria* (Segunda Parte, II, *ed. cit.,* cap. CDVII, pág. 15) figura un 'Lido', rey de Lidia, y en las *Sumas de Historia Troyana (ed. cit.,* pág. 120) se habla de un tal 'Lido' que reinó en Tracia después de la muerte del rey Diomedes.—*Vacón:* ¿...?

XCVII

Allí vi de Greçia los nobles hermanos
con todas las gentes que assí promovieron,
quando las montañas, las sierras, los planos
772 de Frigia enllenaron e la destruyeron.
Allí sin tardança los jassios vinieron
con toda la casa del grand Laumedón;
allí paresçieron Esón e Jassón
776 con los de Thesalia que los consiguieron.

---

769 TP1: de Greçiea / ML3: nobles varones
770 PM1: gentes casy promouieron / MN31, ML3: prouenieron;
      NH2, BC3: peruenieron; YB2: premouieron
771 NH2, RC1, PN10, BC3: y quando / NH2, BC3: quando los
      montes
772 MN8, comienza: la Frigia / HH1, TP1, YB2, primer hemisti-
      quio: asi la enllenaron / PM1, primer hemistiquio: de Greçia
      ellenaron / SA10: Frigia rrobaron; MN6, RC1, PN10: Frigia
      enlleuaron; PN4: Frigia enlanaron
773 SA1: los goios venieron; SA10: los gaios vinieron; PM1: los ja-
      sones viñeron; HH1: los frigios vinieron; TP1, YB2: los jascos
      vinieron
774 SA1: la carta del / TP1, YB2: casa de Ligia y Lamedon / HH1:
      del rrey Laomedon
775 MN6, RC1, PN10: peresçieron / NH2, BC3: e Jezon
776 SA1: los de Tarsia que

---

769 *los nobles hermanos:* Agamenón y Menelao, y no Cástor y Pó-
lux, como *Ochoa* (pág. 72) sugirió.
770 *promovieron:* como término militar significa 'avanzaron' (del
lat. 'promovēre'). Se trata, pues, de un cultismo semántico.
772 *Frigia:* región del Asia Menor, donde se encontraba Troya.
773 *los jassios:* los troyanos. 'Jasio', hermano de Dárdano, fue el
fundador de Troya (cf. SAN ISIDORO, *Etymologiae, ed. cit.,* IX, 2, 67).
774 *Laumedón:* 'Laomedón(te)', rey de Troya, padre de Príamo.
775 *paresçieron:* véase nota al v. 749.—*Esón:* padre de Jasón, rey de
Yolco.—*Jassón:* hijo de Esón, jefe de la expedición de los argonautas.
776 *con los de Thesalia:* Esón fue rey de Yolco en *Tesalia.—consiguieron:* véase nota al v. 305

XCVIII

Allí vi yo a Eneas, e con él Palante,
Uríalo e Niso, e vi a Lenor,
Asillas, Çineo, a Escanio, el infante,
780 con otros varones del mesmo favor;

---

777   yo *om.* SA1, SA10, NH2, BC3 / a *om.* PN4, PN8 / SA1, SA10,
RC1, PN10, PM1, TP1, YB2: el a Palante (RC1, PN10: Po-
lante)
778   SA1, SA10, primer hemistiquio: Hurias e Viso / MN31: Erialo;
PM1: Vrial / NH2, BC3: y Vizo / SA1, MN31: Elenor; MN8,
ML3, TP1, YB2: Leonor: SA10: Letior; NH2, BC3: Llenor
779   SA10: Asilias / PN4: Cinco; HH1: Quineo / a *om.* SA10,
NH2, PM1, BC3 / SA10: Çineo e Ascanio / RC1, PN10: Esca-
nion; PM1: Ascanyo
780   TP1, YB2: de mismo / SA10: mesmo furor

---

777   *Eneas:* héroe troyano, hijo de Anquises y Venus; protagonista
de la *Eneida* de Virgilio (cf. la nota al v. 208).—*Palante:* hijo de Evan-
dro; ayudó a Eneas contra Turno.
778   *Uríalo:* 'Euríalo', joven troyano, amigo de Niso.—*Niso:* compañero de Eneas.—*Lenor:* 'Elenor', amigo de Eneas (cf. la *Eneida,
ed. cit.,* IX, v. 544). Sin fundamento, *Amador* (pág. 136) enmendó «An-
tenor».
779   *Asillas:* siguiendo a *Ochoa* (pág. 46), *Amador* (pág. 136) puso
«Gyas», capitán de la nave 'Chimera'. Sin embargo, Santillana se refiere
aquí sin duda a *Asilas,* compañero de Eneas (cf. la *Eneida, ed. cit.,* IX,
v. 571).—*Çineo:* con toda probabilidad por 'Ciseo', amigo de Eneas
(véase la *Eneida, ed. cit,* X, v. 317). No creo que sea alusión a 'Ceneo'
(Metamorfosis, ed. cit., XII, vv. 146-209), puesto que en estos versos se
trata de los eneades.—*Escanio:* 'Ascanio', hijo de Eneas y Creusa.
780   *favor:* privanza, rango.

e vi los que fizo la madre de Amor
pintar en la tarja con toda la Ytalia,
e los que regaron la nava farsalia
784   de sangre rromana con loco furor.

---

781   NH2, BC3: la made de
782   MN31, comienza: pintada en / MN6, RC1, PN10: targia;
       NH2, BC3: targa; PN4, PN8: taria
783   e om. SA8, MN8, MN31, ML3 / SA10: que rrobaron la / SA1,
       MN8, SA10, NH2, PM1, ML3, BC3: la naue f.; TP1, YB2: la
       vana f. / naua om. MH1 / SA1: farsiaria; MN31; farsilia; PM1:
       farsalla
784   SA1, MH1, SA10, MN6, NH2, RC1, PN10, HH1, BC3, TP1,
       YB2, comienza: con sangre / TP1, YB2: rromana y loco fauor /
       PN12, PM1: loca furor / MH1, HH1: loco fauor; SA10: loco
       ardor

781-782   e vi los que fizo la madre de Amor / pintar en la tarja: el
poeta se refiere aquí a los personajes pintados en el escudo que Vulcano
había hecho para Venus, para que ella se lo diera a su hijo Eneas (cf. la
Eneida, ed. cit., VIII, vv. 626 y sigs.), y no a las pinturas que Eneas vio
en el templo de Juno en Cartago *(Eneida, ed. cit.,* I, vv. 441 y sigs.),
como *Ochoa* (pág. 72) anota.
783   *la nava farsalia:* la llanura de Farsalia (el adjetivo *farsalia,* del
lat. 'pharsalius'). Alusión a la famosa batalla de Farsalia, ciudad en Tesalia, la cual se libró el 9 de agosto del año 48 antes de J.C.

XCIX

Vi a Latino con muchos latinos,
e con él a Turno e los de Laurençia,
vi a Miçençio e los tiburtinos,
788   a Lauso e a Virbio, de noble presençia;

---

785   TP1, YB2: ally vy al Latino; SA1: e vi al Latino / NH2, BC3:
vio Latino / MN6, RC1, PN10: vy al Olatino (en MN6 la «o-»
fue tachada) / PN4, PN8: vi al Latino / SA10: con otros latinos

786   HH1, dice el verso: y con Laurentino a los de Lurençia / NH2,
BC3: el Anturno y / MH1: Turnio / SA10: Turno con los /
MN31: e boz de Laurençia

787   SA10, comienza: e vi / MN6, comienza: vyo Meçençio / SA1:
Maçençio; PN4, PN8: Mentencio / HH1: y a los / SA1: tibur-
tiños; PM1: tebortynos; HH1: tibuyrinos (?); TP1, YB2: tribu-
tinos

788   MN8, MN31, ML3, comienza: e Lauso / SA10, comienza: al
Buso e / NH2, BC3, comienza: Alcanço y / HH1, TP1, YB2:
Lanso / SA1, SA10: Urbio; TP1, YB2: Byrnio / TP1, YB2: de
nobles presençias

785-792 En esta estrofa el esquema de rima es diferente, a saber,
ABABBAAB, en lugar de ABABBCCB.

785 *Latino:* rey de Lacio. Virgilio *(Eneida, ed. cit.,* VII, vv. 195
y sigs.) le hace reinar a la llegada de Eneas.

786 *Turno:* véase nota al v. 446.—*Laurençia:* por 'Laurento', ciudad
de Lacio, residencia del rey Latino.

787 *Miçençio:* 'Mecencio', rey de Etruria, que peleó contra los
troyanos.—*los tiburtinos:* naturales de Tibur, ciudad en Lacio.

788 *Lauso:* hijo de Mecencio.—*Virbio:* después de la muerte de Hipólito Asclepio le devuelve la vida, y para olvidar su vida anterior, Hipólito cambia su nombre por el de *Virbio* (cf. la *Eneida, ed. cit.,* VII,
vv. 768-777).—*presençia:* figura.

vi muchos otros de aquella valençia,
Messaffo e a Unbro, e vi los sabinos,
vi los [semnitas], de memoria dignos,
792   con otros que hovieron de allí dependençia.

---

789   MN8, MN31, ML3: e vi / SA1, SA10: vi otros (SA10: a otros)
       muchos de / YB2: vi a muchos / en HH1 el verso 789 precede
       al 788
790   SA10: Mesufo; NH2, BC3: Mesaphon; ML3: Mesafro; TP1,
       YB2: Mesopo / SA1: Mesago a Vnbro / SA10: e Vnilo e; HH1:
       y Buybro y; TP1, YB2: y Vmbeo y
791   SA10, PM1, comienza: e vi / SA8, SA1, MH1, MN6, RC1,
       PN10, PN4, PN8, PN12, PM1, HH1, ML3, TP1: semutas;
       MN8: samutas; MN31, SA10: semitas; NH2, BC3: samiotas;
       YB2: seuuitas / TP1, YB2: de menia dignos
792   MN6, NH2, RC1, PN10, BC3: de alla / NH2: de alla paciencia

---

789   *valençia:* valer, estimación.
790   *Messaffo:* por 'Mesapo', hijo de Neptuno, rey de Etruria;
ayudó a Turno.—*Unbro:* uno de los umbros, antiguo pueblo de la Italia Central. En la *Eneida (ed. cit.,* VII, v. 752) figura un hechicero con
este nombre.—*sabinos:* pueblo en la Italia antigua, emparentado con los
umbros, sabelios y latinos.
791   *[semnitas]:* por 'samnitas', pueblo de la Italia antigua. Los muchos trazos verticales entre la *e* y la *i* ofrecen unas cuantas posibilidades
combinatorias; de ahí los errores de los copistas.

C

Vi los Felipos e los Pharaones
con los maçedonios e gentes de Egipto,
e vi de los tribos sus generaçiones,
796   segund que Moysén los puso en escripto;
vi los jüezes, de quien non repito
sus nonbres e actos, e vi de Israel
todos los rreyes que fueron en él
800   fasta la venida de Jhesu bendicto.

---

793   MN31: Pharaoneos; BC3: Pharones
794   SA10: e gente de
795   MH1: los teybos de
796   SA10: los paso en / NH2: en scrito; PN4: en scripto
797   MN8, MN31, PM1, ML3, comienza: e vi
798   SA1: nonbres o cultos (o: ocultos) e
799   MN6, RC1, PN10, PN12: rreys
800   SA8, SA10, ML3, MH1, RC1, PN10, TP1: del Jhesu / PM1:
        jlyu (?) / SA1, PM1: benedito

---

793   *Vi los Felipos:* ningún manuscrito tiene la lección que *Amador*
(pág. 137) pone: «E vi los Philipos». El poeta se refiere a varios reyes
de Macedonia con el nombre 'Filipo'.

794-796-797-800   Riman los vocablos *Egipto - escripto - repito -
bendicto.* En un pasaje de una copia del siglo XVIII de un manuscrito
anónimo, cuyo autor pudiera ser Ambrosio de Morales, leemos: «que...
no se haya de escribir con c.t. Doctor, Rector, lectura, doctrina, ni
otros semejantes, ni con c.t. ni con dos cc diction ni diccion, ni accento
ni accusar, ni con p.t. escriptura, escripto, precepto, preceptor, Recep-
tor...» (*apud* GAVEL, *op. cit.,* pág. 196, nota 2). Gonzalo Correas escribe
en su *Arte de la lengua española castellana (apud* GAVEL, *op. cit.,* página 196) sobre la *c* del grupo *ct* que «Nunca es final de sílaba ni dizion sino
en palabras estrañas, como docto: el comun dice doto, Dotor, dotrina: i
es mejor qe no introduzir en nuestra lengua pronunziaziones estrañas, i
ortografias estudiantadas». Don Antonio Agustín advierte en una carta
dirigida a Zurita (1578): «a mi mal me parece que se escriva de una manera y se hable de otra, como en la lengua francesa: y pues ninguno
dize scripto, ni docto... no hay para que escrivillo» (cito por GAVEL,
op. cit., pág. 209). Por eso respeto estas lecciones, puesto que no afectan
a la rima.

795   *tribos:* hoy día 'tribus' (cf. *Corominas,* s.v. 'atribuir').

796   *Moysén:* 'Moisés'. Para la forma *Moysén,* véase, p. ej., la *General Estoria,* Segunda Parte, II, *ed. cit.,* capítulo CCCXCIII, pág. 1.

CI

Muchos otros dexo porqu'el femineo
linaje non finque del todo olvidado;
pues vos, que mostrastes fablar a Magneo,
804   otorgadme, Musas, que en metro elevado

---

801   HH1, TP1, YB2: otros muchos dexo / SA10: femenino; PN4,
        PN8: femenil
802   HH1, dice el verso: linaje del todo non quede oluidado
803   pues om. SA10 / que om. PN4, PN8, TP1, YB2 / MN6, RC1,
        PN10: mostrastes a fablar / PN4, PN8, segundo hemistiquio:
        fablar tan ciuil / MN8, ML3: fablar al Anneo; MN31: fablar al
        Amieno; NH2, BC3: fablar ameno (o: a Meno); PM1: fablar a
        Meneo
804   NH2, BC3: otorgame / PM1, segundo hemistiquio: queret en
        el vando / SA1: metro ordenado

---

801   femineo: femenino, femenil. Es un cultismo, del lat. 'femineus'.
803   Magneo: Lucano. Esta forma se explica por aglutinación erró-
nea del nomen con la inicial del praenomen 'M. Anneo' → 'Magneo',
donde la g se introdujo por asociación con 'magnus'. Más clara todavía
es esta aglutinación en la variante 'Maneo'. María Rosa Lida (Juan de
Mena..., op. cit., págs. 255-256) interpretó el adjetivo 'magnea' en «la
gesta magnea» (en la Defunsión de don Enrrique de Villena, estr. I, 8)
como una derivación de 'Magnus' en la obra de Lucano el epíteto de
Pompeyo. Cf. además Amador (pág. 621), SCHIFF (La bibliothèque...,
op. cit., pág. 139) y CLOTILDE SCHLAYER (op. cit., pág. 39).
804   en metro elevado: en poesía sublime.

recuente las rreynas e donas de estado
que en este conçilio fueron ayuntadas,
de quien ya la tela cortaron las fadas,
808   porque el mi proçesso non quede menguado.

Rúbrica: Invocaçión

---

805   NH2: recuenta; BC3: recuentan / MN31: las dueñas e donas
de; SA10: las dueñas e rreynas de / PN4, PN8, PN12: reynas o
dueñas / PN4, PN8: del (e)stado
806   SA1: en el conçilio / NH2, BC3: fueran / RC1, PN10: fueron
juntadas
807   TP1, YB2: quien la ala cortaron / NH2, BC3: quien jan la

---

805   *de estado:* ilustre, con mucho prestigio. Por eso no conviene
que se escriba *estado* con mayúscula como hizo *Amador* (pág. 137).
806   *conçilio:* grupo.
807   *de quien la tela cortaron las fadas:* significa 'que ya murieron'.
Las *fadas* son las tres Parcas: Cloto, Láquesis y Átropos. Se les llamaba
'Tria Fata', los 'tres destinos'. El momento de la muerte coincide con
aquel en que Átropos corta el hilo (= la tela) que Cloto va hilando.
808   *proçesso:* véase nota al v. 567.

CII *

Allí vi de Pigmalïón el hermana,
e vi Semíramis e Pantasilea,
Tamaris, Marpasia, Ypólita e Ana,
e la muy famosa sebila Heritea;

812

---

809   SA1: Pismaleon; SA10: Pisina ebion; MN6: Pingaleon; NH2:
      Pignaleon; RC1, PN10, PM1, HH1: Pimaleon
810   vi *om*. MN8, MN31, ML3 / RC1, PN10: vi a Simiramis /
      MH1: Serairamis; PN12: Simaramis
811   SA1, SA10: Tamares; MN31: Camaris / SA1, SA10: Manpasia;
      MN8: Mapasia; NH2: Marpaza / SA1: Aña; MN6, NH2: Agna
812   SA1, MN31, SA10, HH1, TP1, YB2: muy fermosa Seuil(l)a /
      MN6, NH2, RC1, PN10, PN4, PN8, PN12, PM1, dice el
      verso: e la muy famosa fermosa Eritea (PM1: Eriteo) / MN8:
      Eritrea; TP1, YB2; Hytea

*   Las estrofas CII-CIV del BC3 son ilegibles en el microfilm.

---

809   *de Pigmalion el hermana:* Dido.
810   *Semíramis:* 'Semíramis' fue reina de Asiria, mujer de Nino
(véase nota al v. 753).—*Pantasilea:* 'Pentesilea', reina de las amazonas.
811   *Tamaris:* pintora griega.—*Marpasia:* 'Marpesia', reina de las
amazonas que venció a los habitantes del Cáucaso.—*Ypólita:* 'Hipólita',
reina de las amazonas.—*Ana:* hay varias mujeres famosas con este nombre, como la hermana de Dido, la madre de la Virgen y la esposa de El-
cana y madre del profeta Samuel.
812   *sebila Heritea:* véase nota al v. 297.

vi a Casandra e vi Almatea,
e la Fectunissa, e vi a Medussa,
Ypremestra, Oenone, Laudomia e Creüssa,
816   Erato e Çirçe, a Manto e Medea.

Rúbrica: Rrecuéntanse las dueñas

---

813   a om. PM1 / RC1, PN10, PN4, PM1: Casandria / e om. RC1,
       PN10 / TP1, YB2: y dende vy Amaltea / MN31, PN12, PM1:
       Almetea; PN4, PN8: Almentea
814   SA1: Fatunisa; MN31, Fecunisa; MH1: Fetrunisa; SA10, HH1,
       TP1, YB2: Fetonisa; PN4, PN8, PN12: Fetunisba; PM1: Feto-
       nisba / HH1: a la Medussa / PM1: a Medea / PN4, PN8: Men-
       dussa
815   SA1, RC1, PN10: Ypremesta; MN8, MN31, ML3: Ypemestra;
       MN6: Ynpremestra; PN4, PN8: Ypomestra; PN12, PM1,
       HH1: Ypromesta; TP1, YB2: Ypermesta / SA1: e Enone /
       PN8: Oenome; NH2: Occione / SA1: Ladomia; MH1: Lauda-
       mia; SA10, PN4, PN8, PN12: Laudonia; MN6: Landonia;
       NH2: Leodomia; PM1, TP1, YB2: Landomia / TP1, YB2: Lan-
       domia Creusa / SA1, SA10, NH2, HH1: Crusa; MH1: Cuesa
816   RC1, PN10, comienza: e Crato e / SA1, comienza: Teatro e;
       SA10, comienza: Cruto e; HH1, comienza: Cato e; TP1, YB2,
       comienza: Crato e / PM1: Çerçi / MN6: Çirçe e a / RC1,
       PN10: Circe e Mancho / SA1, SA10: Maton; HH1: Mato; TP1,
       YB2: Marto

---

813   *Casandra:* hija de Príamo y Hécuba.—*Almatea:* nodriza de Júpiter, a veces representada en forma de cabra. También es posible que
se trate de la sibila que entregó los libros sibilinos a Tarquino el Sober-
bio.
    814   *Fectunissa:* no encuentro documentado este nombre. El poeta se
refiere tal vez a 'Faetusa', o a la danaíde 'Fetusa', o a la 'phitonisa' de
Endor (Samuel, I: 26). En todo caso no hay ninguna razón para susti-
tuirlo por 'Sofonisba', como hizo *Ochoa* (pág. 47).—*Medussa:* véase
nota a los vv. 370-371.
    815   *Ypremestra:* por 'Hipermnestra', una de las danaídes.—*Oenone:*
por 'Enona', mujer de Paris.—*Laudomia:* 'Laodamía', esposa de Protesilao.—*Creüssa:* hija de Príamo y Hécuba; casada con Eneas.
    816   *Erato:* musa de la poesía erótica y la danza.—*Çirçe:* diosa y he-
chicera; heroína de uno de los episodios más importantes de la *Odi-
sea.*—*Manto:* por 'Manton', profetisa, hija de Tiresias.—*Medea:* hechicera, hija de Aetes, rey de la Cólquida.

CIII

Vi Licomedia e vi Erudiçe,
Emilia e Tisbe, Passiffe, Adriana,
Atalante e Fedra, e vi Cornifiçe,
820   e vi Semelle, fermosa tebana;

---

817 SA1, dice el verso: vy Lacomedia Erudize / SA10, comienza: y
vi a Licomedia / PN4, PN8, TP1, YB2: Lacomedia / SA10: vi a
Erudiçe; TP1, YB2: vi a Heurudiçi / NH2: Euridiçe; PM1:
Rrudiçe; HH1: Euridiçia
818 SA1, comienza: Mirra e / PN8, TP1, YB2: Trisbe / RC1,
PN10, PM1: e Adriana / PN8: Adraiana
819 SA1, SA10, comienza: e Talante / SA10, PN4, PN8, PN12,
PM1: vi a C. / SA10: Cornesçe; HH1: Corrnifiçia; TP1: Cor-
nifici; YB2: Cornofiçi
820 SA10, HH1: e vi a / SA10: Sibila; PM1: Semilo / PN4, PN8: e
fermosa

---

817 *Licomedia* ¿...?.—*Erudiçe:* 'Eurídice', esposa de Orfeo.
818 *Emilia:* mujer de Publio Escipión Africano.—*Tisbe:* joven de
Babilonia, enamorada de Píramo.—*Passiffe:* véase la nota al
v. 382.—*Adriana:* es la forma más usual por 'Ariadna' en el castellano
medieval (cf., p. ej., *Le Chansonnier espagnol d'Herberay des Essarts
(XVᵉ siècle).* Edition précédée d'une étude historique par Charles V.
Aubrun, Bordeaux, 1951, pág. 10, y NICASIO SALVADOR MIGUEL, «La
Visión de Amor de Juan de Andújar», en *El comentario de textos, 4. La
poesía medieval,* Madrid, Castalia, 1983, pág. 328). Es la hija de Minos
y Pasífae.
819 *Atalante:* 'Atlanta', famosa cazadora; participó en la cacería de
Calidón.— *Fedra:* hija de Minos y de Pasífae, hermana de Ariadna.—
Cornifiçe: por 'Cornificia', poetisa romana, hermana del poeta Quinto
Cornificio.
820 *Semelle:* véase nota a los vv. 533-535.

vi más a Europa, qual forma diafana,
e vi a Çenobia, e vi a Filomena,
Progne e Griseyda, e a la madre Almena,
824   e las que altercaron sobre la mançana.

---

821 TP1, YB2, dice el verso: y vy a Heuropa aquella diafana; HH1,
dice el verso: y vi a Europa gentil diafana / SA10, ML3, co-
mienza: e vi / a om. SA1, NH2, PM1 / SA1; Eurepia / SA10:
Europa fermosa diafana / SA1: diafaña
822 MN31, comienza: vi a / NH2, HH1, comienza: y a Ç. / SA10:
Genouia; HH1: Çelonia / MH1, MN6, NH2, PN4, PN8,
PN12, PM1: vi Filomena
823 SA8, ML3: Progue; SA1, SA10, HH1: Prone; TP1, YB2:
Proue; MN31: Progre; RC1, PN10: Progine: PM1: Pronje /
NH2: Progne Griseyda / MH1: Greseynda; MN6, RC1, PN10,
PN12, PM1: Grisayda; HH1: Gresida; PN4, PN8: Grizelda;
TP1, YB2: Bryseyda / a om. SA10, PM1, TP1, YB2 / SA1,
SA10: madre d'Almena
824 TP1, YB2, primer hemistiquio: y a las que açeptaron / NH2:
sobra

---

821 *Europa:* hija de Fénix o de Agenor, raptada por Zeus y llevada
a Creta, donde engendró a Minos, Radamanto y Sarpedon.—*diafana:*
'diáfana', clara, limpia.

822 *Çenobia:* 'Zenobia', reina de los palmerinos.—*Filomena:* hermana de Procne. Su cuñado Tereo la violó y le cortó la lengua para que
no lo revelara. Sin embargo, Filomena consiguió informar a su hermana
bordando en una tela lo sucedido. Cuando Tereo quiso matarlas, ambas
se transformaron en pájaros. Cf. OVIDIO, *Metamorfosis, ed. cit.,* VI,
vv. 412-674.

823 *Progne:* 'Procne', esposa de Tereo, rey de Tracia; véase la nota
anterior.—*Griseyda:* por 'Criseida', hija de Crises, sacerdotisa de
Apolo.—*Almena:* 'Alcmena', esposa de Anfitrión, madre de Hércules.
Para la forma *Almena,* véase la *General Estoria,* Segunda Parte, II,
ed. cit., cap. CCCXCV, pág. 3.

824 *e las que altercaron sobre la mançana:* en las bodas de Peleo y
Tetis, Éride fue la que echó sobre la mesa del banquete una manzana de
oro en la que se leía «para la más hermosa». Se la disputaron las diosas
Hera, Atenea y Afrodita. Paris se la concedió a Afrodita, con cuya
ayuda raptó después a Helena, lo cual causó la guerra troyana.

CIV

Vi a Camila e vy Penolope,
e ambas las griegas fermosas hermanas,
vi a Daymira e la de Redope,
828   e la triste Ecuba con muchas troyanas;

---

825   SA10, comienza: yo vi la Camila / a *om.* PM1 / e *om.* MN6 /
      vy *om.* HH1 / MN31, SA10, RC1, PN10: vi a P. / MN8,
      MN31, SA10, RC1, PN8: Penelope; TP1, YB2: Penalope
826   SA1, SA10, MN6, PM1, HH1, ML3, TP1, YB2: amas / NH2,
      PM1, HH1: gregas; PN4, PN8: grias
827   MN8, MN31, SA10, PM1, comienza: e vi a / SA1, MN8: Day-
      nira; NH2: Deiamira; PN4, PN8: Deynira / de *om.* ML3 /
      MN8, PN4, PN8, HH1: R(r)odope
828   MN8, TP1, YB2: e a la triste / NH2: trista / MH1: Eucuba;
      TP1, YB2: Enhucuba

---

825   *Camila:* reina de los volscos.—*Penolope:* 'Penélope', mujer de
Ulises. en el *Triunphete de Amor,* estr. XVIII, 1, figura también la
forma 'Penolope'.
826   *e ambas las griegas fermosas hermanas:* sin duda, el poeta se refiere aquí a Helena y Clitemnestra.
827   *Daymira:* forma muy frecuente por 'Deyanira' (cf. la *General
Estoria,* Segunda Parte, II, *ed. cit.,* cap. CDXIII, pág. 23; VILLENA, *Los
doze trabajos de Hércules.* Edición de Margherita Morreale, Madrid,
1958, págs. 18 y 73; NICASIO SALVADOR MIGUEL, *art. cit.,* pág. 327; y
la *Comedia Thebaida.* Edited by G. D. Trotter † and Keith Whinnom,
Londres, Tamesis Books, 1969, pág. 194). Fue la esposa de Hércules.—*la de Redope:* alusión a 'Filis', una princesa tracia. 'Rodope' es
el nombre de una montaña de Tracia. En el *Triunphete de Amor,*
estr. XVIII, 3, leemos: «vi a Félix de Redope».
828   *la triste Ecuba:* 'Hécuba', mujer de Príamo, rey de Troya.
Cf. nota al v. 438

vi las de Tebas e las argïanas
Iocasta e Argía, Ysmene, Antigona,
vi Poliçena, Breçayda, Ansiona,
832   e muchas insignes matronas romanas.

---

829   SA1, MN8, MN31, SA10, ML3, comienza: e vi / NH2, co-
       mienza: vio las / vi om. HH1, TP1, YB2 / de om. MN6 /
       MH1: Tobas; SA10: Teba
830   e om. SA10 / MN6, RC1, PN10: e Ysmene / HH1: Ysme /
       MN31: e Antigona / TP1, YB2: Antigone
831   TP1, YB2: y vi / NH2, RC1, PN10: vi a Poliçena / SA8,
       MN31, MN6: Puliçena; MH1: Pulçena / SA8: Birçayda; MN8,
       NH2, PN12, HH1: Brecayda; SA10, MN6: Braçayda; RC1:
       Bracayda; PN4: Briseyda; PN8: Bresayda; PN10: Baracayda /
       PN4, PN8: Axiona
832   NH2: insignas

---

829   *las argïanas:* las argivas, griegas.
830   *Iocasta:* 'Yocasta', madre y mujer de Edipo, rey de Tebas.—
Argía: hija del rey Adrasto, mujer de Polinices.— *Ysmene:* 'Ismene',
hija de Edipo y de Yocasta.—*Antigona:* hermana de Ismene.
831   *Poliçena:* 'Polixena', hija de Príamo y Hécuba. Cf. NICASIO
SALVADOR MIGUEL, *art. cit.,* pág. 327.—*Breçayda:* 'Briseida'; siendo
cautiva y amada de Aquiles, fue raptada por Agamenón, lo que causó
una situación muy grave en la guerra troyana. Las variantes «Braçayda», y «Breçayda» son muy frecuentes: «Braçayda», p. ej., en la
«Cantiga de Pero Ferrus para su amiga» (núm. 301 del *Cancionero de
Baena, ed. cit.,* pág. 652) y en *Grisel y Mirabella* de Juan de Flores (Pa-
mela Waley en la introducción a su edición de *Grimalte y Gradissa,*
Londres, Tamesis Books, 1971, pág. XX); «Breçayda» en la *Crónica
Troyana,* códice gallego del siglo XIV de la Biblioteca Nacional (edición
de Martínez Salazar, I, La Coruña, 1900, pág. 154).—*Ansiona:* García
de Diego (*Triunfete de Amor,* estr. XVIII, 4, *ed. cit.,* pág. 52) interpretó este nombre como 'Alcione', hija de Eolo; pero en la *Historia
Troyana* (*ed. cit.,* pág. 48) se llama así la hermana de Príamo: «En el
tiempo que los griegos venieron sobre Troya e mataron al rrey Laume-
don, segund que uos de suso deximos, auia Priamo vna hermana que
auia nombre *Ansiona».* La forma 'Ansiona' es una corrupción de 'He-
siona'. En vista de la procedencia de las otras mujeres que se mencionan
en este verso, se refiere el poeta sin duda a la hermana de Príamo.

CV

Allí vi a Rrea, muger de Tarquino,
Marçia e Lucreçia, Ortensia e Paulina,
Senpronia, Supliçia, Prene de Agratino,
836   Ponçia e Cornelia, Trïaria e Faustina;

---

833 alli *om.* SA1 / NH2, BC3, comienza: vi alli Rea / a Rrea *om.*
     MH1 / MH1: mugier
834 SA10, NH2, PM1, BC3, TP1, YB2: M. Lucreçia / SA10: Man-
     cia / SA1: Orencia; NH2, BC3: Orrencia; PN4, PN8, PM1,
     ML3: Ortesia / SA1, SA10: Palina
835 SA1, SA10, comienza: Son fania; MH1: Ssera pronia; NH2,
     BC3: Senplonia; RC1, PN10: Seupronia / MN6, NH2, RC1,
     PN10, PN4, PN8, PN12, PM1, HH1, BC3: e Supliçia / SA1,
     MH1, SA10, TP1, YB2: Prone de; ML3: Plene de / HH1:
     Supliçia muger de Agratino / SA1: de Argaçino; NH2, PN4,
     PN8, PN12, BC3: de Agretino
836 SA1, RC1, PN10: Ponça; MN6: Ponta; NH2, BC3, TP1, YB2:
     Porcia / PN4: Poncia Cornelia / MH1: Coruelia / SA10:
     Triara / SA8, MN8, MN31, ML3: Fustina; SA1: Fautisna;
     HH1: Fasstina

---

833 *Rrea, muger de Tarquino:* con toda probabilidad, se trata de
'Rea Silvia', que con el dios Marte tuvo dos hijos, Rómulo y Remo.
Por lo tanto, no fue la mujer de Tarquino. 'Tarquino Colatino' fue el
esposo de Lucrecia.

834 *Marçia:* virgen romana, hija de Varrón.—*Lucreçia:* mujer de
Tarquino Colatino; después de ser violada por Sexto Tarquino, se sui-
cidó (cf. la glosa al Proverbio núm. XL).—*Ortensia:* 'Hortensia', dueña
romana, hija de Quinto Hortensio, egregio orador.—*Paulina:* ¿Pompeia
Paulina, mujer de Séneca?

835 *Senpronia:* 'Sempronia', hija de Tito Sempronio Graco.— *Supliçia:* 'Sulpicia', mujer de Lentulo, o mujer de Fulvio Flaco. *Supliçia* es la
forma de todos los códices; por lo tanto, *Amador* (pág. 139) la cambió
innecesariamente a «Sulpiçia». Cf. también *Herberay des Essarts,
ed. cit.,* pág. 29.—*Prene de Agratino:* ¿...? *Amador* (pág. 139) sigue la
lección de *Ochoa* («Agretino») sin mencionar que además de MN31
también SA8, MN6 y MN8 tienen *Agratino*.

836 *Ponçia:* que yo haya podido averiguar, es el sobrenombre de
Venus, de Tetis y las Nereídas (EVI). Pero tratándose de matronas romanas, es poco probable que el poeta intercalase un nombre tomado de
la mitología griega; por eso, es bien posible que la lectura debiera ser

vi más Antonia, Julia e Agripina,
Hipo, Virgínea, Broniçe, Venturia,
Proba e Majulia, Hipsícrata e Curia,
840   e más Fectunisba, de memoria digna.

837   SA1: Abtonia / RC1, PN10: e a Jullia / SA10: Junia / e *om.*
      HH1, TP1, YB2 / MN6, NH2, RC1, PN10, HH1, BC3: Agra-
      pina; PM1: Agrepina; SA1: Gripina; PN4, PN8, PN12: Gra-
      pina
838   SA10, comienza: Nopo; MN6, NH2, RC1, PN10, BC3: Ypro;
      HH1: Ypon / SA1: Breomiçi; MN31: Vruniçe; MH1: Croniçe;
      SA10: Bronia; HH1: Breuia: TP1, YB2: Brenia / SA1: e Ventu-
      ria / NH2, BC3: Ventura; HH1: Genturia
839   SA10, HH1: Proba M. / SA1: Mayulia: SA10: Majubia, TP1,
      YB2: Magulia / MN6, RC1, PN10, ML3: Majul(l)ia e / SA1:
      Fisicrata; MN8: Ipsimata; MN31, ML3: Ipsurata; MH1: Ypos-
      crata; SA10: Ypsitrona; NH2, BC3: Yprisitata; RC1, PN10:
      Ysucrata; PM1: Esycrata; HH1: Yspurata
840   SA1, MN8, MN31, MH1, HH1, ML3, TP1, YB2: Fetunisa;
      SA10: Feronisa; PM1: Fetonisba / en SA1 el verso 840 precede
      al 839

'Porcia' (cf. *Amador,* pág. 139, quien no menciona la lección 'Ponçia').—*Cornelia:* hay varias ilustres mujeres romanas con este nombre,
como la segunda hija de P. Cornelio Escipión; la hija de J. Cornelio
Escipión Metelo, y la hija de L. Cornelio Cinna, primera esposa de Julio César.—*Triaria:* dueña romana, mujer de Lucio Vitelio.—*Faustina:*
nombre de varias emperatrices romanas.

837   *Antonia:* varias mujeres romanas se llamaron así, como la hija
de M. Antonio Creticio, la mujer del triunviro Marco Antonio, dos
hijas de Marco Antonio, la hija del emperador Claudio, y la concubina
del emperador Vespasiano.—*Julia:* nombre de la hija de César, esposa
de Pompeyo, de la hija de Augusto y Escribonia, de la hija de Agripa,
de la hija de Druso, de la hija de Germánico y Agripina, y de la hija de
Tito, esposa de Flavio Sabino.—*Agripina:* hija de Vespasiano Agripa y
Julia, o la hija de Germánico, esposa de Claudio y madre de Nerón.

838   *Hipo:* dueña griega que, para defender su castidad de los marineros, se arrojó al mar.—*Virgínea:* joven romana matada por su padre
para evitarle la deshonra.—*Broniçe:* 'Beronice', reina de Ponto, hija de
Mitrídates.—*Venturia:* noble dueña romana.

839   *Proba:* mujer de Adelfo; compuso tratados y versos.—*Majulia:*
'Megulia', mujer romana.—*Hipsícrata:* reina de Ponto, mujer de Mitrídates.—*Curia:* mujer romana, esposa de Quinto Lucrecio.

840   *Fectunisba:* ¿...? véase nota al v. 814.—*digna:* véase nota al
v. 310.

CVI

¿Pues qué más diré?... que quantos abarca
varones e dueñas, e son memorados
en el su volumen del «Triunpho», Petrarca,
844   allí fueron todos vistos e juntados;

---

841   HH1, dice el verso: pues que me dire de aquestos abarca / TP1,
      YB2, dice el verso: pues que me diredes de quantos abarca /
      SA1, segundo hemistiquio: quantas abarca; SA10, segundo he-
      mistiquio: quantas ovieron / PN4: quantas / NH2, BC3: que
      tantos abrassa / MH1: abarta
842   HH1: dueñas que son / SA10, TP1, YB2: dueñas son / NH2,
      PN8: memoradas
843   su *om.* RC1, PN10, HH1 / PN10: velumen / del *om.* HH1 /
      NH2, BC3: de Triumpho / HH1: Petranca
844   MN6, NH2, RC1, PN10, PN4, PN8, PN12, PM1, BC3, co-
      mienza: as(s)y / e *om.* HH1

841-843   *que quantos abarca / ..., e son memorados / en el su volumen del «Triunpho», Petrarca:* en efecto, buen número de personajes
del mundo greco-latino que acompañan a la Fortuna, figuran también
en los *Trionfi* de Petrarca. José M. Azáceta y G. Albéniz («Italia en la
poesía de Santillana», en *Revista de Literatura*, III (1953), págs. 42-43)
inventarizaron unos 38 nombres. Pero la fuente principal fue sin duda
De mulieribus claris de Boccaccio *(ed. cit.);* la siguiente lista de coincidencias, en que figuran personajes poco conocidos como 'Broniçe',
'Corniﬁçe', 'Curia' 'Manto' y 'Tamaris', no deja lugar a dudas: Adastro - Agripina - Almatea - Anfiaro - Antigona - Antonia - Argía - Bello - Broniçe - Camila - Casandra - Çenobia - Çirçe - Cornelia - Corniﬁçe - Creussa - Curia - Daymira - Egialo - Eneas - Heritea - Escanio
- Esón - Erudiçe - Faustina - Ecuba - Emilia - Felipo(s) - Hipo - Ypólita - Hipsícrata - Ypremestra - Jassón - Iocasta - Ysmene - Julia - Latino - Lauso - Lucreçia - Ligurgo - Manto - Marçia - Marpasia - Medea
- Medussa - Majulia - Nino - Ortensia - Paulina - Penolope - Pantasilea
- Poliniçes - Poliçena - Proba - Rea - Semíramis - Senpronia - Supliçia -
Tamaris - Toante - Thiocles - Triaria - Turno - Venturia y Virginea. En
total unos 65 nombres. En la glosa al Proverbio III, Santillana menciona el *Libro de las Dueñas* de Boccaccio.

844   *juntados:* ningún códice tiene la lección de *Amador* (pág. 139)
«ayuntados».

848
> los unos vestidos, los otros armados,
> segund los pintaron las plumas discretas
> de los laureados e sacros poetas
> en las sus ystorias, e son recontados.

CVII

852
> Las tres nobles dueñas, la clara deessa
> vista, non tardaron, ca presto sintieron
> que fuesse del çielo deal maestressa,
> e muy reverentes a ella salieron;

---

847   HH1: sairos (?) poetas
848   las *om*. HH1 / sus *om*. NH2, BC3 / NH2, BC3: istorias do son / NH2, PN8, TP1: recontadas
849   HH1, dice el verso: las rreynas e ynfante la clara deesa / MN6, NH2, PN4, PN8, PN12, PM1, BC3, comienza: estas nobles (NH2, BC3: noblas) dueñas; RC1, PN10, comienza: estas dueñas nobles / MN8, ML3: nobles reynas la / SA1: a la clara / SA1, SA10: diesa
850   RC1, PN10: tardaron que presto
851   SA1, RC1, PN10: leal maestressa; SA10, HH1, TP1, YB2: rreal maestres(s)a / PM1: majestresa
852   HH1, TP1, YB2, comienza: y con rreuerençias / MN31: rreue-relites; NH2: reverente; BC3: reuarente

---

849   *Las tres nobles dueñas:* es la lectura que nuestro criterio impone. *Amador* (pág. 139) siguió la lección de MN8 «reynas». Pero es obvio que *dueñas* es preferible por tratarse de las reinas doña María y doña Blanca, y de la *infante* doña Catalina.

851   *deal:* perteneciente a Dios, a los dioses. Véase nota al v. 2.— *maestressa:* tiene el significado de 'dueña' o 'señora'. Cf. el *Dezir* «Non es humana la lumbre», estr. II, 1-2: «Vos sois la que yo elegí / por soberana maestressa».

e todas las otras, desque assí las vieron,
fiziéronle salva, ca non denegavan
la venusta sangre, e assí lo mostravan,
856   e muy egualmente callaron e oyeron.

Rúbrica: de cómmo las señoras rreynas e infante se incli-
         naron a la Fortuna

CVIII

Qual tronpa çeleste e boz divinal,
començó Fortuna tal razonamiento:
«Dios vos salve, rreynas del siglo humanal,
860   subjectas al nuestro fatal movimiento.

---

853   SA10: e de todas / SA1: las tres desque / MH1: desque alli las /
      HH1: desque la asy vieron / SA1, SA10, MN6, NH2, RC1,
      PN10, PM1, HH1, BC3, TP1, YB2: la vieron
854   MN6, RC1, PN10: fizieronles salua / MN31, SA10, NH2,
      PN4, PN8, PN12, PM1, BC3, TP1, YB2: fizieron la salua /
      NH2, BC3: salua que non
855   SA1, SA10, MN6, NH2, RC1, PN10, PN8, PN12, BC3: ve-
      nustra; MN31: venusca / e om. MN31 / TP1, YB2: la mostra-
      van / MN31: mostraua
856   SA1, SA10, MH1, MN6, NH2, RC1, PN10, PN4, PN8, PN12,
      PM1, HH1, BC3, TP1, YB2, comienza: e generalment(e) calla-
      ron; SA8, comienza: egualmente todas callaron
857   SA10, comienza: con tronpa / SA1: çelestre / SA1, MN8, HH1
      (?), TP1, YB2: o boz diuinal
858   SA1: comiença; PN4, PN8: comienço
859   PM1: del synglo vmanal
860   SA1, dice el verso: Dios vos salue subiebtas al nuestro fatal
      mouimiento / PN4, PN8, PN12, PM1, TP1, YB2: a nuestro
      (PN8: nostro) / NH2: nostro / RC1, PM1, TP1, YB2: fadal
      mouimiento; SA10: fortal movimiento

---

854   *salva:* con el significado de 'saludo' o 'bienvenida' (cf. VALERIE
MASSON DE GÓMEZ, «A new interpretation of the final lines of the 'De-
sir a las syete virtudes'», en *Hispanic Review,* 40 (1972), pág. 421).
855   *venusta:* noble.
856   La tradición β ofrece dos lecciones; opto por la de ML3, MN8
y MN31.
859   *siglo:* mundo.

Yo soy aq*ue*lla q*ue* por mandamiento
del Dios uno e trino, *qu'*el gra*n*d mu*n*do rige
e todas las cosas estando collige,
864   rebuelvo las ruedas del gra*n*d firmame*n*to.

Rúbrica: Comiença al rrazonamiento de la Fortuna a las
          señoras rreynas e infanta

---

862 NH2, PN4, PM1, BC3: de Dios / NH2, BC3, TP1, YB2: vno
      eterno que / que *om*. HH1 / el *om*. SA1 / grand *om*. MN31,
      TP1, YB2 / PN8: mondo; PM1: mudo / TP1, YB2: mundo co-
      rrige
863 las *om*. SA10 / PM1: cosas estades colije / SA1: culigue; NH2,
      BC3: corrige; TP1, YB2: colijo
864 SA1, comienza: buelue; SA10, comienza: e buelve; NH2, BC3:
      comienza: y bueluo; RC1, PN10: e rebueluo / SA1, SA10,
      HH1, TP1, YB2: las r(r)iendas del / SA1, MH1, NH2, RC1,
      PN10, PN4, PN8, PM1, HH1, BC3, TP1, YB2: firmamiento

---

861 y sigs.   El discurso de la Fortuna recuerda la explicación de Virgilio a Dante en el *Inferno*, VII, vv. 70-96; en este pasaje leemos que
Dios «Ordinó *general ministra e duce* (cf. vv.| 861-862), / *Che|permu-
tasse a tempo li ben vani* (cf. v. 868) / *Di gente in gente*, e d'uno in altro sangue, / Oltre la difension de' / senni umani. / *Per ch'una gente
impera ed altra langue*» (vv. 78-82). El último verso citado recuerda
casi literalmente los vv. 889-891 de la *Comedieta*.
     Es muy significativo que las anotaciones y siglas en los márgenes del
manuscrito que contiene la primera traducción española de la *Divina
Commedia*, identificadas por Schiff como de Santillana, abunden en el
Infierno («La première traduction...», *art. cit.*).
863 *collige*: colige, reúne.

CIX

Yo parto los reynos, coronas e honores,
tïaras, inperios a vos los bivientes;
trayo en baxesa los superïores,
868   e sus bienes passo a muy pobres gentes.
Yo fago a los unos a tienpo plazientes,
e tristes a otros, segund la razón
de sus nasçimientos e costelaçión,
872   e todos estados me son obedientes.

---

865 e *om.* SA1, HH1
866 SA1, MN31, SA10, NH2, PM1, HH1, BC3, TP1, YB2, co-
      mienza: tierras (NH2: terras) / MN31, NH2, PN4, PN8,
      PN12, PM1, BC3, TP1, YB2: e inperios / PN8, PN12:
      veuientes; NH2: biventes
867 MN6, NH2, PN10, PM1, HH1, BC3, TP1, YB2: traygo; RC1:
      trago / YB2: a los
868 SA1, SA10: muy baxas gentes / PN8: pobras
869 HH1, TP1, YB2: fago los / SA10, HH1, TP1, YB2: a tienpos /
      PN8: plazentes
871 HH1, comienza: y sus
872 SA10: e de todos

---

867 *trayo:* en castellano antiguo coexisten las formas 'traigo', 'trayo'
y 'trago' (cf. COROMINAS en su edición del *Libro de Buen Amor,
ed. cit.,* pág. 510, y HANSSEN, *op. cit.,* § 225, pág. 102).
870 *razón:* orden.
871 *costelaçión:* 'constelación', signos bajo los cuales han nacido;
destino.
872 *estados:* aquí en el significado de 'estamentos' o 'clases sociales'.
Recuérdese el *Libro de los Estados* de Juan Manuel.

CX

De lo que se engendra yo soy el actora,
e quien lo corronpe non es sinon yo;
de los que más valen yo soy la señora,
876   e de mí resçiben los daños o pro.
La noble Dardania, ¿quién la fabricó,
desde los sellares fasta los merletes?,
e puse en el agua las armas e fletes
880   de la gente griega que la destruyó.

---

873   que *om.* RC1 / soy *om.* MN6 / NH2, BC3: soy causadora
874   lo *om.* MN1
875   TP1, YB2: de lo que
876   SA10: my asy rreçiben / MH1: rresçibien; PN4: rrezeben /
        SA1, SA10: daños a pro (en SA1 se escribió una «o» sobre la
        preposición «a»); MN6, PN4, PN8, PM1: daños e pro
877   MH1: Dardamia
878   RC1, PN10, PN4, PN8, PN12, PM1, HH1: solares / PM1:
        fasa los / SA1: los merçetes; SA10: las merçotas
879   SA1, MN31, SA10, PN8, ML3: e puso en / PN4, PN8: puse
        (PN8: puso) en alegria las / TP1, YB2: las naues y / MN31: e
        flores; SA10, HH1: e flotas; PN4: e fleçes; PN8: e fletos
880   MH1: la genge griega / PM1: grega / TP1, YB2: la griega gente

---

873   *se engendra:* véase nota al v. 289.
876   *pro:* provecho, ventaja.
877   *Dardania:* Troya, ciudad construida por Dárdano, hijo de Zeus
y Electra.
878   *sellares:* 'sillares'; aquí los cimientos hechos de piedras cua-
dradas ('sillería').—*merletes:* almenas; con toda probabilidad, se trata de
un catalanismo (cat. 'merlet').
879   *fletes:* no encuentro documentada esta voz en ningún diccionario. Puede ser un galicismo con el significado de 'barco' (cf. A. JAL,
Glosaire nautique, París, 1848, pág. 701), o un lusitanismo con el sentido de 'carga' (cf. MARÍA ALEXANDRA TAVARES CARBONELL PICO, *A
terminologia naval portuguesa anterior a 1460,* Lisboa, 1963, págs. 569-
570). Dentro del contexto, creo que se trata de embarcaciones. Eberenz
(op. cit.) no menciona el vocablo.

CXI

Yo fize los pueblos de Tebas e Attenas,
e las sus murallas levanté del suelo;
de mí resçibieron folganças e penas,
884   e prósperas fize las lides de Bello.
Al ave de Jove conplí de grand buelo,
e puse discordia entre los hermanos;
todas las cosas vienen a mis manos,
888   si prósperas suben, assí las assuelo.

---

881 SA10: de Atenas e Tebas; MN6, RC1, PN10: de T(h)enas e a Tebas
882 SA10: murallas devante del
883 MN6, NH2, RC1, PN10, PN4, PN8, PN12, PM1, BC3: re(s)çiben / SA1, SA10: folgança
884 e om. SA1 / NH2, BC3: fizo
885 MN8, MN31, comienza: el aue / TP1, YB2, comienza: al llano de / SA1, comienza: eso mesmo a Joue; MH1 comienza: alla vo do Joue; SA10, comienza: y llage a Joue; HH1, comienza: la na (...?) / SA10: e conpli / MN6: conplida de; NH2, BC3: conplio de / SA1, SA10, HH1, TP1, YB2: gran(d) duelo
887 MN31: e todas / NH2: venan a; BC3: venen a / SA10: vienen e mis; PN4, PN8, PN12, PM1: vienen so (PN8: se) mis
888 SA10, comienza: e prospero / SA8, MN8, MN6, NH2, PN4, ML3, BC3: prosperos; MH1, SA10, RC1, PN10, PN8, PN12: prospero / MN8, MH1, MN6, NH2, RC1, PN10, PN4, PN8, PN12, ML3, BC3: los as(s)uelo (BC3: assueluo)

---

884 *Bello:* véase nota al v. 753.
885 *Al ave de Jove:* es el águila (véase EUG. DROULERS, *Dictionnaire des attributs, allégories, emblèmes et symboles,* Turnhout, s.a., pág. 7).
886 *discordia entre los hermanos:* alusión a la enemistad entre Eteocles y Polinices.
888 *assuelo:* 'asuelo', destruyo.

CXII

Ca d'otra manera los unos serían
monarcas del mundo e grandes señores,
e otros, languiendo, de fanbre morrían,
892   e sin esperança las gentes menores.
Mas bien commo buelvo los grandes calores
por tienpos en aguas e nieves e fríos,
assí mudo estados e los señoríos,
896   e presto por tienpo mis dulçes favores.

---

889   ca *om*. HH1 / RC1, PN10: ca en otra / vnos *om*. ML3
890   PN8: mondo
891   MN31, PM1: languendo; MN6: laungiendo / PM1: morian
892   NH2, PN4: sperança
893   TP1, YB2: bueluen / PN8: las grandes
894   SA1: en agua / MH1, PN4, PN8, PN12: aguas en nieues (PN8:
       niues) / HH1: y en nieues / PM1, TP1, YB2: aguas nieues
895   MH1: asy mudos estados; SA10: asy mando estados / MN6,
       NH2, RC1, PN10, BC3: estado / NH2, BC3: estado a los no-
       bles senyorios
896   NH2, BC3: y puesto por; PN4: y preste por / SA1: dulçes
       flores; MN6, NH2, BC3: dulçes sabores

---

891   *languiendo:* languideciendo. Es un cultismo léxico (del lat. 'lan-
guēre').—*morrían:* por 'morirían'; la *i* del infinitivo se perdió como
protónica al unirse proclíticamente al auxiliar (cf. MENÉNDEZ PIDAL,
Cantar de Mio Cid, III, *ed. cit.*, § 993, pág. 286).
    Otros ejemplos: VILLASANDINO, núm. 106 del *Cancionero de Baena*
(*ed. cit.*), v. 56, «morré» por 'moriré'; FERRANT SANCHES TALAVERA,
núm. 530 del *Cancionero de Baena*, v. 14, 'morremos' por 'moriremos'.
    896   *presto:* véase nota al v. 173.

CXIII

Nin son las mis *graçias* e mis donadíos
de una manera, q*u*iero q*u*e sepades;
ca bie*n* que los parto, com*m*o propios míos,
900   tanbién señoríos com*m*o dignidades,
a unos prorogo las prosperidades
de padres en fijos, en mas adela*n*te,
a otros doy sçeptro e silla triu*n*pha*n*te,
904   en ta*n*to q*u*e turan sus mesmas edades.

---

897   PM1, comienza: no son / NH2, BC3: gracias ni donatios /
      MN31: e mis donaçiones
898   quiero que *om*. PN4 / SA1, MH1, SA10, MN6, NH2, RC1,
      PN10, PN4, PN8, PN12, PM1, BC3, TP1, YB2: que syntades
900   PN4, PN8: como de dignidades
901   MN31: a vn prorogo; NH2, BC3: (h)a vno porrog(u) / SA10:
      porrobo; NH2, PN8, HH1, BC3: por(r)og(u)o
902   SA10: de padre en / NH2, BC3: de padres y fijos; PM1, HH1:
      de padres a fijos / MN6: fijos a avn mas / RC1, PN10: e avn
      mas
903   MN8, MN31, ML3: e a otros / doy *om*. HH1 / SA1, MN8,
      MN31, PN4, PN8, PM1, ML3: do (s)çe(p)tro / SA1: otros do
      çibo e; PM1: otros do centro e / SA10: otros derribo de silla
904   SA1: tiran; MN31, NH2, RC1, PN10, PN4, PN8, PM1, BC3,
      TP1, YB2: duran

---

897   *donadíos:* dones.
901   *prorogo:* 'prorrogo', continúo.
904   *turan:* duran.

CXIV

Pero nin por tanto los tales pensad
non biven del todo assí reposados,
que tal fue la regla de humanidad
908   después que a mis leyes fuestes sojudgados,
que a tienpo se fallan bienaventurados,
sojudgan e vençen las tierras, los mares;
en otro les buelvo la cara de Mares,
912   e los dominantes fincan dominados.

---

905   nin *om*. SA10 / MN31: pensar; PN4: piensat
906   PM1, comienza: que no biuen / RC1, comienza: nin biuen
907   TP1, YB2, comienza: ca tal / PM1: tal es la / la *om*. MN31 /
      MH1: de su vanidad
908   PM1, BC3: despues ca mis / SA1: a nuestras leys fueron / SA1,
      MH1, MN6, RC1, PN10, PN12, TP1, YB2: leys / MN8,
      MN31, HH1: fustes
909   NH2, BC3, comienza: ca tiempo / ML3, TP1, YB2: tienpos /
      MH1: se fallauan; NH2, BC3: se fallen; MN6: se falla
910   PN4: viencen / NH2, HH1, BC3: terras (HH1, BC3: tierras) y
      mares
911   PM1, comienza: e a otro / SA8, SA1, MH1, SA10, MN6, RC1,
      PN10, PN12: en otros / MN31, NH2, PM1, BC3: los bueluo /
      PM1: Maris / el verso falta en PN4 y PN8
912   los *om*. RC1, PN10 / MN31, HH1: dominantes quedan domi-
      nados

---

909   *a tienpo: Amador* (pág. 142) puso erróneamente «a tiempos»,
lectura que contradicen todos los códices que él conocía.
911   *en otro: Amador* (pág. 142) «en otros». No cabe duda de que
en conexión con el v. 909 se necesita aquí el singular. Según *Ochoa*
(pág. 74), no forma sentido el verso. Pero no nos parece muy complicada la interpretación; Fortuna dice que a veces adopta una actitud hos-
til (= la cara de Mares) frente a las personas.

CXV

Ca, rreynas muy claras, si yo permitiera
e diera las riendas a vuestros maridos,
¿quál es el mundo que ya sostuviera
916   sus altos corajes, feroçes e ardidos?

---

913   MH1, comienza: a reynas / MN6, RC1, PN10: muy caras / yo
      om. SA1 / SA1: primitiera; RC1: premitiera; PN4, PN8: pro-
      metiera
914   MN8, PN8: rendas; NH2, BC3: rientas; PN4: rentas / PN8:
      vostros
915   PN4, PN8, dice el verso: qual es en el mundo que tal soste-
      niera / PN8: mondo / ya om. SA1 / HH1: que oy sostuuiera
916   e om. SA1, SA10, NH2, RC1, PN10, PM1, HH1, BC3, TP1,
      YB2

---

915   *quál es el mundo:* Amador (pág. 142) prefiere la versión de
Ochoa («quál es en el mundo»), omitiendo indicar la lectura de SA8,
MN6, MN8 y MN31.
916   *corajes:* véase nota al v. 465.—*feroçes:* véase nota al v. 726.

Por cierto Levante ya dava gemidos,
e todas las Galias e gentes d'Ungría,
e se me quexavan los del Mediodía
920		assí commo pueblos del todo vençidos.

917	PN4, PN8: Leuante y daua
918	SA10: gente; NH2, BC3: gientes / PM1: d'Ongria
919	TP1, YB2, comienza: que sse / e om. SA1, MN31, SA10 /
	RC1, PN10, PN4, PN8, PN12, PM1: los de Mediodia
920	MN31: pueblo

917	*Levante:* nombre aplicado antiguamente al litoral oriental del
Mediterráneo ocupado por los musulmanes.

917-919 y 937-944	Sobre la política de Alfonso V en los Balcanes y
el Oriente mediterráneo, escribe Ángel Canellas López en la *Enciclopedia de la Cultura Española,* tomo I, Madrid, Editora Nacional, 1963,
págs. 203-204: «En teoría, Alfonso V era rey de Hungría y de Jerusalén, y duque de Atenas y Neopatria; él quiso que los títulos respondieran a la realidad. Y a pesar de los recelos de Venecia, emprendió una
ambiciosa política para conseguirlo: tuvo embajadores en Dalmacia y
Morea, logró el vasallaje del vaivoda de Bosnia, defendió Rodas, reclamó Atenas a Constantino Paleólogo: el déspota de Servia y Scanderberg, caudillo albanés, buscaron su alianza contra Venecia; protegió a
Chipre, ocupó la isla de Castelorizzo, recorrió con su escuadra el litoral
de Siria y se adentró en el Nilo. Y todo ello a la vez que mantenía
grandes dificultades en Italia y siempre chocaba con la hostilidad de las
potencias marítimas de Génova y Venecia». Una carta real de Alfonso V al procurador fiscal en el reino de Aragón del 10 de diciembre
de 1427 empieza así: «Don Alfonso por la gracia de Dios rey d'Aragón,
de Sicilia, de Valencia, de Mallorquas, de Cerdenya e de Corcega,
comte de Barchinona, duch de Athenas e de Neopatria, e encara comte
de Rosellon e de Cerdanya» (véase FILEMÓN ARRIBAS ARRANZ, *Paleografía documental hispánica,* Transcripciones, Valladolid, 1965,
pág. 139.

918	*las Galias:* las tres 'Galliae', a saber, 'Aquitania', 'Lugdunensis'
y 'Bélgica'.

CXVI

Por tanto en effecto la su deten*ç*ión
q*ue* fuesse co*n*vino e fue destinado;
mas no*n* vos temades de larga p*r*isión,
924   com*m*o d'El q*ue* puede sea denegado.
Aved esperança, fuit el cuydado
q*ue* assí vos fatiga, torme*n*ta e molesta;
cantad alleluya, q*ue* ya vos es presta,
928   e no*n* memoredes el *t*ie*n*po passado.

921 ML3, comienza: e por tanto / MN6, RC1, PN10, comienza: pero tanto
922 NH2, BC3, comienza: conuino que fuesse e / RC1: fuese con umo e
923 YB2: mas vos no temades / PN8: tomades / PM1: de luenga prisyon
924 PM1: pueda ser denegado
925 NH2: sperança / TP1, YB2: finid el / SA1: del cuydado; NH2, BC3: al cuydado
926 SA10, comienza: casy / SA1: que si fatiga / RC1, PN10: que sy vos / MN8: fatigan / NH2, PN4, PN8, PM1, BC3: vos torm(i)enta fatiga y / e *om.* PM1 / NH2, BC3: y amolesta
927 RC1, PN10: ya uos enpresta
928 PN8: memorades al tiempo / SA1, SA10: del tienpo

924 *commo d'El puede sea denegado:* puesto que ello (la larga prisión) es rechazado por el que puede (= Dios).
927 *presta:* próxima.

CXVII

E non solamente serán delibrados
e restitüydos en sus señorías,
mas grandes inperios les son dedicados,
932   regiones, provinçias, ca todas son mías.
E d'este linaje, infinitos días
verná quien possea grand parte del mundo;
haved buen esfuerço, que en esto me fundo,
936   e çessen los plantos e las elegías.

929   e om. MH1, MN6, NH2, RC1, PN10, BC3, TP1, YB2 / MN8,
        HH1, ML3, comienza: ca non; PM1, comienza: que no; PN4,
        PN8, comienza: quien solamente / RC1: deliberados
930   HH1: y rrestaurados en / SA1, MN31: señorios; PM1: señoris
931   MN1, PN4, PN12, YB2: le son; NH2, PN8, BC3: los son
932   PM1, comienza: rreynos prouinçias / SA1, SA10, NH2, PM1,
        HH1, BC3: prouinçias que t. / SA1: todos son mios; SA10:
        todos son mias
933   NH2, BC3: y d'esto linaje / PM1: ynfenetos dias
934   PN8: mondo / ML3: vernan que posean
935   RC1, PN10: e aued / PN4, PN8: esforço / PN8: me fondo
936   NH2, BC3: çessan / SA10: plantos con las alegrias / PN4: las
        alegrias; PN8: las elegrias

934   verná: 'vendrá' (cf. HANSSEN, op. cit., § 147, pág. 63, y ME-
NÉNDEZ PIDAL, Manual..., op. cit., § 123, págs. 323-324).

CXVIII

Los quales, demás de toda la España
havrán por heredo diversas partidas
del orbe terreno, e por grand fazaña
940   serán en el mundo sus obras havidas.
Al su iugo e mando vernán sometidas
las gentes que beven del flumen Jordán,
d'Eufrates e Ganjes, del Nilo; e serán
944   vençientes sus señas e nunca vençidas».

---

937   TP1, YB2: quales de tierra de / NH2, BC3: demas que toda
Espanya / la om. MN6, NH2, RC1, PN10, PN4, PN8, PN12,
PM1
938   por om. MH1 / SA1, MH1, NH2, BC3: (h)eredero; SA10:
erençia; PM1, HH1: eredo / MN6, RC1, PN10: a diuersas;
NH2, BC3: en diuersas
939   NH2, BC3: de orbe / SA10: del or; ML3: del horben / SA10:
tererreno; PM1: terrenyo
940   MH1, TP1, YB2: seran por el / PN8: mondo / SA10: obras tenidas; TP1, YB2: obras e vidas
941   NH2, BC3: (h)a su / PN4: viernan / PM1, HH1, TP1, YB2:
seran sometidas
942   SA1, MN6, NH2, BC3: biuen / NH2: de flumen / RC1,
PN10: del flumo; PN4, PN8: del fluuio
943   e om. MN8, MN31, ML3, TP1, YB2 / SA1, MH1, SA10,
MN6, RC1, PN10, PN4, PN8, PN12, PM1, HH1, TP1, YB2:
de G. / SA1: Gangos; MN31: Ganios; SA10: Gages; NH2,
BC3: Gauges; RC1, PN10, PN4, PN8, PN12: Gantes / SA1,
SA10, RC1, PN10, PN12, PM1: de Nil(l)o / PN4, PN8:
Gantes e Nilo / MN31: del Niso / SA8, MN8, MN31, SA1,
SA10, PM1: Nilo seran
944   SA1, MH1: vençidos

---

937   demás de: además de.
938   heredo: herencia.
942   flumen: río.
943   Eufrates: río de Asia.—Ganjes: río más importante de la India.—e serán: esta lectura me parece superior a la de SA8, MN8,
MN31, SA1, SA10 y PM1 («Nilo serán»).
944   señas: véase nota al v. 446.

CXIX

Con tales palabras dio fin al sermón
aquella inperante sobre los bivientes,
e non punto lata fue la esecución,
948 ca luego delante me fueron presentes
los quatro señores, libres e plazientes,
de quien mi comedia e proçesso canta;
pues note quien nota maravilla tanta,
952 e vos, admiradvos, discretos oyentes.

Rúbrica: El fin que la Fortuna faze al su rrazonamiento

---

945 NH2, BC3: do fin; PN8: dyon fin
946 MH1, PN12: beuientes; NH2: biuentes
947 PM1, comienza: en vn punto leta fue / SA10: punto larga;
  MN6, RC1, PN10: punto loca; TP1, YB2: punto lacta
948 SA10, comienza: que luego / PN12: delant
949 NH2, BC3: las quatro senyoras libras / los om. TP1, YB2 / e
  om. MN8, MN31, SA10, PN4, PN8
950 SA10: mi cometa; HH1: mi comedita / PM1: e mi proçeso
951 note om. MN31 / NH2, BC3: pues nota quien
952 SA10, dice el verso: que tal nunca oyeron jamas los oientes / el
  verso falta en SA1

---

947 *non punto:* véase nota al v. 291.
950 *proçesso:* véase nota al v. 567.
952 *oyentes:* sin duda el poeta introdujo este vocablo a causa de la
rima; véase nota al v. 55.

CXX

Con cándidos rayos forçava el aurora
la espessa tiniebla, e la conpelía
a dexar la España, assí que a desora
956   la magna prinçesa e su conpañía
me fueron absentes; pues ¿quién dubdaría
si fuy desplaziente e muy consolado,
visto tal caso e tan desastrado
960   después convertido en tanta alegría?

Rúbrica: Acábase el tractado llamado Comedieta de
          Ponça

---

953   NH2, PM1, BC3: forçaua laurora / PN8: el eurora
954   PN4: espiessa
955   que *om.* MH1 / PM1: asy ca desora
956   PM1: la manya prinçesa / PN8, PM1: conpanya
957   PN4, PN8: absente / NH2, BC3: absentes y quien
958   SA10, comienza: que fuy / TP1, YB2: ssy fue yo alegre o
      muy / SA1, RC1, PN10, PN4, PN8, PM1, TP1, YB2: fue /
      PN4, PN8: desplaziente / SA1, SA10, MH1, HH1, TP1, YB2:
      desplaziente (TP1, YB2: alegre) o muy / muy *om.* RC1, PN10 /
      MN6, PN10: desconsolado; SA10: consalado
959   NH2, PN8, BC3: tan (PN8: tal) desestrado

---

953   *cándidos:* blancos.
954   *conpelía:* empujaba.
959   *desastrado:* triste, infeliz.

Estrofas XIX y XX (VV. 145-160)

XIX

SA8   Ilustre rregine de chui el aspecto
       dimostra grand sangho e magnifiçençia
       y vegno d'al loco ou'e lo dilecto
148   e la eterna gloria e suma potençia
       vegno chiamato de vostra exçelençia
       cha'l vostro plachire e remaricare
       m'a facto si tosto partire e cuytare
152   lassato lo çelo a vostra obediençia

SA1   Ylustre rregina de cuyo el aspeto
       demuestra grand sangeo e magnifiçençia
       eu venio de loco que he e dilecto
       eterno la gloria e suma potençia
       venuo chamoto de uossa exçelençia
       ca vostro piangiri e rremaricari
       m'a facto asy tosto partiri e quitari
       lasato çeso a vostra obediençia

MN8   Yllustre regine de chui el aspecto
       dimostra grant sengho e manificencia
       yo beño d'al loco ou'e llo dilecto
       e la eterna gloria e summa potençia
       begno chiamato de vostra excellençia
       cha'l uostro pianire e remaricare
       m'a fato si tosto partire e cuytare
       lassato lo celo a vostra obidençia

MN31

Ylustre rregine de cuy el aspecto
dimostra grant sangho e magnificençia
yo beno d'al loco ou'e llo digleto
e la eterna gloria e suma potençia
beno chamato de vostra exçelençia
cha'l uostro pianire e rromaricare
m'a fato si tosto partire e cuytare
lasaco lo çello a vostra obediençia.

MH1

Yllustre rregine de cuj el aspecto
dimostra grant sanligo magnifiçençia
en vegno d'al loco oue he lo dilecto
eterno la gloria e suma potençia
veno chiamato de vostra eçellençia
ca'l vostro piangere e rremaricare
m'a fato sy tosto partire e quitare
lassato lo çelo vostra obediençia

SA10

Ylustre rreyna de cuio el espeto
demuesa gran sangre e magnifiçençia
eu venuo de al loco que e edelleto
eterno la gloria e suma potençia
venuo chamato de vostra exçelençia
ca vostro plazer e rremaricar
me ha fecho asi presto partir'e quitar
lasato çeso a vostra obidençia

MN6

Yllustre regine de chuy el especto
dimostra grant sangho e magnifiçençia
io vegno d'aloco oue e lo dilecto
eterno la gloria e suma potençia
vegno chiamato de vostra exçelençia
cha'l vostro piangere e rromaricare
m'a fato si tosto parire e aribare
lasato lo çelo a vostra obediençia

NH2   Illustre regine de cuy el especto
          dimostra gran sango y magnificençia
          eu vegno d'a locho oue e lo dilecto
          eterno la gloria e summa potençia
          eu vegno chamato de vuestra'ccellencia
          ch'el vostro piangere y ramadicare
          m'a fato si tosto partire e arribare
          lo fato lo aquelo a uostra obediencia

RC1   Illustre regine de cuy el aspecto
          dimostra grande sango e magnificencia
          yo uengo de loco donde he lo dilecto
          eterno la gloria e suma potencia
          uengo chiamato de uuestra excelencia
          ca el uuestro piangere e remaricare
          m'a facto si tosto partire e arribare
          lasato lo cielo a uuestra obediencia

PN10   Illustre regine de cuy el aspecto
          dimostra grant sangho e magnifiçençia
          eu vegno de loco oue he lo dilecto
          eterno la gloria e suma potençia
          vegno chamato de vostra exçellençia
          ca el vostro piangere e remaricare
          m'a fato sy tosto partire e arribare
          lasato lo celo a vostra obediençia

PN4   Illustre regina de cui lo aspecto
          demostra grand sangho e magnificencia
          jo vengo de loco ou'e lo delecto
          e temo la gloria e summa potencia
          vegnio chiamato de uostra excellencia
          che el vostro piangere e remancare
          m'a fatto si tosto partir' e arribare
          lassato lo cielo a vostra obediencia

PN8
Illustre regina de cuy lo aspecto
demostra grand sangho e magnifficencia
yo vengo de loco ou'e lo delecto
e temo la gloria e summa potencia
vegno chiamato de vostra excellencia
ca el vostro piangere e remancare
m'a facto si tosto partir'e arribare
lassato lo cielo a vostra hobediencia

PN12
Illustre regine de cuy el aspecto
dimostra grand sangho e magnifiçençia
eu vegno de loco oue he lo dilecto
eterno la gloria e suma potençia
vegno chamato de vostra exçelençia
ca el vostro piangere e remaricare
m'a fato si tosto partire e arribare
lasato lo celo a vostra obediençia

PM1
Ylustre rregina de cuy el aspeto
demostra gran sango e manifiçençia
eu venyo de loco dou'e lo dileto
eterno la gloria e suma potençia
venyo chamato de vostra exelençia
ca'l vostro pianchiri e rremaricari
m'a fato asy tosto partyri e aribari
lasyato lo chelo a vostra obedençia

HH1
Ylustre rregina de abiui el aspecto
y demostra gran ssacho y manifiçençia
io vengo d'al loco que ha el delecto
eterno la gloria e suma potençia
vengo chiamato de vostra exçelençia
ca vostro planire y rremaricare
m'a fato sy tosto partire y quitare
lesiato lo çelo a vostra obidonçia

BC3
Yllustre regine de cuy el especto
dimostra gran sango y magnificencia
en vegno da loco oue e lo dilecto
eterno la gloria e summa potencia
en vegno chamato de vostra excellencia
ch'el vostro piangere y ramadicare
m'a fato si tosto partire e aribare
lo fato lo aquelo a vuestra obediencia

ML3
Ylustre rregine de chui el aspetto
dimostra gran sangho e manifiçençia
yo veño d'al loco ov'e lo diletto
e la eterna gloria e suma potençia
vegno chiamato de vostra exçellençia
cha'l nostro pianire e rromaricare
m'a fato si tosto partire e cuytare
lasato lo çelo a vostra obediençia

TP1
Yllustre rregina de cuy el aspecto
de vostra gran ssangre y magnifiçençia
io vengo d'al loco que ha el delecto
eterno la gloria y summa potençia
vengo chiamato de vostra' çelençia
ca vostro plagire e rramaritare
m'a fato assy toste partir'e quitare
lessiento lo çely a vostra obidiençia

YB2
Yllustre rregina de cuy el aspecto
de vuestra gran sangre y magnifiçençia
yo vengo d'al loco que ha el delecto
eterno la gloria y suma potençia
vengo chamato de vostra' çelençia
ca vostro plagire e rramitare
m'a fato asi toste partir'e quitare
lesiento lo çeli a vostra obidiençia

XX

SA8 I uegio li vostre senbiante cotal
che ben demostrate esser molestate
di cuella regina che infra inmortale
156 regi e iudica de iure e de facte
uegamo li casi e ço que narrate
e vostri infortunii con tanti peruersi
cha presto serano prose rime e versi
160 a vostro piachire e acho comandate

SA1 Yo vi di le vostri senblante totable
the neu demostrante ser molestate
de aquella rregina trihunfan gi mortale
rregi e judueta de iure e de fate
uejamos le caso e ço que narrati
che vostre infortuno contati peruersi
tha presto seraue prose rime versy
a vostre piagiri e piusi mandaty

MN8 Yo uegio li uostri sembiante cotali
che ben demostrate sere molestate
di cuela regina che fra i mortali
rege e judica de jure e de fate
bejamo li casi e ço que narrate
e uostri inffortuny choranto peruersi
che presto serano prose rime versi
a uostro piachere accio comendate

MN31 Yo uegio li uostri senbianti cotali
che ven demostrare esser molestate
di cuella rregina che fra inmortali
rrege et judica de jure e de fate
bejamo li casi e co que narrate
e uostri infortuni cothanto peruersi
chen presto serano prose rreme uersi
a nostro piachire e actio comendate

MH1   Io vejo li vostre senbrante cotalli
        che ben vi demostrano asay molestate
        di quella rregina que fra gli mortali
        rregi judica de jure e de facte
        vejamo li casi e ssoe narrate
        he nostri infortuni con tanti peruersi
        cha presto ssarano prose rrime e versi
        a vostro piachere selo comendate

SA10   Yo vi el vostro senblante totable
        chen ven demostrante ser molestate
        di quella rregina que ufran gili mortale
        rregi e guberna de jure e de fate
        vejamos le caso eso que narrate
        che vostro infortuno con tanti perversi
        [falta este verso en el original]
        a vostro piachere e puysy mandate

MN6   Io veio ly vostre senbiante cotali
        che ben vy demostrano asay molestate
        di quella regina que fra gly mortali
        regi que judica de jure e de facte
        veiamo le casi e ço enarrate
        e vostre infortuni contati peruersi
        ca presto serrano prose rime e versi
        a vostro piaxere se lo comendate

NH2   Yo vegio li vostri senbiante cotali
        che bien ve dimostrando asay molestati
        di quela regina che fra gili mortali
        regi e judiçe de jure e de fati
        vejamo le cassi co so che narrati
        e vostri infortuni con tanti peruersi
        ca pristo serano proze rime e uersi
        al vostro pianchere si lo comendati

RC1
Yo uejo li uostri sembianti cotali
che ben ue dimostrano asay molestate
de quella regina que'n fra gli mortali
regi e iudica de iure e de facte
uejamu li casi e czo che narrati
e uostri infortuni contanti peruersi
ca presto serano prose rime e uersi
a uostro piacere si lo comandati

PN10
Eu vejo li vostri senbianti cotali
che ben ve dimostrano asay molestate
de quella regina que fra gli mortali
regi et judica de jure e de facti
vejamu li casi e ço che narrati
e vostri ynfortuni contanti peruersi
ca presto serano prose rime e versy
a vostro piachiri sy lo comandati

PN4
Jo vego li vostri sembianti chotali
que ben ve demostrano assai molestate
de quella regina che fra li mortali
regi e judica de jure e de facti
vegiamo li casi e cio che narrate
e vostri infortuni con tanti peruersi
che presto seranno prose rime e verso
al vostro piacere si lo comendate

PN8
Yo vego ly vostri sembianti chotali
que ben ve demostrano assay molestate
de quella regina che fra gili mortali
regi e judica de jure e de facti
vegiamo li casi eso che he narrati
e vostri infortuni con tanti peruersi
ca presto seranno proze rime e versi
el vostro piaceri si lo comendate

PN12   Eu vejo li vostri senbianti cotali
       che ben ve dimostrano asay molestate
       de quella regina che fra gli mortali
       regi et judica de jure e de facti
       vejamu li casi e ço que narrati
       e uostri infortuni con tanti peruersi
       ca presto serano prose rime e versi
       a uostro piachere si lo comendate

PM1   Eu vejo li vostri senbiante cotali
       qui ben vi dimostrano asay molestati
       di quela regina que infra le mortali
       rrichi e judica de jure e de fati
       vechamo li casy e ço que narrate
       e vostro infortuni con peruersy
       ca presto serano rremi e versy
       a vostro piacheri sy lo comandate

HH1   Io vi de li vostro senblante totali
       chen ben dimostrate y ser molestate
       di quela rregina que ynfra li mortaly
       rregi e iudica de iure y de faty
       vejamo ly casy e io chen narrate
       che vestri ynfortuni con tanto peruersi
       cha presto sarrano prose rrime versy
       a vostro piaçiri y puisi mandate

BC3   Yo vegio li vostri senbiante cotali
       che bien vedi mostrando asay molestati
       di quella rregina che fragili mortali
       regi e judice de jure e de fati
       vejamo le cassi co so che narrati
       e vostri infortuni con tanti peruersi
       ca pristo serano proze rime e versi
       al vostro pianchere si lo comendati

ML3   Yo vegio li vostri senbiante cotali
che ben demostrare sere molescate
di cuella rregina che fra y mortali
rrege e judica de iure e de fatte
vejamo li casi e co che narrate
e vestri ynfortunii chocanto perversi
che presto serano prose rrime versi
a vostro piachere e acçi comendante

TP1   Yo vejo le vostre ssemblante totaly
che ue dymostrate y ser molestate
de aquella rregina que infla ly mortaly
rryge e judica de jure e de facte
velamo le caso e poche narrate
che vestri ynfortuni con tanti perversy
cha y presto sarano prose rrimen versy
a vostro pexire e pussy mandate

YB2   Yo vejo le vostre semblante totaly
che ue dimostrate y ser molestate
de aquella rregina que infla ly mortaly
rrige e judica de jure e de facte
velamo le caso e poche narrate
che vestri ynfortuni con tanti perversi
cha y presto sarano perse rrimen versi
a vostro pexire e pusi mandate

Variantes en los Epígrafes

— Las variantes de forma no entran en el cuerpo.
— Cuando un epígrafe difiere mucho del del texto crítico, lo reproducimos en su forma completa. Estos casos van indicados con un asterisco.
— ML3 no tiene epígrafes.
— En MN31 los epígrafes faltan a partir de la estrofa III.

I. (las cifras romanas indican las estrofas)

SA1*: tratado que fizo el muy noble cauallero don Yñigo Lopes de Mendoça Marques de Santillana e Conde del Real al muy virtuoso rrey d'Aragon don Alfonso e al muy vyrtuoso rrey de Nauarra e al ynfante don Enrrique e al ynfante don Pedro e a la rreyna de Castilla e a la de Portugal sobre la presyon de los dichos rreyes e ynfante llamado Comedieta de Ponça / comiença *om.* MN8 y MN31 / MH1*: comiença el tractado llamado Comedieta de Ponça el qual fizo el señor Yñigo Lopes de Mendoça Señor de la Vega / SA10*: dezir que fizo el Marques de Santillana al muy virtuoso rrey de Aragon e al muy rrey de Navarra e infante

don Enrrique e infante don Pedro e rreyna
de Castilla e rreyna de Portogal sobre la prision de los rreyes e infantes llamado Comedieta de Ponça / NH2*: la Comedia de
Ponça fecha por Inyego Lopis de Mandoça
Marques de Santillana / PN4, PN8: aci comiença / la om. PN12 / HH1*: tratado llamado Comedieta de Ponça ordenado por el
dicho señor Marques de Santillana sobre la
prisyon del rrey don Alonso de Aragon e del
rrey don Juan de Navarra e ynfante don Enrrique sus ermanos quando ffueron desbara-
tados e presos en la batalla que ovieron sobre mar con los genoveses / BC3*: assi comiença la Comedia de Ponça la qual fizo
Yniego Lopez de Mandoça / TP1, YB2*:
Comedieta de Ponça que compuso el señor
Marques de Santillana.

II. falta en TP1 e YB2.

III. SA1: distruçion; MN8: disposicion; SA10:
distinçion; RC1, HH1: discrecion.

V. MN8: las señoras reyna de Aragon doña
Leonor e doña Maria su nuera reynante.

VI. MN8*: blason de las armas d'estas señoras
por pedreria.

VIII. MN8: la señora reina de Nauarra doña
Blanca e la ynfante doña Catalina.

X. falta en MN8 / de om. PN4 y PN8 / de
Çertaldo om. MN6 / ilustre om. PM1 y
HH1 / TP1, YB*: miçer Juan Vocaçio yllus-
tre poeta florentino çertaldo.

XI. MN8*: exortacion de la señora reyna doña

Leonor / NH2, BC3: aqui fabla / HH1*: fabla la rreyna de Aragon / falta en RC1,
PN10, PN4, PN8 y PN12 / TP1, YB2*: habla la rreyna de Aragon doña Leonor

XII. MN8*: otra de la señora reyna doña Maria /
SA10: habla de la / señora om. RC1 y
HH1 / TP1, YB2*: la rreyna de Nauarra.

XIII. MN8*: otra de la señora reyna doña
Blanca / HH1*: la rreyna de Aragon rreynante / rreyna om. NH2 y PM1 / rreynante
om. SA10, RC1, PN10, PN4, PN8 y PN12 /
TP1, YB2*: la rreyna de Aragon.

XIV. MN8*: otra de la señora infante donde loa
los baxos e seruiles offiçios / HH1*: la ynfante doña Catalina / infante om. SA10 /
NH2*: ffabla la senyora infante dona Catarina / PN4, PN8: Catarina; PN12: Cathe-
rina; BC3: Rateria / PM1: Fortuna loa /
SA1, SA10: e loando; PM1: loando / MN6:
loa a los / RC1, PN10, PN4, PN8, PN12:
los seruiçios baxos / PM1: los seruiçios e
baxos offiçios / SA10: baxos e çeviles / TP1,
YB2*: el Marques de Santillana quexandose
de la Fortuna y loa los viçios baxos e seruiles.

XIX. SA1, MN8, SA10: rrespuesta de Johan /
NH2, BC3: rrespondio / SA1, SA10: a las
dichas señoras / señoras om. RC1, PN10,
PN4, PN8, PN12, TP1 e YB2 / MN8:
reyna / SA10: señoras y infante e rreynas /
PN4: e a la infante; PN8: e al infante.

XXI. SA1*: narraçion que la señora rreyna vieja
madre de los dichos señores faze del caso a
Juan Bocaçio / MN8*: narraçion del caso el

qual cuenta la señora reyna doña Leonor (este epígrafe se encuentra al frente de la estrofa XXII) / NH2*: rreyna madre de los rreyes a Johan Bocaci / RC1, PN10, PN4, PN8, PN12*: la narraçion que fizo la rreyna doña Leonor / HH1, TP1, YB2, comienzan: narraçion / PM1, BC3, TP1, YB2: fizo / TP1, YB2: los señores rreyes.

XXV. SA1, SA10*: del muy ylustre señor rrey de Aragon / MN8*: el señor rey de Aragon e de las dos Sçiçilias don Alfonso / RC1*: del señor don Alfonso rrey de Aragon / HH1*: del rrey don Alonso de Aragon / TP1, YB2*: del rrey de Aragon.

XXXI. SA1, SA10*: del muy vyrtuoso señor rrey de Nauarra / MN8*: el señor don Juan rey de Nauarra; RC1*: el señor don Iohan rrey de Nauarra / PM1, TP1: del rrey de Nauarra / HH1*: del rrey don Juan de Nauarra / señor om. YB2.

XXXIV. SA1: del señor / MN8*: el señor infante don Enrrique maestre de Santiago / señor om. NH2, BC3, PM1, HH1, TP1 e YB2 / HH1, comienza: del ynfante.

XXXV. SA1, SA10: del señor / falta en MN8 / señor om. NH2, BC3, PM1, HH1, TP1 e YB2 / HH1, comienza: del ynfante.

XXXVI. SA1, SA10 *: de la señora rreyna de Castilla / MN8 *: la señora doña Maria rreyna de Castilla muger del rrey don Juan / PM1, comienza: a la muy / muy magnifica om. NH2 y BC3 / doña Maria om. PN4 / HH1 *: de la rreyna de Castilla doña Maria / TP1, YB2: la rreyna de Castilla doña Maria.

XLI. SA1 *: de la señora rreyna de Portugal / MN8*: la señora dona Leonor reyna de Portugal muger del rey D. Duarte / MH1, SA10*: la señora rreyna de Portugal doña Leonor / NH2, BC3*: la rreyna dona Leonor de Portugal / RC1, PM1*: la señora doña Leonor rreyna de Portugal / PN4, PN8, PN10, PN12*: la señora rreyna de Portugal / HH1*: de la rreyna doña Leonor de Portugal / TP1, YB2*: la rreyna de Portugal doña Leonor.

XLIII. SA1, comienza: commo la señora rreyna vieja rrecuenta / MN8*: la carta que a la señora reyna de Aragon doña Leonor madre de los señores reyes y reynas e infantes fue trayda e le fue presentada / SA10: rreyes e rreynas y ynfantes rrecuenta / SA1, SA10, PM1, TP1, YB2: de su infortunio / NH2*: la rreyna madre de los rreyes rrecuenta a Johan Bocacio senyales algunos que buo del infortuno / RC1*: rrecuenta la señora doña Leonor rreyna de Aragon algunas señales que ouo del su infortunio / PN10, PN12, comienzan: rrecuenta la señora rreyna doña Leonor algunas / PN4, PN8*: rrecuenta la señora dona Leonor algunos senyales que houo de su infortunio / HH1*: rrecuenta la rreyna madre de los rreyes a Juan Vocaçio algunas señales que ovo de ssu ynfortunio y grand desastre / TP1, YB2; comienzan: como la rreyna / señora om. BC3 / su om. BC3 / de aquí en adelante faltan los epígrafes en MN8, con excepción de los de las estrofas LXXXVII y CVIII.

LI. SA1*: capitulo do se rrecuenta el sueño de la señora rreyna vieja / SA10: rreyes e rreynas e ynfantes / NH2, BC3*: rrecuentase el suenyo

de la rreyna madre de los rreyes / RC1,
PN10, PN4, PN8, PN12, comienzan: rrecuenta del sueño de / PM1*: rrecuenta la señora rreyna madre de los rreys el suenyo
que ouo / HH1, comienza: rrecuenta el
sueño la dicha señora / TP1, YB1*: testigo
que rrecuenta el sueño de la rreyna de Aragon madre de los rreyes.

LVIII. SA1*: de commo fue presentada la carta de
la señora rreyna de Castilla e rreyna de Portogal a la señora rreyna su madre en la qual
faze mençion de la batalla e presion / MH1,
NH2, BC3: infantes / SA10: e rreyna de
Portogal... prision de los dichos señores rrey
e ynfante / MN6: fue presenta / HN2, BC3:
de las rreynas a la rreyna su madre faze
mençion / PN4, PN8, PN12, PM1, HH1,
comienzan: commo fue / PN4: senyoras
rreyna / PN4, PN8, PN12: de los senyores
rreyes / PN12, HH1: qual le fazen mençion / e infante om. PM1 / HH1: a la rreyna
su madre en que se faze mençion ... ynfante
don Enrrique.

LIX. SA1: aqui comiença / NH2, BC3*: la carta /
el epígrafe falta en MN8, PN4, PN8 y PM1.

LXIII. SA1: aqui comiença / NH2, BC3*: la batalla / el epígrafe falta en MN8, PN4 y PN8.

LXXXII. SA10: rrey e ynfante / NH2, BC3*: la prision de los rreyes y del infante don Anri-
que / la om. HH1 / TP1, YB2*: prision del
rrey e ynfante.

LXXXIII. SA1*: la muerta de la señora rreyna vieja /
TP1, YB2, comienzan: muerte / SA10: de los

señores rrey ynfante / NH2, BC3, HH1: los rreyes e infante / de Aragon *om.* HH1.

LXXXIV. falta en MN8 y HH1.

LXXXV. SA1: en forma feminil / MH1: vino a çensolca (?) / SA10: en forma femenil ... ynfantes / MN6: vyno consolar / NH2, termina: forma aconsolo a las illustras senyoras; BC3, termina: forma aconsolo a las señoras / de *om.* PN4, PN8, PN12, PM1, TP1, e YB2 / a *om.* PN4, PN8 y PN12 / en *om.* PM1 / HH1: e como la Fortuna en forma femenil.

LXXXVII. MN8: de como la Fortuna venía aconpañada e arreada.

XCV. SA1, RC1, PN10, PN4, PN8, PN12: enperadores e rreyes / SA1, SA10, TP1, YB2: aconpañaron / rreyes *om.* MH1, SA10, TP1, e YB2 / MN6: rrecuentase; PN4, PN8, PN12, PM1, HH1: rrecuenta / NH2, BC3*: de como los monarchas emperadores acompanyan la Fortuna / RC1: aconpañan / PN8, TP1, YB2: monarchas e emperadores / PN4, PN8: en esta vida / a *om.* PN4 / HH1*: rrecuenta los principes que aconpañauan a la Fortuna.

CI. falta en MH1, NH2 y PM1.

CII. SA1: rrecuenta las dueñas que vydo; SA10: rrecuentanse las dueñas que vido / MN6, PN10: rrecuentase; NH2, PM1, TP1, YB2: rrecuenta / PN4, PN8, PN12*: rrecuenta las rreynas e duenyas / HH1*: rrecuenta las señoras.

CVII. falta en PN4, PN8 y PN12 / señoras *om.*
HH1, TP1 e YB2 / MN6: rreyna e ynfante /
e infante *om.* NH2 y BC3 / PM1: se omella-
ron a / HH1, comienza: commo las rreynas e.

CVIII. SA1, SA10*: comiença el rrazonamiento de
la Fortuna / MN8*: de como la Fortuna
consuela a las señoras rreyna e ynfante /
HH1*: rrazonamiento que fizo la Fortuna a
las rreynas e ynfante / comiença *om.* NH2,
BC3, PN4 y PN8 / señoras *om.* TP1 e
YB2 / e *om.* PM1.

CXIX. falta en PM1 / SA1: en su rrazonamiento;
SA10, NH2, BC3, PN4, PN8, PN12, TP1,
YB2: a su rrazonamiento / el *om.* HH1, TP1
e YB2 / NH2, BC3: el fin que faze la For-
tuna / HH1*: ffin del rrazonamiento que la
Fortuna fizo a las rreynas e ynfante.

CXX. falta en SA10 / SA1*: conclusion del tra-
tado / NH2, BC3*: ffinida / PM1*: ffyn /
TP1, YB2*: concluyese y acaba el tratado /
PN4: aqui acaba el; PN8: assi acaba el /
PN12: ... Ponça ffin / HH1: ffeneçe el.

APÉNDICES

APÉNDICE A

LA 'CARTA A DOÑA VIOLANTE DE PRADES'

Figura en los siguientes manuscritos:

MN6 : fols. 254v-255r.
RC1 : fols. 197v-198v.
PN10 : fols. 1r- 1v.
PN12 : fols. 96r- 97r.
PM1 : fols. 1r- 2v.

No figura en el PN8 como dice Morel-Fatio, *op. cit.*, pág. 190[b].

Ediciones:

— *Rimas inéditas...*, *op. cit.*, págs. 1-9.

— Ochoa, Eugenio de, *Catálogo razonado de los manuscritos españoles existentes en la Biblioteca Real de París*, seguido de un suplemento que contiene los de las otras tres bibliotecas públicas (del Arsenal, de Santa Genoveva y Mazarina), París, 1844, págs. 488-491.

— *Obras de D. Íñigo López de Mendoza..*, *ed. cit.*, págs. 93-95.

— *Epistolario Español*, tomo segundo, por don Eugenio de Ochoa, B. A. E., tomo LXII, Madrid, M. Rivadeneyra, 1870, págs. 10-11.

— *Cancionero castellano del siglo XV, ed. cit.*, págs. 460-461.

— *Marqués de Santillana, Páginas Escogidas.* Selección y notas de Fernando Gutiérrez, Barcelona, 1939, págs. 99-100.

— *Cancionero de Roma, ed. cit.*, págs. 150-151.

— *Prose and Verse, Marqués de Santillana*, chosen by J. B. Trend, Londres, The Dolphin Bookshop Editions, 1940, págs. 31-33.

— *Cancionero de Juan Fernández de Ixar, ed. cit.*, págs. 562-563.

— *La 'Comedieta de Ponza'.* Edición de José María Azáceta, *ed. cit.*, págs. 13-14.

Edición crítica

Hemos visto que con respecto al texto de la *Comedieta* MN6, RC1, PN10. PN12 y PM1 se interrelacionan de la manera siguiente:

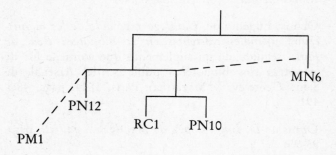

El mismo esquema parece ser válido para las copias del texto de la *Carta* (véase el cuerpo de variantes).

Como base de la edición de la *Carta* he tomado el manuscrito MN6, y por lo general he utilizado los mismos criterios que me guiaron al establecer el texto de la *Comedieta de Ponça*.

Los mismos reparos que pusimos al texto de la *Comedieta* de Amador de los Ríos, pueden ser aplicados también a su edición de la *Carta* (*ed. cit.*, págs. 93-95). En las *Notas* discutiré solamente las discrepancias más relevantes entre la edición de Amador y la mía.

[*La 'Carta a doña Violante de Prades'*]

A la muy noble Señora doña Violante de Prades, Condesa de Módica e de Cabrera, Ýñigo López de Mendoça, Señor de la Vega [1].

Avida ynformaçión, notiçia e [2] conosçimiento de la vuestra mucha vyrtud, non poco presto a vuestro mandamiento [3]. Ca, commo dize Agustino, muchas vezes amamos lo que non veemos [4]; mas lo que non [5] conosçemos, non lo podemos amar asý bien. E [6]

5

RC1 tiene como encabezamiento: Comedieta de Ponça / 1. PM1: López, Señor de la Vega e de Mendoça / 2. e *om.* MN6 / 3. PM1: al vuestro comendamiento / 4. PM1: vejemos / 5. PM1: mas no lo que / 6. e *om.* MN6.

El encabezamiento «Comiença el Prohemio» tras la frase introductoria de la *Carta* en la edición de *Amador* (pág. 93) no figura en ningún manuscrito.

3-5 *commo dize Agustino... asý bien:* con toda probabilidad Santillana parafrasea aquí pasajes de *De Trinitate*, en donde San Agustín trata de la relación entre 'amar' y 'saber': *De Trinitate*, VIII, IV, 6, «Quem tamen nisi iam nunc diligamus, numquam uidebimus. Sed quis diligit quod ignorat?»; *Ibídem* X, I, 1, «rem prorsus ignotam amare omnino nullus potest»; *Ibídem*, X, I, 1, «quod quisque prorsus ignorat amare nullo pacto potest»; *Ibídem*, X, I, 2, «certe enim amari aliquid nisi notum non potest»; *Ibídem*, X, I, 3, «Quamobrem omnis amor

tanto [7] commo yo puedo me rrecomiendo a la vuestra
nobleza.

Muy noble Señora, Palomar, servidor [8] de la casa
del Conde e vuestra, me ha dicho que algunas obras
mías vos han plazido [9]; e tanto me çertifico que vos
plazen que aýna me [faredes] [10] creer que son buenas,
ca la vuestra muy grande discreçión non es de creer
que se pague [11] de cosa non buena [12].

Muy noble Señora, quando aquella batalla naval
acaesçió çerca de Gayeta [13], la qual fue asý grande
que [14] después qu'el rrey Xerçes fizo la puente de
naves [15] en el mar Oçéano, por ventura tantas e tan

---

7. MN6: tanto quanto / 8. PM1: seruidora / 9. PM1: agradado / 10.
en PM1 la forma verbal fue mutilada por un agujero en el papel. En
vista del espacio entre *fare*... y la palabra siguiente, creo que había dos
letras donde el agujero, lo que daría *fareys*; MN6, PN12, RC1, PN10:
farés / 11. MN6: de crer se pagase / 12. PM1: de cosas no buenas / 13.
RC1, PN10: Gaeta / 14. PM1: ca / 15. PM1: naus.

---

studentis animi, hoc est uolentis scire quod nescit, non est amor eius rei
quam nescit sed eius quam scit propter quam uult scire quod nescit...»;
Ibídem, XIII, IV, «Quomodo igitur feruentissime amant omnes quod
non omnes sciunt?»; *Ibídem*, «Quomodo ergo ambo amant eam si
nemo potest amare quod nescit?» (AVGSTINVS, *De Trinitate libri XV*,
Corpus Christianorvm, Series Latina L y LA, cvra et stvdio W. J.
Mountain, avxiliante Fr. Glorie, Tvrnholti, 1968).

11 [*Faredes*]: en contra de lo que leen los códices, propongo esta
forma porque Santillana siempre utiliza en su prosa las formas con *-d-*
en la segunda persona de plural (cf. la *Carta* «a su hijo don Pero Gon-
çalez, quando estaua estudiando en Salamanca», *ed. cit.*; y la *Carta al
señor Pedro de Mendoça, Señor de Almazán*, publicada por Ángel Gómez Moreno en su artículo «Una carta del Marqués de Santillana», en
Revista de Filología Española, LXIII (1983), págs. 121-122). En su poesía, el marqués emplea en el 85 por 100 de los casos las formas en *-des*
para la segunda persona del plural. Con respecto a la desaparición de la
d en las inflexiones llanas en los siglos XIV y XV, véase RUFINO JOSÉ
CUERVO, «Las segundas personas de plural en la conjugación castellana», en *Romania*, XXII (1893), págs. 167-169).

14 *quando aquella batalla naval:* véase la *Introducción*.

16 *Xerçes:* aquí se refiere el autor al rey de los persas Jerjes I (485-
465 a. de J.C.), quien durante su expedición contra Grecia (480) fran-
queó el Helesponto por medio de dos puentes de barcos.

20

grandes fustas [16] non se juntaron [17] sobre el agua [18], yo [19] començé una obra a [20] la qual llamé *Comedieta* [21] *de Ponça*. E tituléla d'este nonbre por quanto los poetas fallaron tres maneras de nonbres a [22] aquellas cosas de que fablaron [23], es a saber: tragedia, sátira e [24] comedia. Tragedia [25] es aquella que contiene

---

16. RC1, PN10, PN12, PM1: naues / 17. PN12: justaron; PM1: juntaros / 18. PM1: agua de la mar / 19. RC1, PN10, PN12, PM1: muy noble Señora yo / 20. a *om.* PN12, PM1 / 21. PM1: la Comedieta / 22. a *om.* MN6, PM1 / 23. MN6: cosas que aqui fablaron / 24. e *om.* RC1, PN10 / 25. MN6: e tingendia; interlineado, de otra mano: tragedia.

---

16 *fustas:* véase nota al v. 422.
20 *tituléla: Amador* (pág. 94) pone «intituléla», aunque todos los códices dicen *tituléla*.
21 *tres maneras de nonbres: Amador* (pág. 94) lee «nombre».
23-43 La definición de los tres estilos: tragedia, sátira y comedia: indudablemente se sirvió Santillana de la traducción castellana del *Comentario* correspondiente a los siete primeros cantos del *Infierno* de Benvenuto Rambaldi da Imola (Biblioteca Nacional de Madrid, ms. 10208, ant. Ii-123), donde se lee en los folios 12, 12v y 13: «... lo qual es de notar qu'el estillo es en tres maneras conviene a saber: tragedia, satira e comedia.

Tragedia es estillo alto e soberuio; tracta de los fechos de memoria orribiles o aborresçederos, assi commo son las mudanças de los rreynos e las emersiones de las çibdades, los conflittos de las batallas, quebrantanyos de rreyes, caydas e muertes de varones e otros muchos mas males e muertes. E los descriuientes tales cosas son llamados tragedios e tragiçios, assi commo Homero, Virgilio, Siripedes, Estaçio, Simoydes, Etumus (?) e otros muchos.

Satira es estillo medio e tenplado; tracta de las virtudes e de los viçios. E los escriuientes tales cosas son llamados satiros e satiriçios, assi commo los rreprehendientes los viçios por satira, assi (12v) commo Oraçio, Juuenal e Perssio.

Comedia es estillo baxo e humilde; tracta las cosas vulgares e los fechos prouechosos de plebeyos o moradores de las aldeas e de las personas humildes. E los descriuientes tales cosas son llamados comedios o comiti, assi commo Plauçio, Terençio, Ovidio. Agora es aqui de notar que assi commo en este libro es toda parte filosofia segund que es dicho, assi es de toda poetria, donde si alguno quiere sotilmente escodriñar aqui es tragedia, satira e comedia. Tragedia porque discriue los fechos de los prinçipes, pontificos e de los rreyes e de los varones e de otros grandes e nobles, assi commo paresçe en todo el libro. Satira es rreprehensoria o que rreprehende; rreprehende marauillosamente e con

en sý caýdas de grandes rreyes e príncipes, asý
25 commo de Ércoles, Príamo ²⁶ a Agamenón ²⁷ e otros
tales ²⁸, cuyos nasçimientos e vidas alegremente ²⁹ se

26. MN6: Panto; RC1, PN10, PN12: de Priamo; PM1: Periamo / 27.
RC1, PN10, PN12: de Agamenon / 28. RC1, PN10, PN12: e de otros
atales / 29. MN6: alegres.

audaçia todos los generos o linages de los viçiosos. Non perdona a dignidad nin a poderio nin a nobleza de alguna. Por ende mas conve-
niente-(13)mente se puede yntitular o llamar satira que non tragedia o
comedia, porque segund Ysidoro comedia encomiença de cosas tristes e
terminase en alegres. E assi este libro comiença del ymfierno e se deter-
mina al parayso e a la esençia diuinal.»

Juan de Mena, amigo de don Íñigo, parafrasea a Benvenuto da Imola
en el 'Preámbulo segundo' del *Comentario a la Coronación*, obra de
1438 (cf. INEZ MACDONALD, «The 'Coronación' of Juan de Mena:
poem and commentary», en *Hispanic Review*, VII (1939), págs. 129-
130), con las siguientes palabras: «Sepan los que lo ignoran que por tres
estilos escriuen, o escriuieron los Poetas, es a saber por estilo Tragedico, Satirico o Comedico. Tragedico es dicha el escritura que habla de
altos hechos, y por brauo y soberuio y alto estilo. La qual manera si-
guieron Homero, Vergilio, Lucano y Stacio por la escritura Tragedica:
puesto que comiença en altos principios: su manera es acabar en tristes
y desastrados fines. Satyra es el segundo estilo de escreuir, la naturaleza
de la qual escritura y oficio suyo es reprehender los vicios: del qual estilo vsaron Horacio, Persio y Juuenal. El tercero estilo es comedia, la
qual trata de cosas baxas y pequeñas, y por baxo y humilde estilo, y
comiença en tristes principios, y fenece en alegres fines: del qual vso
Terencio», en *Todas las obras del famosissimo poeta Iuan de Mena*,
op. cit., pág. 266v.

En cuanto a lo que observa el marqués sobre la comedia, cabe en lo
posible que conociera igualmente el *Comentario a la Divina Comedia*
de Pietro Alighieri (ms. 10207 [ant. Ii-122] de la Biblioteca Nacional de
Madrid), donde se explica en el fol. 1v que comedia «quasi quier dezir
villano tractado o dictado, e esto es por quanto antiguamente los vi-
llanos soñando o tañiendo sus albogues de caña e flautas e rrimando. E
es de saber que las mas espeçies de poesia de cançiones entre las otras
son aquellas que comiençan de estado trabaioso e arduo, e van mejo-
rando estado fasta en el perfecto estado; e estas tales an nonbre comedias.
E porque esta es semeiable aquellas porque comiença en el infierno e
despues continua al purgatorio e lo terçero al parayso que es estado
perfecto e de folgança, por esto es llamada por nonbre comedia». Tanto
el mss. 10207 como el 10208 figuraron en la Biblioteca de Osuna, respectivamente, bajo las signaturas Plut V Lit. N no 24, y Plut V Lit.
N no 25 (cf. SCHIFF, *La bibliothèque ...*, *op. cit.*, págs. 303-305).

començaron e grande tienpo se continuaron e después
tristemente cayeron. E de fablar d'éstos usó Séneca el
mançebo, sobrino del otro Séneca, en las sus trage-
30   dias, e Johan Bocaçio en el libro *De casibus virorum
yllustrium [30]. Sátira es aquella manera de fablar que
tovo un poeta que se llamó Sátiro, el qual rreprehen-
dió muy mucho los viçios e loó las vyrtudes; e
d'ésta [31] después d'él usó Oraçio, e aun por esto [32] dixo
35   Dante [33]:

    «el altro [34] e Oraçio satiro qui [35] vene [36] etc.».

---

30. PM1: de casimus virorun ilustriun / 31. RC1, PN10, PN12:
d'esta manera / 32. MN6: por este / 33. MN6: Dançie / 34. RC1,
PN10, PN12: el al otro; PM1: al otro / 35. PM1: que / 36. RC1,
PN10, PN12: bene; PM1: vine (?).

---

27 *se continuaron:* MN6 tiene también esta lección y no «continuaron», como apunta *Amador* (pág. 94).

28 *E de fablar d'éstos usó Séneca: Amador* (pág. 94) pone «del fablar», sin que indique que tanto *Ochoa* como MN6 dicen *de fablar.* No
sigo la enmendación sugerida por *Amador* y respeto la lectura de los
cinco manuscritos. *Usar de* significa 'soler', 'tener la costumbre
de'.—*Séneca:* «unos commo Seneca tragedo queriendo demostrar quand
breues e caducos los prinçipados e poderes son d'este mundo e quand
ligeramente los que en la mas alta cumbre de la fortuna se asientan,
pueden caer», es lo que se lee en el prólogo de la traducción castellana
de los libros I, II, III, IV y X de la *Ilíada,* hecha a base de la traducción latina de Pietro Candido (*apud* SCHIFF, *La bibliothèque ..., op. cit.,*
pág. 3). En la carta que don Íñigo mandó a su hijo don Pero González
de Mendoza cuando éste estudiaba en Salamanca (entre 1446 y 1452),
leemos: «A ruego e instançia mia, primero que de otro alguno, se han
vulgariçado en este reyno algunos poemas, asy como la *Eneyda* de Virgilio, el libro mayor las *Transformaçiones,* de Ovidio, las *Tragedias* de
Luçio Anio Séneca, e muchas otras cosas ...» (*Amador,* pág. 482). Séneca dedicó a la figura de Hércules dos tragedias, que son *Hercules fu-
rens* y *Hercules Oetaeus,* y sobre Agamenón hizo una tragedia del
mismo nombre (cf. SÉNECA, *Tragédies,* II tomos, París, 1924, y SCHIFF,
La bibliothèque ..., op. cit., págs. 111-112).

28-29 *Séneca el mançebo, sobrino del otro Séneca:* aquí se equivoca
Santillana porque *Séneca el mançebo,* Lucio Anneo Séneca, el Filósofo,
fue *hijo* del otro Séneca, a saber, de Marco Anneo Séneca, el Viejo o el
Rétor.

30 *Bocaçio ... De casibus:* véase nota al v. 86.

36 *el altro e Oraçio ...:* no es una cita latina como sugirió *Ochoa*

Comedia es dicha aquella cuyos comienços [37] son trabajosos e tristes [38], e después el medio e fin de sus días [39] alegre, gozoso [40] e bienaventurado [41]; e d'ésta [42] usó Terençio Peno, e Dante en [43] el su libro donde primeramente [44] dize aver visto las [45] dolores e penas ynfernales, e después el purgatorio, e [46] alegre e bienaventuradamente después [47] el paraýso.

La qual *Comedieta*, muy noble Señora, yo continué fasta que la traxe en fin. E certifícovos, a fe de cavallero, que fasta oy jamás [48] ha salido de mis manos, non enbargante que por los mayores señores, e después por otros muchos [49] grandes omes [50], mis amigos [51] d'este reyno, me sea estada demandada [52].

Enbíovosla, Señora, con Palomar, e [53] asý mesmo los çiento *Provervios* míos e algunos otros *Sonetos*

---

37. PM1: naçimientos / 38. e tristes *om.* RC1, PN10 / 39. MN6: su vida / 40. MN6: goso; PM1: e gozosos / 41. PM1: bienaventurados / 42. MN6, RC1, PN10, PM1: d'este / 43. MN6: e en / 44. RC1, PN10, PN12, PM1: primero /45. RC1, PN10, PN12: los / 46. e *om.* PM1 / 47. PM1: e despues / 48. RC1, PN10: jamas non / 49. muchos *om.* RC1, PN10, PN12, PM1 / 50. PM1: omes grandes / 51. PM1: amigos mios / 52. PN12: demanda / 53. e *om.* RC1, PN10, PN12.

(pág. 7, nota 5, a pág. 3, línea 5); proviene de la *Divina Commedia, Inferno*, Canto Quarto, v. 89: «L'altro è Orazio satiro che viene» *(ed. cit.).—quivene:* por abreviarse el relativo q*ue* en MN6 y PN12, respectivamente, como 9y q̄, transcribí q̄ (MN6) y q¹ (PN12) como 'q*ui*' (cf. en PN12 el v. 79: q'ē = q*uien*).

40   *Terencio Peno:* Publio Terencio Afro, poeta cómico romano del siglo II a. de J.C. Nació en Cartago; de ahí *Peno*, del latín 'Poenus'.

46   *ha salido de mis manos: Amador* lee «de las mis manos» (página 94). Sin embargo, todos los manuscritos contradicen esta lectura.

51   *çiento:* PN12: çien; PM1: çient. Tanto çiento como la forma apocopada çient seguidas de sustantivo eran de uso muy frecuente en los siglos XIII y XIV (cf. CUERVO, *Diccionario..., op. cit.).*

Tengo la impresión de que en el siglo XV el empleo de çiento más sustantivo iba perdiendo terreno. Cuervo considera el empleo de *ciento* en Cervantes, *Persiles* 4,6, «Le ofreció por él ciento escudos», como errata o italianismo *(ibídem).*

Çient - çien: cuando en el *Diálogo de la lengua* Marcio pregunta: «¿dezidme quál es mejor escrivir cien sin t o cient con t?», le contesta Juan de Valdés: «Muchas vezes he estado en dubda quál tomaría por

que agora nuevamente he començado a fazer [54] al itá-

---

54. RC1, PN10, PN12: he fechos.

---

mejor, y al fin heme determinado en escrivir sin t y dezir: Un padre
para cien hijos, y no cien hijos para un padre *(ed. cit., pág. 103).* Indudablemente, ya no se pronunciaba la *t* final en tiempo de
Valdés.—*Provervios:* los cien *Proverbios o Centiloquio* es obra de 1437,
como constaba en el *Cancionero de Fernán Martínez de Burgos* (LA-
PESA, *La obra literaria* ... , *op. cit.,* pag. 205, nota 5). La primera edición es de Sevilla de 1494 (Menardo Ungut y Estanislao Polono).

51-52 *algunos otros Sonetos que agora nuevamente he començado a
fazer:* Rafael Lapesa entiende *nuevamente* en sentido lato y opina que
Santillana mandó a doña Violante los diecisiete primeros sonetos,
puesto que sólo éstos figuran en los mss. MN6, PN4, PN8 y PN12, y
llevan «un mismo orden en casi todos los códices y ediciones» (LAPESA,
La obra literaria..., *op. cit.,* págs. 179 y 180, continuación de la nota 1
de la página anterior).

Según Juan Fernández-Jiménez *agora nuevamente* «tenía el sentido
de 'la primera vez' y no el de repetición que tiene hoy. El marqués de
Santillana indica, pues, su comienzo en el ensayo de soneto» («Petrar-
quismo en los sonetos amorosos del Marqués de Santillana», en *Romance Notes,* XX (1979), pág. 116, nota 2). Sin embargo, como
R. Foulché-Delbosc ha mostrado, también se usaba *nuevamente* en la
Edad Media con el significado de 'otra vez', 'de nuevo' («Notes de phi-
lologie», en *Revue Hispanique,* LXXXIII (1928), págs. 516-520). Ahora
bien, en combinación con *otros* y *agora* este significado me parece preferible. Entonces se trataría de los sonetos escritos alrededor de 1443,
año en que se compuso la carta que estamos comentando. Si aceptamos
con Lapesa *(La obra literaria...*, *op. cit.,* págs. 179-180) que el soneto
número XIII («Calla la pluma e luze la espada») fue escrito con motivo
de la entrada triunfal de Alfonso V en Nápoles el 26 de febrero de
1443, y que el soneto núm. XVIII («Oy, ¿qué diré de ti, triste emispe-
rio?») por sus paralelos con los últimos párrafos de la *Qüestión fecha
por el noble e manífico señor Don Íñigo López de Mendoza, Marqués
de Santillana e Conde de Real, al muy sabio e noble perlado, Don
Alonso de Carthagena, obispo de Burgos,* obra del «XV de Henero,
Año XLIIII» *(Amador,* pág. 490), es de 1444, pudiéramos concluir que
esos 'otros Sonetos' eran los números XIII-XVII (inclusive).

Posiblemente el marqués le mandó a doña Violante todos sus sonetos
escritos hasta aquel entonces, o sea, los diecisiete sonetos que figuran
juntos en algunos manuscritos (véase arriba), entre los cuales los cinco
más recientes que 'nuevamente' había comenzado a componer, y que
eran desconocidos a ella. Los doce primeros podrían haber formado
parte de las obras del marqués que la condesa de Módica había leído ya
(véase el comienzo de la *Carta).*

52 *a fazer: Amador* pone erróneamente «de façer» (pág. 95).

lico modo. E [55] esta arte falló primero [56] en Ytalia
Guido Cavalgante, e después usaron d'ella [Checo
d'Ascholi] [57] e Dante, e mucho más [58] que todos Fran-
çisco Petrarca [59], poeta [60] laureado.

E [61] sy algunas otras cosas, muy noble Señora, vos
plazen que yo por honor vuestro e de la casa vuestra [62] faga, con ynfallible fiuza vos pido por merçed,
asý commo a menor [63] hermano [64], me escrivades [65].

Cuya muy [66] magnífica persona e [67] grande estado [68] nuestro Señor aya todos días [69] en su santa [70]
protecçión e guarda [71].

---

55. e *om.* PM1 / 56. RC1, PN10, PN12: primerament(e) / 57. MN6:
Chicu d'Asculi; RC1, PN10, PN12, PM1: Chico d'Asculi / 58. MN6: e
mucho mas e mucho mas / 59. RC1, PN10: Petrearca / 60. poeta *om.*
MN6 / 61. e *om.* MN6, PN12, PM1 / 62. PM1: de la vuestra casa / 63.
PM1: ameno ermano / 64. asy commo a menor hermano *om.* RC1,
PN10 / 65. RC1, PN10, PM1: escriuays / 66. muy *om.* RC1, PN10,
PN12, PM1 / 67. PM1: cuya manifiçencia e persona en / 68. e grande
estado *om.* RC1, PN10 / 69. todos dias *om.* RC1, PN10 / 70. santa
om. RC1, PN10, PN12, PM1 / 71. guardia.

53-54 *Guido Cavalgante:* Guido 'Cavalcanti', poeta florentino del
siglo XIII (1255-1300).

54-55 [*Checo d'Ascholi*]: Cecco d'Ascoli (Francesco Stabili), astrólogo, médico y poeta (1280/1290-1327, Florencia). Que yo sepa, no
escribió sonetos. El nombre del poeta figura también en el *Prohemio e
Carta al condestable de Portugal:* en los mss. MN8 y SA8, respectivamente, como *Checo d'Ascoli* y *Checo d'Ascholi* (véase SORRENTO,
ed. cit., pág. 29). Por eso opto aquí por *Checo d'Ascholi.*

56 *Petrarca, poeta laureado:* el 18 de abril de 1341 fue coronado en
el Capitolio romano con el laurel poético que estaba dedicado a Apolo.

59 *fiuza:* confianza (del lat. 'fiducia').

61 *Cuya muy magnífica persona:* fórmula de tratamiento usada entre nobles y para con el rey. Cf. el comienzo del *Prohemio e Carta:*
«Al yllustre señor don Pedro, muy magnífico Condestable de Portogal»
(pág. 51); en la misma obra: «Al muy magnífico Duque don Fadrique
(pág. 61); y el prólogo a los *Proverbios:* «... en una Epístola suya al
muy manífico ya dicho señor rey» (*Amador,* pág. 22). Véase también
Ángel Gómez Moreno, «Una carta del Marqués de Santillana» *art. cit.,*
pág. 120 (nota a la línea 7 de la *Respuesta de Pedro de Mendoça),* y
pág. 122.

De Guadalajara [72], a quatro de
mayo, año de quarenta e tres [73].

65

---

72. PN12, PM1: Guadalfajara; en MN6 la *f* fue tachada / 73. en
MN6 no se expresa el año; RC1 y PN10 carecen de la indicación del
lugar, fecha y año; PN12: quarenta e quatro.

---

64 *Guadalajara:* en textos antiguos figura la forma *Guadalfajara*
(del árabe 'uad - al - fagara'). En los códices del *Libro de Buen Amor*
(S, de fines del siglo XIV o principios del XV; T, de fines del siglo XIV, y
G de 1389) figuran las formas *Guadalfajara* y *Guadalajara:*

    v. 5602, S y G: Guadalfajara
                 T: Guadalajara
    v. 5609, G y T: Guadalajara
                 S: Guadalfajara
    v. 5630,   G: Guadalajara
        S y T: Guadalfajara

(ed. de Giorgio Chiarini, Milán - Nápoles, 1964, pág. 344).
Guadalajara es la grafía utilizada en el *Prohemio e Carta* y en el testamento del marqués (véase SORRENTO, *ed. cit.,* pág. 42, nota 318), aunque según *Amador* es voz «demasiado moderna para que la usara así el
marqués» *Amador,* pág. 14, nota 160). Sin |embargo, los ejemplos| aduci-
dos contradicen este aserto. Cf. también GAVEL, *op. cit.,* pág. 184 y 186.

65 *año que quarenta e tres:* es la lección de PM1; PN12 dice «quarenta e quatro».

Ni uno ni otro códice tiene mayor autoridad; tampoco de la biografía
de Santillana, hecha por Amador *(Vida del Marqués de Santillana.* Edición al cuidado de Augusto Cortina, 2.ª ed., Austral, núm. 693, Buenos
Aires, 1947, págs. 61-62) se puede destilar una preferencia por una de
las dos fechas (cf. BARTOLINI, *art. cit.,* pág. 166). Lo único que a mi
modo de ver puede ayudarnos son algunas marcantes coincidencias entre el *Laberinto de Fortuna* de Juan de Mena, obra terminada en febrero de 1444, y la *Comedieta de Ponça,* las cuales han sido estudiadas
por María Rosa Lida *(Juan de Mena ..., op. cit.,* pág. 403) y Rafael Lapesa *(La obra literaria ..., op. cit.,* págs. 302-303, nota 75). En este caso
la cronología impide alistar a Santillana entre los imitadores de Mena;
aquí, como dice Lapesa, «la iniciativa corresponde a don Íñigo» *(ibídem,* pág. 302). Santillana dice expresamente que doña Violante es la
primera persona a quien manda una copia de la *Comedieta,* «non enbargante que por los mayores señores, e después por otros muchos
grandes omes, mis amigos d'este reyno, me sea estada demandada».
Ahora bien, si la *Carta* estuviera datada el 4 de mayo de 1444, quiere
decir esto que antes de esta fecha nadie pudo haber leído la *Comedieta
de Ponça.* En resumen, para que Juan de Mena pueda haber imitado algunos versos de la *Comedieta,* la *Carta* —y el envío del poema— a
doña Violante forzosamente tiene que llevar una fecha anterior. De ahí
nuestra preferencia por 1443.

APÉNDICE B

Blasón de armas

Figura en los manuscritos:

MN6   : fol. 255v   tras la estrofa VI.
PN4   : fol. 94r   tras la estrofa VI.
PN8   : fol. 152r   tras la estrofa VI.
PN12   : fol. 99r   al margen de las estrofas V y VI, y
                       debajo de la VI.

Ediciones:

— *Obras de D. Íñigo López de Mendoza ...,* ed. cit.,
pág. 98, nota 26, donde *Amador* transcribió el texto
del *Cancionero de Ixar.*

— *Rimas inéditas ...,* op. cit., pág. 13, donde *Ochoa* da el
texto a base de los manuscritos parisienses PN4, PN8
y PN12.

Edición crítica

Baso la edición en el texto del manuscrito MN6.

[Blasón de armas]

Estas tarjas o [1] escudos son devisados segund blasón de armas [2] de [farautes] [3], los quales han quatro maneras de blasonar.

La primera es el ordinario [4], que [5] comúnmente [6] se acostunbra entr'ellos e aun entre cavalleros; ca nesçesario es a los cavalleros saber blasonar, e sy más non [sabrán] [7], a lo menos [8] las armas de su señor [9] e suyas. E [10] es el primero de los blasones que llaman por el verde synople, por [11] el negro [12] sable [13], por [14] el colorado [15] goles e [16] por el morado púrpura; oro e [17] argento [18] e [19] azul [20] no son mudados de sus nonbres.

Es el segundo blasón por pedrería, llamado [21] el verde esmeralda, colorado rrubí, argento [22] perla [23], oro [24] tupaza, azul [25] çáfir, morado matista [26]: del qual blasón estas armas de las quatro grandes prinçesas se blasonaron [27].

E [28] es el tercero [29] por elementos, que [30] a lo colo-

---

1. PN4, PN8: e / 2. PN8: armes / 3. MN6: farantes; PN4, PN8, PN12: harantes / 4. PN4: la ordinacion; PN8: la ordinacio / 5. MN6: e que / 6. PN4, PN8, PN12: continuament(e) / 7. MN6: sabian; PN4, PN12: sabra; PN8: sabia / 8. a lo menos *om.* PN4, PN8, PN12 / 9. PN4, PN8: senyor / 10. e *om.* PN4, PN8, PN12 / 11. MN6: e por / 12. PN4: por el verde negro / 13. PN4, PN8: salle / 14. MN6: e por / 15. PN4, PN8: colgado / 16. PN4, PN8: es / 17. e *om.* PN12 / 18. PN12: argent / 19. PN4, PN8: es / 20. PN4, PN8: azur / 21. PN4, PN8: l(l)amando / 22. PN4, PN8, PN12: argent / 23. PN4, PN8: plata / 24. PN4: e oro / 25. PN4, PN8: azur / 26. PN4, PN8, PN12: mastica / 27. PN4, PN8; se blazonaran / 28. e *om.* PN4, PN8, PN12 / 29. PN4, PN8: el tercio / 30. MN6: e que.

---

2 [farautes]: farante es error visible por faraute; significa 'linajista', es decir, una persona que se ocupa del estudio de linajes nobles.

7 [sabrán]: esta enmienda, propuesta por Amador (pág. 98), da mejor sentido a la frase.

11 argento: |son corrientes| también las formas argente y argent (DLE).—azul: también se empleaba la forma azur (Corominas).

rado se dize ser fuego [31], lo negro tierra [32], lo azul [33] ayre, el argento [34] agua [35]. E por quanto los elementos non son mas [36] de quatro, non pueden alcançar a más partes [37] del [38] blasón.

Es el quarto blasón e de mayor exçelençia por virtudes [39]; ca el oro es [40] rriqueza, el argento [41] nobleza, lo colorado ardideza [42], lo verde esperança, lo azul [43] lealtad, lo [44] negro fyrmeza, el [45] morado liberalidat [46] o franqueza.

---

31. PN4: dizen fuego; PN8: dizen esser fuego; PN12: dizen ser fuego / 32. PN8: terra / 33. PN4, PN8: azur / 34. PN4, PN8, PN12: argent / 35. PN8, PN12: aygua / 36. non son mas *om.* MN6 / 37. PN4, PN8: la mas parte; PN12: a mas parte / 38. PN4, PN8: de / 39. MN6: vyrtud / 40. PN4, PN8, PN12: dizen / 41. PN4, PN8: argent / 42. PN8: ardieza / 43. PN4, PN8: azur / 44. PN12: e lo / 45. PN12: e el / 46. MN6: libertad.

23-24 *virtudes:* variante de PN4, PN8 y PN12; opto por ella porque el plural cuadra mejor en este apartado.

26-27 *liberalidat:* por tratarse de virtudes no sigo la lectura de MN6.

ÍNDICE

Páginas

Vida y obra del marqués de Santillana
Íñigo López de Mendoza 9
Obra literaria 17
La «Comedieta de Ponça» 35
Ediciones existentes de la «Comedieta de Ponça» 51
Nuestra edición 55
Breve descripción de los manuscritos utilizados 56
El «stemma codicum» 62
Criterios seguidos en esta edición 72

EDICIÓN CRÍTICA

La Comedieta de Ponça 81
Estrofas XIX y XX (vv. 145-160) 245
Variantes en los epígrafes 257

APÉNDICES

A. La Carta a doña Violante de Prades 267
B. Blasón de armas 279

CLÁSICOS CASTELLANOS

Títulos publicados

1. Federico García Lorca
    Canciones y primeras canciones
    Edición crítica de Piero Menarini
2. Federico García Lorca
    Poema del cante jondo
    Edición crítica de Christian de Paepe

Próxima aparición

Miguel de Unamuno
El Cristo de Velázquez
Edición crítica de Víctor García de la Concha

Marqués de Santillana
Comedieta de Ponça
Edición crítica de Maxim P. Kerkhof

Miguel de Cervantes
La Galatea
Edición de Juan Bautista Aralle Arce

Emilia Pardo Bazán
Los pazos de Ulloa
Edición de Nelly Clemessy

Ramón del Valle-Inclán
Divinas palabras
Edición crítica de Luis Iglesias Feijoo

Gaspar Melchor de Jovellanos
Escritos literarios
Edición de José Caro González

Lope de Vega
Peribáñez y el Comendador de Ocaña y **La dama boba**
Edición de Alonso Zamora Vicente

Benito Pérez Galdós
Tristana
Edición de Gonzalo Sobejano

Pedro Calderón de la Barca
Casa con dos puertas
Edición crítica de John E. Varey

Francisco de Quevedo
Poesía metafísica y moral
Edición crítica de Alfonso Rey